Alain Kimmel

Éléments
pour comprendre
la société française
actuelle

Hachette/CIEP

Maquette :
(couverture et intérieur) A. Depresle

Dessins :
pp. **38, 39** et **40 :** A. Depresle © Hachette ; p. **55 :** Paris ; pp. **62, 63 :** Plantu ; p. **102 :** Hoviv ; p. **112 :** Monier ; p. **115 :** Brosse ; p. **139 :** Chaval ; p. **141 :** Serre © Glenat ; p. **143 :** Sempé ; p. **168 :** A. Depresle © Hachette ; pp. **176, 177 :** Konk ; p. **205 :** H.G. Rauch.

ISBN 2.01.012548.7

Avant-propos

Francis Debyser observait récemment[1] *que, depuis une vingtaine d'années, on avait « négligé l'importance » pour l'enseignement de la civilisation française à l'étranger de ce qu'il appelle des « usuels de référence », c'est-à-dire des ouvrages qui doivent donner les réponses aux questions que peuvent se poser tous ceux qui s'intéressent à la France et aux Français d'aujourd'hui.*
En 1983, à l'occasion de la première biennale de l'Alliance française qui s'est tenue à Buenos Aires sur le thème « Civilisation et Communication », Ross Steele, professeur au département d'études françaises de l'université de Sydney et auteur de plusieurs livres de civilisation, avait distingué, à côté des manuels historiques de civilisation, trois sortes d'ouvrages :
– « l'ouvrage inventaire » du type Nouveau Guide France[2]*,*
– des « ouvrages dans lesquels les auteurs présentent leur analyse personnelle de la France »,
– des « manuels constitués de documents pour la plupart authentiques qu'un commentaire des auteurs permet de relier ».
R. Steele devait ensuite définir le « manuel idéal » comme « une sorte de source documentaire, à la fois pour le professeur et pour les apprenants », tenant compte de la « triple perspective sociologique, anthropologique, sémiologique dont parle F. Debyser »[3]*.*
Le présent livre ne correspond à aucun des trois types d'ouvrages évoqués par R. Steele. Il n'a pas pour autant – est-il besoin de le dire ? – la prétention de représenter le manuel idéal : d'une part, il ne couvre pas tout le champ de ce qu'il est convenu d'appeler la civilisation française contemporaine ; d'autre part, s'il tient compte des trois approches sociologique, anthropologique, sémiologique, il privilégie – ne serait-ce qu'en raison de l'espace éditorial qui lui est imparti – la première d'entre elles. Son propos est avant tout de donner les informations de référence indispensables à la connaissance de la société française actuelle, les repères permettant de s'orienter dans le dédale de cette société, et les éléments de réflexion propres à en faciliter la compréhension.
Description et analyse des réalités françaises contemporaines, selon une ligne thématique, avec regroupement des domaines abordés selon quelques grands axes, telle est la démarche suivie tout au long de ce livre.
C'est donc à ceux qui « sont amenés à parler de civilisation – qu'ils l'enseignent ou qu'ils l'étudient – à dire ce qu'est la France »[4] *ou seulement à s'y intéresser, que ce livre s'adresse.*
Conçu à partir de dossiers et d'articles publiés dans les revues Echos *et* Le français dans le monde, *augmenté de nombreux textes inédits, il propose un ensemble d'informations et d'analyses sur les divers aspects de la France d'aujourd'hui. A travers des enquêtes, des sondages, des documents, il présente des données et synthèses sur les réalités quotidiennes, le contexte politique, la situation économique, les questions sociales, les faits de société, la vie culturelle, etc. Il s'efforce ainsi d'éclairer les principaux phénomènes et les grands débats contemporains, et de donner au lecteur des clés pour mieux connaître et mieux comprendre la société française actuelle.*

---

(1) Dans *Le français dans le monde,* n° 198, janvier 1986.
(2) Hachette.
(3) Dans *Topiques* 6, Alliance française de Buenos Aires.
(4) Philippe Greffet, dans *Topiques* 6, *op cit.*

Introduction

Bon nombre d'observateurs de notre pays, tant nationaux qu'étrangers, s'accordent pour souligner le caractère de plus en plus hétérogène, voire éclaté, de la société française actuelle. Jamais, selon eux, celle-ci n'a présenté un visage aussi divers, contrairement à ce qu'avaient prévu naguère Tocqueville, Comte et Durkheim qui annonçaient en quelque sorte un resserrement des Français autour d'un modèle socioculturel uniformisé. Les attitudes, les comportements, les mentalités se sont multipliés au point de faire apparaître cette société comme une mosaïque, sinon un miroir brisé.

Hier, les différences étaient quantitatives (on était plus ou moins jeune, plus ou moins riche...) ; aujourd'hui, elles sont qualitatives, c'est-à-dire culturelles. Ce qui veut dire qu'on ne peut plus considérer la population française globalement. Il faut tenir compte de l'existence de familles culturelles très diverses, en sachant que cette diversité est en évolution constante. Les Français sont de plus en plus différents les uns des autres, y compris à l'intérieur des mêmes catégories sociodémographiques. Ils appartiennent à des groupes autonomes, fermés sur eux-mêmes, développant leur propre système de valeurs, possédant leur langage, leur code, leur mode de vie. Chaque groupe consomme ses produits culturels spécifiques (journaux, magazines, émissions de télévision ou de radio, films, livres...), et chacun vit dans une sphère de micro-cultures, voisinant, coexistant avec les autres, mais pratiquement s'en éloignant chaque jour davantage, jusqu'à leur devenir étranger. Les contacts se raréfient, les échanges s'amenuisent et même les conflits disparaissent progressivement.

Le miroir de cette société individualisée, émiettée, nous renvoie l'image d'un kaléidoscope culturel. D'où ce constat : nous sommes devant un immense vide (1) de valeurs collectives qu'elles soient sociales, religieuses, idéologiques...

Ce vide est la conséquence de l'absence de grands mythes historiques comme de grands rêves collectifs. Aucune institution, aucun parti politique n'est désormais à même de proposer un grand projet aux Français. Ceux-ci se défient d'ailleurs de plus en plus de leur classe politique, notamment les jeunes qui lui reprochent de ne pas avoir trouvé de solution à la crise. Un million d'entre eux cherchent un emploi, tandis que près de deux millions de leurs aînés ont perdu le leur, le cancer du chômage étend ses métastases, mais l'inflation ne cesse de diminuer, la Bourse explose et les privatisations remportent un véritable triomphe. Les déçus du libéralisme succèdent aux déçus du socialisme, mais le capitalisme populaire connaît une spectaculaire « montée en puissance ». D'abord incrédules à l'égard de la cohabitation, les Français lui ont trouvé beaucoup d'attraits pendant plusieurs mois, mais lui sont désormais hostiles. Farouchement attachés à leur système de protection sociale, ils déplorent avec les pouvoirs publics son coût exorbitant, mais refusent qu'on y touche. Dans tout cela : incohérence ? A coup sûr, paradoxe. Dans un livre récent, Jean-Yves Potel notait : « le visage de la France est multiple, complexe, contradictoire » (2).

---

(1) Cf. *L'ère du vide* de Gilles Lipovetsky, Gallimard, 1983.
(2) *L'État de la France et de ses habitants,* éditions La Découverte, 1985.

A l'image du Japon, souvent proposé en exemple, à gauche comme à droite, la France est une nation à la fois traditionaliste et moderniste. Pays de la bonne cuisine, de la haute couture et des incessantes querelles idéologiques, la France est aussi le pays qui possède les trains les plus rapides du monde, le plus grand nombre de micro-ordinateurs domestiques et celui dont l'électricité sera bientôt entièrement d'origine nucléaire.

Vous avez dit contradiction ? Les héros des jeunes Français s'appellent Renaud, un chanteur pour l'Éthiopie, et Bernard Tapie, un industriel « faiseur d'argent ». Ces jeunes ne militent plus, mais se mobilisent pour les « restaurants du cœur ». Parfois solitaires, ils sont aussi solidaires au sein d'une société où l'individu est roi. Société médiatisée qui « ne se transforme que par ruptures, qui portent en elles à la fois des mutations accélérées et de nouveaux blocages »[(3)].

Le troisième millénaire qui commence demain sera-t-il pour la France une période de « mutations accélérées » ou de « nouveaux blocages » ? Si l'avenir n'est écrit nulle part, les pages qui suivent s'efforcent de faire comprendre comment la société française actuelle « s'organise en profondeur, s'abandonne à ses courants et aux courants du monde »[(4)].

(3) Alain Touraine, dans *Le Monde* (30 décembre 1986).
(4) Fernand Braudel, *L'Identité de la France. Espace et Histoire,* Arthaud-Flammarion, 1986.

1

Population

La famille : oui, mais...

La famille reste une institution solide ; pourtant, depuis quelques années, apparaissent de nouveaux comportements qui en modifient l'image traditionnelle. Sans que certaines valeurs s'en trouvent affectées, comme la solidarité parents-enfants, coexiste aujourd'hui, en France, une pluralité de modes de vie familiale.

A l'occasion du IXe congrès international de la Famille qui s'est tenu à Paris du 11 au 14 septembre 1986, plusieurs sondages ont été publiés. Dans la plupart des cas, leurs résultats n'ont fait que confirmer ce que des données ou enquêtes récentes avaient déjà mis en lumière : **la famille reste une valeur sûre et stable, voire en hausse,** mais paradoxalement ses deux principaux piliers – le mariage et la natalité – sont sérieusement ébranlés.

Dans son livre sur « les valeurs du temps présent »(1), le sociologue Jean Stoetzel souligne l'importance que revêt encore la famille pour la très grande majorité des Européens, Français compris. Il observe que dans l'hypothèse d'une semaine de travail réduite à trois jours, entre huit possibilités d'utilisation des journées libres, celle de les passer en famille arrive en premier.

En outre, lorsqu'on suggère l'idée de grands changements souhaitables dans le mode de vie, 85 % des personnes interrogées estiment qu'il faudrait insister davantage sur la vie de famille.

Enfin, c'est en son sein que 65 % des Européens se sentent détendus et en sécurité.

La famille apparaît ainsi non seulement comme un « refuge », mais comme la « **valeur suprême** ». Une précision toutefois : la famille envisagée ici est « la famille conjugale fondée sur le mariage, ou mieux, la famille nucléaire composée des époux et de leurs enfants restés au foyer ». C'est ce type de famille qui fait encore écrire à J. Stoetzel qu'elle « est un des ancrages solides, et peut-être un rempart de la société occidentale »(2).

Des familles diverses

Dans un article de la revue *Futuribles*(3), le démographe Louis Roussel, après avoir rappelé l'évolution récente de la famille (forte baisse de la fécondité depuis 1965, augmentation constante du nombre de divorces et inversion, autour de 1970, des tendances de la nuptialité...) distingue une série de comportements correspondant à plusieurs types de groupes familiaux :

• Un premier groupe familial paraît « assez proche du modèle traditionnel. Il admet comme norme que la vie sexuelle ne commence qu'avec le mariage, tient celui-ci pour une union en principe indissoluble ». Il considère l'avortement comme un interdit, et son taux de fécondité atteint souvent trois enfants. Enfin, « la différenciation des rôles, suivant le sexe, demeure très marquée ».

• Le second groupe, actuellement dominant en France, admet que la vie commune commence avant le mariage, mais exclut la fécondité. Le mariage se produit généralement après un ou deux ans de « cohabitation » et la fécondité est le plus souvent programmée. L'organisation de la vie commune est fondée sur le principe de l'égalité des conjoints et d'une certaine indifférenciation de leur rôle. Le divorce est considéré comme l'issue normale d'une union qui a échoué. Il est généralement souhaité que la rupture s'effectue par « consentement mutuel »(4).

• Un autre groupe, minoritaire mais en augmentation, est constitué de couples qui paraissent « renoncer plus durablement au mariage ». Ce sont des hommes et des femmes qui ont choisi de vivre ensemble, qui envisagent que cette « cohabitation » puisse durer longtemps, mais qui savent qu'un jour ou l'autre ils pourront mettre fin à cette « union ». Le groupe familial est lié par la convergence des objectifs de chaque membre du groupe. L'évolution du pourcentage des enfants nés hors mariage rend bien compte de la progression de ce type de couples.

• Depuis quelques années est apparu un quatrième groupe : celui des familles « mono-parentales ». Il s'agit d'un parent qui vit seul avec un ou plusieurs enfants. Ces familles représentent un peu plus de 6 % de l'ensemble des familles, soit 900 000 adultes et 1 200 000 enfants mineurs. On les trouve surtout dans les grandes villes et plus de la moitié d'entre elles ne comptent qu'un seul enfant. Dans 80 % des cas, le « chef de famille » est une femme, le plus souvent divorcée, mais aussi « mère célibataire » ou veuve. Parmi les pères seuls, également en majorité divorcés, 20 % vivent avec leurs propres parents (contre une femme sur quinze).

• Enfin, à ces quatre groupes, on peut ajouter plusieurs types « statistiquement rares » : couples homosexuels, individus ayant choisi de vivre seuls ou en communauté, etc.

Tous ces nouveaux « comportements » ont bien entendu des répercussions sur la distribution des ménages. Ceux composés d'un adulte seul, célibataire ou divorcé le plus souvent, sont les plus nombreux : ils sont passés de 2 860 000 en 1962 à 4 800 000 en 1982, soit près de 9 % de la population du pays, dont deux sur trois sont des femmes.

« Au modèle dominant de la famille nucléaire avec enfants s'est substituée une pluralité de modèles où les petites unités de une ou deux personnes deviennent de plus en plus fréquentes »(5).

---

(1) J. Stoetzel, *Les valeurs du temps présent, une enquête européenne,* P.U.F., coll. « Sociologies », 1983.
(2) *Ibid.*
(3) « Familles d'aujourd'hui et familles de demain », dans *Futuribles* n° 67, juin 1983.
(4) Depuis 1975, la législation permet aux époux de divorcer par consentement mutuel.
(5) Cf. note (1).

La solidarité des générations

Au-delà de ces différents changements de comportements, **la solidarité traditionnelle qui lie les enfants mariés à leurs parents semble se maintenir, sinon se renforcer.** Toutes les enquêtes réalisées ces dernières années concluent « à la fréquence et à l'importance de ce qui s'échange entre parents et enfants adultes : visites, gardes d'enfants, dons, services de toutes natures »[6]. Peut-être faut-il voir dans ce renforcement de la solidarité entre les générations une compensation à la fragilité croissante des liens conjugaux ?
Cette observation est confirmée par un sondage effectué par la S.O.F.R.E.S. pour le *Figaro Magazine* du 20 au 25 juin 1986. Interrogés sur « le rôle des grands-parents vis-à-vis de leurs enfants et petits-enfants », les Français ont répondu qu'il consistait à :

- apporter un soutien affectif **62**
- maintenir une vie de famille (organiser des réunions de famille) **54**
- transmettre à leurs petits-enfants un certain nombre de valeurs et de traditions **42**
- apporter une aide dans la vie de tous les jours (s'occuper des petits-enfants, les garder, les emmener en vacances, etc.) **38**
- faire connaître l'histoire de la famille **28**
- transmettre un savoir-faire, des techniques, etc. **19**
- apporter une aide financière **15**
- sans opinion **1**

Le total des pourcentages est supérieur à 100, les personnes interrogées ayant pu donner plusieurs réponses.

L'individu contre la famille

Si les différents types de familles définis par L. Roussel s'inscrivent dans la continuité du modèle initial autrefois dominant, le mariage-institution, celui-ci s'est progressivement dévalorisé pour n'être plus – lorsqu'il n'est pas refusé – qu'une simple formalité sociale.
Cette « **rupture culturelle** » **en matière de comportement matrimonial** peut s'expliquer par le fait que les jeunes femmes des années 1965/1970 « ont eu le sentiment d'être écrasées par le poids des maternités et par l'idéal de la femme-objet au foyer »[7]. Il faut également faire une large part à la réaction de nombreux jeunes mariés contre le modèle familial traditionnel de leurs parents.
Ce qui semble prioritaire aujourd'hui, c'est **l'intérêt propre des individus** à l'intérieur même du groupe familial. Cette conception nouvelle de la famille a trouvé son fondement dans la maîtrise scientifique de la fécondité et dans l'autonomie matérielle de chaque époux. Elle est d'ailleurs liée au renouveau de l'individualisme observé ces dernières années[8].

Une « démographie turbulente » ?

La famille ne constitue pas une réalité autonome au sein de la société ; elle en est partie intégrante, agit sur elle, mais « en reçoit aussi des impulsions et des contraintes » (L. Roussel). En conséquence, la famille de demain dépendra en grande partie de ce que sera la société à l'aube du troisième millénaire.

L'avenir n'étant écrit nulle part, on doit se contenter des données actuelles. Celles-ci montrent qu'au palmarès des « institutions » françaises, **la famille conserve la première place** (avec 63 % des suffrages), loin devant l'armée (36 %) et la justice (23 %) [9]. En revanche, le mariage s'effondre et la natalité demeure insuffisante, tandis que la « cohabitation hors mariage » (l'union libre ou le concubinage) et le divorce connaissent une hausse spectaculaire.
Cette apparente contradiction entre une « valeur-famille » forte et des valeurs-« mariage » et « natalité » en baisse, paraît donner raison au démographe Hervé Le Bras qui notait récemment que « depuis très longtemps, des conceptions très différentes de la vie familiale et sociale coexistent en France » [10]. Observation faite dans un chapitre intitulé « la démographie turbulente ».

---

(6) Cf. note (1).
(7) Philippe Ariès, historien.
(8) Cf. les essais de : L. Dumont, *Essais sur l'individualisme,* Le Seuil, 1983 ; G. Lipovetsky, *L'ère du vide, essai sur l'individualisme contemporain,* Gallimard, 1983 ; A. Laurent, *De l'individualisme,* P.U.F., 1985.
(9) D'après le sondage S.O.F.R.E.S - *Figaro Magazine* de juin 1986, déjà cité p. 12.
(10) H. Le Bras, *Les trois France,* Éd. Odile Jacob-Le Seuil, 1986.

• *Famille je vous aime...*

(Denis Tillinac, dans *Madame Figaro,* 6.09.86)

> *« L'été agonise ; les derniers vacanciers s'en vont. Déboussolés par l'absence des cousins et des copains, mes rejetons font leurs valises avec un mélange de morosité et d'excitation. C'est la rentrée ; elle signifie le retour à la norme, le repli dans le cocon familial. Nous allons nous retrouver entre nous et cette perspective efface la brume de mélancolie qui enveloppe le village presque inanimé. La reprise du boulot et de l'école n'est pas vraiment désolante quand on jouit du privilège de vivre en famille. Une marmaille pour semer le désordre, une mère pour le gérer, un père pour exercer une fiction de règne : voilà mon idéal de bonheur ici-bas. Il suffit pour y prétendre de convoler et de commettre des héritiers, en nombre élevé si possible car en matière d'ambiance familiale – ou nationale – tonicité rime avec fécondité. Certes je suis tenté, comme chaque année à l'approche des feuilles mortes, de rester ici quelques jours, seul, afin de procéder dans le calme à la rumination de mes fantasmes. Il m'arrive de succomber à ce mirage.*
>
> *Très vite l'ennui m'accable, je flotte dans ma tranquillité comme un nain dans un manteau de géant. La nécessité des batailles de polochons et autres ramdams nocturnes s'impose avec la force de l'évidence dans le silence de la maison vide.*
>
> *C'est la même chose lorsque je largue les amarres. Passée l'ivresse des départs, je compte les jours qui me séparent d'eux. Au fond, je ne pars à la chasse aux émotions que pour leur ramener un butin d'images colorées. La splendeur de Moorea, je l'ai découverte au retour, dans les yeux ébahis de ma fille. La fièvre du Dakar, je l'ai connue dans le salon, quand mes fils ont métamorphosé les fauteuils en 4 × 4, pour une spéciale plus mémorable que celles du désert. Comme tout Occidental, ou presque, je n'existe au sens*

plein du terme qu'en référence à ma tribu, et les ailleurs où je bourlingue valorisent tous notre terrier. C'est pourquoi j'assiste sans déplaisir aucun au bouclage des valises. Marie rentre en sixième : dès demain nous parlerons anglais à table pour la mettre dans le bain. Jean veut s'inscrire au club de foot : j'ai promis de lui acheter des crampons, pour peu qu'il s'abstienne pendant quelques jours de gifler François, lequel aborde la lecture avec un enthousiasme des plus incertains. Va-t-on mettre Henri à la maternelle ? Je suis pour, sa mère hésite. Les conseils des lectrices seraient les bienvenus. Tout cela nous promet des débats, des pugilats, des émois, des rires et des larmes. Surtout des rires.

Évidemment, les lois étant ce qu'elles sont, je serais plus riche sans enfants, et fiscalement avantagé si je n'étais pas marié. Mais je poursuivrais sans appétit une existence sans finalité et sans allégresse.

Du reste les lois peuvent changer, l'aubaine d'une vraie politique familiale est envisageable depuis qu'un vrai Corrézien comme moi nous gouverne.

En toute hypothèse, famille je vous aime... »

• *La bourse ou la vie... conjugale*

(Claude Sarraute, dans *Le Monde*, 17.09.86)

« Hier, je suis passée à « C'est la vie » sur A2. On s'interrogeait gentiment sur le mariage. Pour ou contre ? Ni l'un ni l'autre. On n'avait pas d'opinion bien nette, bien tranchée. On bavardait, quoi. Ce matin, coup de fil furibard d'une copine qui refuse le mariage et qui attend un bébé. Elle éructait au téléphone :

« T'es vraiment réac, je vais te dire. Tu aurais pu profiter de l'occasion pour gueuler contre ton Jacquot et son gouvernement de fachos. Ils font tout pour torpiller l'union libre.

– Comment ça ?

– Enfin, t'as bien vu la nouvelle politique de la famille, c'est vraiment à vous décourager de lutter contre l'ordre moral et l'hypocrisie du conjugo.

– Écoute, question impôts, les couples mariés sont pénalisés, alors si ils veulent rétablir une certaine égalité, moi je suis d'accord.

– Tu parles d'une égalité ! C'est de la discrimination, oui. Si on se sépare, nous deux, Julien, personne l'obligera à me payer une pension alimentaire. Et si il meurt avant moi pour la reversion...

– Forcément, t'es pas mariée.

– Et alors ! C'est pas parce que je veux pas passer devant le maire que je dois pas passer à la caisse. Là, c'est scandaleux, on est complètement livrés à nous-mêmes, personne s'occupe de nous. On n'a aucune sécurité, rien. C'est totalement injuste et complètement rétro.

– Je comprends pas, tu peux pas dire merde à la société et tirer sur la couverture sociale.

– Je vais me gêner ! Regarde dans les pays scandinaves, tu te maries pas, tu t'unis. Mais quand tu te désunis, c'est exactement comme si tu divorçais. Marié ou pas marié, le partage des biens, la garde des mômes, tout ça c'est pareil.

– Normal, remarque, quand on s'aime, le code civil on s'asseoit dessus, mais quand on commence à plus pouvoir se piffer, crois-moi, que le code civil, on se l'étudie vite fait. »

Vers la fin du mariage ?

Au déclin spectaculaire du mariage correspond une progression constante du concubinage. Phénomène de société aux multiples causes, le concubinage, comme le divorce, dessine de nouveaux modèles matrimoniaux. Annoncent-ils la fin du mariage ?

En 1972, 416 000 mariages étaient enregistrés, chiffre à peu près stable depuis le début du siècle. En 1985, on en a recensé 273 000, niveau le plus bas jamais atteint (à l'exception de la période 1914-1918) et qui fait de la France, à égalité avec l'Italie, la championne du « non-mariage ». Pourtant, 50 % des Français, interrogés en juin 86 par la S.O.F.R.E.S. pour le *Figaro-Magazine* (cf. p. 12), estiment que le mariage est « tout à fait indispensable ou plutôt indispensable à l'épanouissement d'un couple ». 47 %, il est vrai, considèrent qu'il est « plutôt pas indispensable ou certainement pas indispensable ».
Le même sondage enregistre les réactions des Français à l'égard du **concubinage.** 58 % trouvent normal qu'« un garçon et une fille décident de vivre ensemble sans se marier » (ils étaient 37 % dix ans auparavant dans une enquête S.O.F.R.E.S-*La Croix*). 33 % sont « un peu choqués », mais estiment que ce n'est « pas leur affaire » (contre 45 % en 1976). Enfin 7 % condamnent tout à fait ce « comportement » (17 % en 1976).
De fait, l'acceptation du concubinage a augmenté parallèlement au concubinage lui-même. En 1976, on dénombrait à peine cinq cent mille concubins, soit environ 4 % de l'ensemble des couples. Aujourd'hui, leur nombre a doublé : ils sont un million (soit **8 % de l'ensemble des couples**). Il reste certes douze millions de couples mariés, mais si l'on ne prend en compte que les couples dans lesquels l'homme a moins de trente-cinq ans, on atteint un pourcentage de plus de 50 % (5 % en 1976 !). D'ailleurs, 87 % des jeunes de 18 à 24 ans interrogés dans l'enquête S.O.F.R.E.S-*Figaro-Magazine* considèrent l'union libre comme normale. Celle-ci progresse désormais dans tous les milieux, y compris ruraux, mais reste essentiellement **un phénomène urbain** dont la fréquence est élevée chez les employés, les cadres supérieurs et les professions libérales. Géographiquement, c'est dans la région parisienne qu'elle est la plus répandue : un couple sur cinq n'est pas marié et, parmi les hommes de moins de vingt-cinq ans, on compte plus de concubins que d'époux « légitimes ». Le Nord est la région de France où le mariage a encore le plus d'adeptes.

Pourquoi le concubinage ?

Plusieurs raisons expliquent le succès croissant de cette « formule », que les démographes appellent aussi « cohabitation hors mariage ». En premier lieu, bien sûr, **le développement de la contraception** qui, en assurant la maîtrise de la fécondité, permet à de nombreux couples de ne plus « être obligés » de se marier. On peut citer ensuite **l'extension du travail féminin** qui rend les femmes plus indépendantes. On n'oubliera pas le refus, par certains jeunes, du mariage qualifié de « formalité inutile », voire d'« hypocrisie sociale ». Enfin, il faut mentionner **les avantages fiscaux** dont ont bénéficié ces dernières années les concubins ayant des enfants. Ceux-ci avaient en effet la possibilité de faire des déclarations de revenus séparées et de prendre chacun un enfant à charge. Chaque enfant comptait alors pour une part, au lieu d'une demi-part (jusqu'au troisième) pour les enfants de couples mariés, ce qui entraînait des abattements et des déductions doubles. Selon certains experts, le « non mariage » assurait à un couple avec deux enfants, disposant d'un revenu imposable de 200 000 francs, une économie d'impôt de 39 % [(1)].
Cependant, les couples non mariés n'ont pas d'existence juridique, ce qui n'est pas sans conséquence en cas de conflit. Les mairies peuvent toutefois délivrer à la demande un « **certificat de concubinage** » ou une « **attestation d'union libre** ». Ces documents permettent aux concubins de jouir du statut de couple « légitime » vis-à-vis des organismes sociaux et de réductions dans les transports publics.
A côté des concubins, les sociologues et les statisticiens ont découvert qu'il existait désormais des « couples », au sens classique du terme, qui ne constituaient pas des « ménages », car ne vivant pas en permanence sous le même toit. Ce nouveau type de couples n'étant pas (encore) reconnu par l'administration, d'aucuns ont suggéré l'appellation de « concubins anti-cohabitationnistes » [(2)]...

Le mariage, tel que le voyait en 1905 le peintre naïf Henri Rousseau, dit le Douanier, a beaucoup évolué depuis le début du siècle, mais surtout au cours des quinze dernières années. Devenu plus rare et considéré comme « peu ou pas indispensable » par près d'un Français sur deux, il conserve cependant de nombreux adeptes, notamment dans les milieux ruraux et dans le nord de la France.

Nouveau modèle matrimonial et divorce

Au même titre que le concubinage, le « mariage à l'essai » ou le mariage tardif, **le divorce** apparaît comme un « élément déterminant du nouveau modèle matrimonial qui semble se mettre en place aujourd'hui en France »(3). On compte actuellement environ 100 000 divorces par an (contre 45 000 en 1972 et 60 000 en 1976). En 1982, 860 000 femmes et 570 000 hommes divorcés ont été recensés. En 1984, la sociologue Évelyne Sullerot, dans un rapport sur le « statut matrimonial », élaboré pour le Conseil économique et social, soulignait qu'à Paris un couple sur deux divorçait. Causes de ces taux élevés : la libéralisation du divorce décidée en 1975, avec le rétablissement du « divorce par consentement mutuel » (que la France avait connu entre 1792 et 1804...), mais aussi les nouveaux comportements des Français liés aux évolutions socioculturelles.

Le divorce est fréquent au sein des mêmes catégories socioprofessionnelles que celles où se pratique la « cohabitation hors mariage ». De même, sa fréquence est faible parmi les agriculteurs, les ouvriers et les commerçants et artisans. Comme pour le concubinage, c'est surtout dans les villes qu'on enregistre le plus de divorces. « Le concubinage, le célibat, le divorce (...) ne peuvent plus être tenus pour marginaux », observait Évelyne Sullerot dans son rapport.

Serions-nous en train de vivre une profonde transformation des mœurs, donnant ainsi raison à Arthur Koestler qui annonçait, dès l'aube des années soixante, que le mariage allait disparaître et que cela serait un événement plus important que la révolution russe ?

---

(1) Pour remédier à cette inégalité, le gouvernement envisage, dans le cadre d'un projet de loi sur la famille, de rapprocher la situation fiscale des concubins et des couples mariés, en supprimant la demi-part supplémentaire par enfant accordée aux couples non mariés comme aux femmes seules. Cette demi-part serait maintenue pour le premier enfant. Si le projet de loi est voté par le Parlement, ces mesures devraient entrer en vigueur à partir du 1er juillet 1987.

(2) Allusion aux « anti-cohabitationnistes » qui refusent l'actuelle cohabitation politique entre le président de la République, François Mitterrand, et le Premier ministre, Jacques Chirac.

(3) Jean-Paul Sardon, dans *Les Cahiers Français*, n° 219, janvier-février 1985.

La France aime-t-elle les bébés ?

Depuis une dizaine d'années, il n'y a plus de renouvellement des générations. Quelles qu'en soient les diverses raisons, ce déclin de la natalité est lourd de conséquences pour la France. C'est peut-être son existence en tant que nation, entité historique et culturelle, qui est en cause ?

Il y a quelques années, on a pu voir, placardées sur les murs des grandes villes, des affiches de 4 m × 3 m, présentant en gros plan des visages de bébés surmontés de phrases chocs : *« Il n'y a pas que le sexe dans la vie. », « Est-ce que j'ai une tête de mesure gouvernementale ? », « Il paraît que je suis un phénomène culturel ! »*

Au bas de chacune de ces affiches, plus discrètement, était inscrite cette autre phrase : *« La France a besoin d'enfants. »* En dépit des apparences, il ne s'agissait pas d'une campagne gouvernementale visant à encourager la natalité, mais tout simplement de l'initiative d'un groupe publicitaire.

Peu après, d'autres affiches montraient un ventre de femme enceinte barré du slogan : *« La France aime les bébés. »* Affirmation du ministère de la Famille,

ou de quelque association nataliste ? Non, première phase de la campagne de publicité d'une marque de couches (la deuxième phase mettra en scène trois bébés portant les couches « Absorba », célèbre marque qui *« habille la France »...*).
La publicité, qui pressent souvent et donc précède les évolutions, les mouvements profonds de la société, ne faisait là qu'exprimer une des plus vives préoccupations des démographes français.

Les générations ne sont plus renouvelées

En 1964, le taux de natalité [1] était de 18,1 pour 1 000 habitants. En 1984, il n'était plus que de 13,6.
Si l'on prend comme indicateur – jugé plus satisfaisant par les spécialistes – l'indice de fécondité (c'est-à-dire le nombre de naissances par rapport à la moyenne des femmes en âge de procréer), on passe de 2,9 enfants par femme en 1964 (autrement dit, 290 enfants nés de 100 femmes) à 1,8 vingt ans plus tard (1,81 en 1981 et 1,82 en 1985). On sait par ailleurs qu'il faut dépasser le seuil de 2,1 pour assurer le simple remplacement des générations. Or, ce chiffre, qui correspond à 850 000 naissances par an, n'a plus été atteint depuis 1974 (cette année-là, on a dénombré 801 000 naissances). Le chiffre le plus faible a été enregistré en 1976 (719 000), et si l'on constate une légère et régulière remontée depuis trois ans (750 000 en 1983, 760 000 en 1984, 768 000 en 1985), celle-ci demeure tout à fait insuffisante. Depuis douze ans, il n'y a plus en France de renouvellement des générations.
Cette **chute de la natalité** s'observe dans toutes les catégories socio-professionnelles et dans toutes les régions de France. Il faut en outre souligner que l'indice actuel de 1,8 prend en considération les enfants nés de parents étrangers. Leur part est passée de 10,8 % en 1975 à 12,3 % en 1982 pour les naissances légitimes et de 8,5 % à 14,5 % pour les naissances illégitimes [2]. Si l'on ne tient pas compte de ces naissances, on obtient seulement **un indice de fécondité de 1,6.** Rappelons qu'à l'automne 1985, des projections démographiques annonçant la naissance dans trente ans de deux enfants étrangers sur cinq, avaient causé quelque scandale [3]. Lorsqu'on interroge les Français sur la dénatalité, deux tiers d'entre eux déclarent qu'il s'agit d'un réel problème pour l'avenir de la France et, questionnés sur le nombre d'enfants qu'ils souhaitent ou auraient souhaité avoir, une majorité répond deux et plus (cf. tableau ci-après).

Sans tenir compte des problèmes matériels, combien souhaitez-vous ou auriez-vous souhaité avoir d'enfants ?

Aucun	3	3 enfants	33
1 enfant	6	4 enfants	10
2 enfants	40	5 enfants et plus	6
Sans opinion	2		

Dans *le* Figaro Magazine *(sondage S.O.F.R.E.S. effectué du 20 au 25 juin 1986 auprès d'un échantillon national de 1 000 personnes représentatif de l'ensemble de la population française âgée de 18 ans et plus).*

(1) C'est-à-dire le nombre annuel de naissances par rapport à l'ensemble de la population.
(2) Naissances hors mariage.
(3) Cf. « Immigrés : être ou ne pas être français », p. 127.

Les raisons du déclin

Cette apparente contradiction entre l'« idéal » et la réalité conduit à rechercher les causes de ce déclin. Certains observateurs incriminent **la libéralisation de la contraception** (loi de 1967) **et de l'avortement** (loi de 1975). A l'évidence, la « révolution contraceptive » et la légalisation de l'interruption volontaire de grossesse (I.V.G.), qui a fait passer le nombre des avortements de 18,7 pour 100 naissances vivantes en 1976 à 24,4 en 1983, ont largement contribué à cet affaiblissement démographique (170 000 I.V.G. ont été enregistrées en 1985). Toutefois, l'étude historique fait apparaître que le phénomène de dénatalité est antérieur à la libéralisation des moyens contraceptifs et de l'I.V.G. La loi n'aurait fait qu'institutionnaliser, en l'accentuant, un processus déjà en cours. Évolution d'autant plus irréversible qu'elle s'accompagnait d'un discours social visant à limiter la natalité.

Il faut y ajouter les mutations de la société française qui ont progressivement transformé le visage des familles dans le sens d'une « nucléarisation » de plus en plus accentuée. L'exode rural, l'urbanisation, le travail des femmes ont notamment joué un rôle décisif dans **la diminution des naissances du troisième enfant.** Celui-ci « coûte cher » et 12 % des couples actuels qui souhaiteraient le « programmer » estiment ne pouvoir le faire pour des raisons matérielles.

Outre ces divers facteurs, certains auteurs mettent en cause l'individualisme moderne (primat de l'individu sur le collectif, et, partant, sur la famille), l'hédonisme de masse ou la mentalité de « décalage » (cf. les travaux de Bernard Cathelat et du Centre de communication avancée [(4)]). Ces comportements, ou « styles de vie », débouchent le plus souvent sur un refus de l'enfant vu comme un obstacle à la liberté du couple, à son aisance financière, à son standing socioprofessionnel.

Enfin, un certain scepticisme, sinon pessimisme, à l'égard de l'avenir expliquerait également cette baisse de la fécondité. Les pères de famille ne sont décidément plus ces « aventuriers du monde moderne » dont parlait Charles Péguy.

En dépit de l'augmentation du nombre des naissances illégitimes (10 % en 1975, 20 % en 1985), la natalité reste très généralement inséparable du mariage. Or, celui-ci, depuis quelques années, est en chute libre [(5)]. Comme, dans le même temps, le nombre de divorces ne cesse de croître, on comprend que la dénatalité soit un phénomène à l'ordre du jour. En l'étudiant de manière plus approfondie, on constate que les familles nombreuses diminuent davantage que les couples sans enfants n'augmentent. Or, pour atteindre le seuil crucial de 2,1 enfants par femme, il faudrait qu'un tiers des couples mariés aient trois enfants. Ils ne sont actuellement que 23 % dans ce cas. Certains démographes n'hésitent pas à prédire un chiffre de 1,1 soit pratiquement l'enfant unique. D'autres, moins pessimistes, escomptent une reprise, dès lors qu'un seuil plancher aura été atteint.

La population française vieillit

Un fait paraît incontestable : les estimations selon lesquelles la France compterait environ 60 millions d'habitants en l'an 2000 doivent être révisées en baisse. Si la tendance actuelle se maintient [(6)], notre pays ne pourra dépasser **58,8 millions d'habitants en 2010.** Cette situation ne s'explique pas seulement par la baisse du taux de natalité.

Un examen de la pyramide des âges révèle en effet **un incontestable vieillissement de la population française.**

En un siècle environ, le nombre de personnes âgées de plus de soixante ans a doublé (18 % aujourd'hui, soit 10 millions de personnes). Ce chiffre devrait continuer à s'accroître dans les années à venir pour atteindre plus de 20 % (soit 12 millions de personnes) [(7)] au début du troisième millénaire. Alors, « le sommet de la pyramide des âges sera alourdi, observe Gérard Calot, directeur de l'Institut national d'études démographiques (I.N.E.D.), ce qui aura des effets sur l'économie, sur le dynamisme interne de la nation, son aptitude à la recherche ».
Ce vieillissement de la population risque d'entraîner des conséquences extrêmement graves sur le système de protection sociale, notamment l'assurance-vieillesse. On peut craindre qu'il n'y ait **plus suffisamment d'actifs** pour assurer les retraites des personnes âgées. Aujourd'hui, cent actifs supportent trente et un retraités de plus de soixante ans. En l'an 2040, si la fécondité continue de diminuer au rythme actuel, il n'y aura plus que cent actifs pour cent dix retraités.

Autres conséquences de la dénatalité

On peut également remarquer, avec certains experts, que la dénatalité aggrave le chômage. Une diminution du nombre d'enfants entraîne une baisse de la consommation, des besoins en établissements scolaires, en équipements sportifs... Le déclin démographique amorcé il y a une dizaine d'années serait ainsi responsable de la suppression ou de la non-création de plus de 500 000 emplois. Pour l'historien Pierre Chaunu, « de 50 % à 60 % du chômage actuel, qui est un chômage structurel, est dû non aux classes normales de l'après-guerre, mais au déficit (par rapport aux projections des années soixante) de 100 millions de jeunes non nés depuis quinze ans sur le quart le plus industrialisé de la planète ».
La crise démographique influe également sur la situation de l'agriculture (actuellement, 40 % des paysans sont âgés de plus de cinquante-cinq ans), sur la capacité d'innovation technologique, sur la compétitivité extérieure, voire sur le potentiel militaire.

De la natalité à la nation

« Croître ou vieillir » : tel était déjà le dilemme énoncé par l'économiste Alfred Sauvy en 1963. Vingt-trois ans plus tard, on pouvait lire dans le journal *Le Matin* du 13 janvier 1986 : « Face aux nations du Tiers monde, nous serons, comme tous les pays occidentaux, un pays en perdition sur le plan démographique. Cela aura des conséquences politiques, sociales, économiques, que les dirigeants européens ne semblent pas voir. Dans une génération, l'Europe sera un continent affaibli, vieilli, face à un monde africain, asiatique, jeune, avide d'action et de travail ». Idée également exprimée par Alain Minc qui, dans son livre *Le syndrome finlandais* [(8)], met en garde contre le **« gouffre démographique »** qui guette les Européens. Devant cette menace, des personnalités de

(4) Service de recherches du groupe publicitaire Havas.
(5) Cf. « Vers la fin du mariage », p. 15.
(6) Au 1er janvier 1986, on comptait 55 282 000 personnes.
(7) Selon les projections de l'I.N.S.E.E., publiées dans *Économie et Statistique* de juillet-août 1986.
(8) Alain Minc, *Le syndrome finlandais*, Le Seuil 1985.

toutes tendances politiques suggèrent, avec le démographe Hervé Le Bras, de « pallier les défaillances de la natalité par la naturalisation, pour laquelle les candidats ne manquent pas ». Point de vue que conteste vivement l'économiste Jacques Bichot pour qui « moins les Français ont d'enfants, moins la société française est capable d'assimiler les nouveaux venus et de s'enrichir de leur apport tout en conservant son identité culturelle ».

Au-delà de la polémique, force est de constater, en dernière analyse, que parler de natalité c'est aussi, selon l'étymologie, parler de nation. Il y a bien là une interrogation fondamentale.

2

Réalités quotidiennes

Les Français et l'argent

L'attitude des Français face à l'argent a beaucoup changé. Ceux qui s'enrichissent ont désormais leurs faveurs. Mais travailler ne suffit pas pour s'enrichir. Alors ils tentent leur chance aux jeux d'argent. Certains possèdent aussi un patrimoine qui demeure inégal, mais change de nature. Après la croissance des « Trente Glorieuses », la crise a freiné la progression du niveau de vie. Quel avenir financier pour les Français ?

Depuis le Moyen Age [1], des théologiens comme saint Thomas d'Aquin aux révolutionnaires comme Saint-Just, chez des écrivains comme Zola ou Péguy, à gauche comme à droite, l'argent a souvent eu mauvaise presse en France. Dans le même temps, la sagesse populaire affirmait que « l'argent ne fait pas le bonheur » et que « plaie d'argent n'est pas mortelle ».
Mais les temps ont changé. Désormais, les Français ne considèrent plus l'argent comme un sujet tabou, sinon malsain, ils acceptent d'en parler, ils lui accordent même une valeur positive [2].

S'enrichir, disent-ils...

Lorsque François Guizot, qui fut chef du gouvernement français en 1847-1848, lança la célèbre formule « Enrichissez-vous ! » (« par le travail et par l'épargne », ajouta-t-il, mais on ne cite jamais la fin de sa phrase), il ne se doutait certes pas que ces quelques mots allaient lui valoir, pour plus d'un siècle, l'opprobre, voire le mépris, de nombre d'historiens et d'hommes politiques. L'opinion publique, pour sa part, considéra avec méfiance ou réprobation ceux qui écoutèrent Guizot.
Depuis quelques années pourtant, le personnage et l'œuvre de Guizot connaissent, avec le renouveau des idées libérales, un regain d'intérêt et de

(1) Cf. *La Bourse et la vie* de Jacques Le Goff (Hachette, 1986). Dans ce livre, le grand historien du Moyen Age explique pourquoi l'usurier qui consacrait sa vie à l'argent était voué à l'enfer. L'usurier, en effet, gagne de l'argent sans travailler. Il vole donc le temps. Or, le temps est don de Dieu. Par conséquent, il vole Dieu lui-même. D'où sa destinée « infernale » !

(2) 71 % des Français interrogés par la S.O.F.R.E.S. pour *L'Expansion* (septembre 1986) accordent une valeur positive à l'argent.

compréhension [3], tandis que les Français regardent maintenant avec sympathie, sinon envie, ceux qui s'enrichissent.

Celui qui a réussi, qui a fait fortune en quelques années, jouit, dans ces années 80, de la considération presque générale et de l'admiration de près d'un Français sur deux [4]. Le « faiseur d'argent » *(money maker),* figure emblématique de l'*American way of life,* est désormais présent en France : qu'il soit industriel, artiste ou sportif, sa réussite fascine et fait rêver.

A la bourse des valeurs sûres d'aujourd'hui, **le succès et l'argent** occupent les premières places. La presse, principal reflet des préoccupations de notre société, publie ainsi de fréquents dossiers sur le thème de l'argent dans ses principaux magazines [5].

Le « boum » des jeux d'argent

Dorénavant prêts à suivre le conseil de Guizot, nombre de Français savent cependant qu'ils ont peu de chances de s'enrichir avec leurs seuls salaires ou revenus, aussi misent-ils sur le hasard.

Les jeux d'argent, longtemps limités à la Loterie nationale [6] et au tiercé [7], se sont augmentés en 1976 du quarté [8] et du Loto [9], en 1984 du Tac-o-Tac [10] et en 1985 du Bingo [11] et du Loto sportif [12].

Tous ces jeux attirent un nombre de Français sans cesse croissant. Si 70 000 d'entre eux ont participé au premier tirage du Loto en mai 1976, ils étaient plus d'un million six mois après et ils sont actuellement entre 11 et 15 millions chaque semaine. Au total, ce sont environ **25 millions de joueurs,** soit près d'un Français sur deux, qui dépensent heddomadairement une moyenne de 25 francs, en espérant gagner le gros lot [13].

(3) Cf. notamment *Le moment Guizot* de Pierre Rosanvallon (Gallimard) et *Les libéraux français* de Louis Girard (Aubier).

(4) 43 % selon le sondage S.O.F.R.E.S./*L'Expansion,* cf. note (2) et 59 % selon un sondage I.F.R.E.S./*L'Express* de fin novembre 1986 dans *L'Express/votre argent* (N° 4, du 9 janvier au 5 février 1987).

(5) Depuis 1984, *Le Nouvel Observateur* présente le palmarès annuel de la fortune française. Cette année (24-30 octobre 1986) « Les 50 Français les plus riches ». *Le Point* titrait le 14 avril 1986 « Comment faire fortune en 86 » et *L'Express* du 9 au 15 janvier 1987 « Votre argent en 87 ». On pourrait ajouter à ces dossiers ceux des magazines, spécialisés ou non, sur les salaires des cadres ou des professions libérales, l'épargne, les placements, la Bourse, etc.

(6) Créée en 1933 (1er tirage le 7 novembre) ; le premier gagnant du gros lot (5 millions de centimes) fut un coiffeur de Tarascon. Une loterie d'État avait fonctionné de 1776 à 1836.

(7) Pari sur les courses de chevaux, créé en 1954. Il s'agit de désigner les trois premiers d'une course, « dans l'ordre » exact d'arrivée ou « dans le désordre ».

(8) Il s'agit cette fois de désigner les quatre premiers chevaux d'une course, si possible également dans l'ordre d'arrivée.

(9) Jeu qui consiste à cocher d'une croix six numéros parmi quarante-neuf figurant sur les grilles d'un bulletin. On peut miser autant de grilles et remplir autant de bulletins que l'on veut. Pour gagner le gros lot, il faut que les six numéros cochés correspondent aux six numéros sortis du tirage.

(10) Loterie qui se combine à la Loterie nationale classique. Des billets en deux parties offrent deux chances de gagner.

(11) Variante du Loto proposée aux lecteurs de certains quotidiens nationaux et régionaux, parmi lesquels : *France-Soir, Le Parisien, Le Provençal, La Dépêche du Midi, Le Progrès de Lyon*... Grâce au Bingo, ces journaux ont vu leurs ventes augmenter de 3 à 12 %.

(12) Autre variante du Loto consistant à faire des pronostics sur des matches de football.

(13) Au Loto, désormais jeu préféré des Français, une jeune fille a récemment gagné plus de 10 500 000 F.

En 1985, 45 milliards de francs ont été misés, dont 29,7 pour les courses de chevaux, dans le cadre du P.M.U.[14], 11,8 au Loto et 3,5 à la Loterie nationale.

Ce que gagnent les Français

Pour savoir ce que gagnent les Français, il importe de considérer les bulletins de paye des salariés et les rémunérations des non-salariés. Mais, si l'on veut connaître aussi précisément que possible ce dont ils disposent réellement pour vivre, c'est-à-dire leurs **« revenus disponibles »**, il faut alors tenir compte – outre leurs salaires ou leurs rémunérations – des cotisations sociales et des impôts qu'ils paient et des prestations sociales qu'ils perçoivent. Toutefois, si le « revenu disponible des ménages » est actuellement reconnu comme l'indicateur le plus juste de la situation financière réelle des Français, les salaires restent la référence la plus communément admise.

Les salaires

En 1985, les salariés français ont gagné en moyenne 87 265 F, soit un salaire mensuel net d'environ 7 200 F (par rapport à 1984, la progression a été de 6 %, un chiffre supérieur à celui de l'inflation qui était de 4,7 %).
Lorsqu'on examine l'évolution des salaires des différentes catégories socioprofessionnelles au cours des cinq dernières années, on constate que **les écarts entre les salaires les plus élevés** (ceux des cadres supérieurs) **et les plus bas** (ceux des manœuvres) **se resserrent.**
Ce resserrement est plus faible entre les cadres moyens (dont les salaires ont augmenté davantage que ceux des cadres supérieurs) et les employés (dont les salaires ont moins augmenté que ceux des manœuvres).

Évolution de l'écart entre les salaires annuels nets moyens de quatre catégories socioprofessionnelles

	1965	1970	1975	1980	1984
Cadres supérieurs/ouvriers	4,5	4,2	3,7	3,5	3,2
Cadres moyens/ouvriers	2,1	2,1	1,8	1,7	1,6
Employés/ouvriers	1,1	1,1	1,1	1	1

Source : I.N.S.E.E. [15]

(14) Pari mutuel urbain, organisme qui réunit les sociétés de courses hippiques sous la tutelle du ministère de l'Agriculture.
(15) Institut national de la statistique et des études économiques.

Le **S.M.I.C.** (salaire minimum interprofessionnel de croissance) qui, en 1970, a remplacé le S.M.I.G (salaire minimum interprofessionel garanti) a connu, depuis cette date, une forte croissance : il a été multiplié par 6. Le S.M.I.C. est indexé sur les prix et les salaires : il est actuellement fixé à **4 650 F mensuels nets.** Les « smicards » (c'est-à-dire ceux qui touchent seulement le S.M.I.C.) sont environ 1 500 000 (dont une majorité de femmes).

Les salaires des femmes demeurent en moyenne inférieurs d'environ 25 % à ceux des hommes. Selon l'I.N.S.E.E., le salaire annuel moyen des femmes en 1984 s'élevait à 67 390 F, alors que le salaire masculin atteignait 90 650 F. L'écart varie selon les catégories professionnelles : de 12,7 % pour les contremaîtres à 26,2 % pour les cadres supérieurs. L'écart entre les salaires féminins et masculins reste donc très important, même s'il diminue incontestablement puisqu'il était de 35 % entre 1951 et 1968 et de 33 % entre 1968 et 1975. Selon des experts officiels, le maintien de cette inégalité s'expliquerait par l'existence d'une « **discrimination indirecte** » : « quatre-vingt-cinq pour cent de l'écart global (seraient dus) à la concentration des femmes dans des niveaux, des activités, des tailles d'établissements qui payent moins. »

A ces éléments, il faut ajouter que la durée du travail des femmes est généralement inférieure à celle des hommes, qu'elles effectuent moins d'heures supplémentaires et touchent moins de primes (pour travaux pénibles ou de nuit, par exemple). La diminution de l'écart est cependant une réalité qui paraît résulter de deux facteurs contradictoires : en premier lieu, une meilleure qualification des femmes qui occupent désormais davantage de postes de responsabilité ; ensuite, les fortes augmentations, ces dernières années, du S.M.I.C. et des bas salaires qui ont surtout concerné les emplois féminins.

Il faut cependant constater qu'il reste encore beaucoup à faire pour que la loi de 1983 sur l'égalité professionnelle entre les hommes et les femmes ait atteint ses objectifs, à savoir l'ouverture de tous les métiers aux femmes, dans des conditions de recrutement, de travail, de rémunération identiques à celles des hommes.

Les salaires selon les types et secteurs d'activités...

Les différences de salaires entre les entreprises correspondent de plus en plus à la diversité des types et des secteurs d'activités.

A travail égal, les salaires en vigueur dans des secteurs de pointe comme l'informatique, par exemple, sont sans commune mesure avec ceux du bâtiment ou de l'habillement. Il faut aussi tenir compte des disparités régionales qui peuvent se traduire par des écarts de salaires de plus de 20 %.

En règle générale, les salariés du secteur public perçoivent des traitements inférieurs à ceux de leurs homologues du secteur privé. En contrepartie, ils peuvent bénéficier de certains avantages (durée et conditions de travail, primes...) et surtout actuellement d'une bien plus grande sécurité de l'emploi.

Les revenus

En 1985, le revenu disponible des ménages français s'est élevé à 160 700 F, soit environ **13 300 F par mois.** Dans ce chiffre sont pris en compte les transferts sociaux (prestations sociales, cotisations sociales et impôts), qui influent de plus en plus sur les ressources des Français. Les **prestations sociales** (celles qui couvrent les risques de maladie, invalidité, décès, veuvage, accidents du travail ; les allocations familiales, la retraite et les indemnités de chômage...) s'ajoutent aux revenus des familles.

Elles représentent environ un tiers du revenu disponible ; elles ont été multipliées par 8 depuis 1970 [16].

Les **prélèvements sociaux** sont, eux, déduits des revenus des ménages [17]. Ils comprennent les cotisations sociales (assurances maladie, vieillesse, veuvage, chômage) qui sont retenues « à la source » (c'est-à-dire prélevées sur le salaire) et les impôts directs.

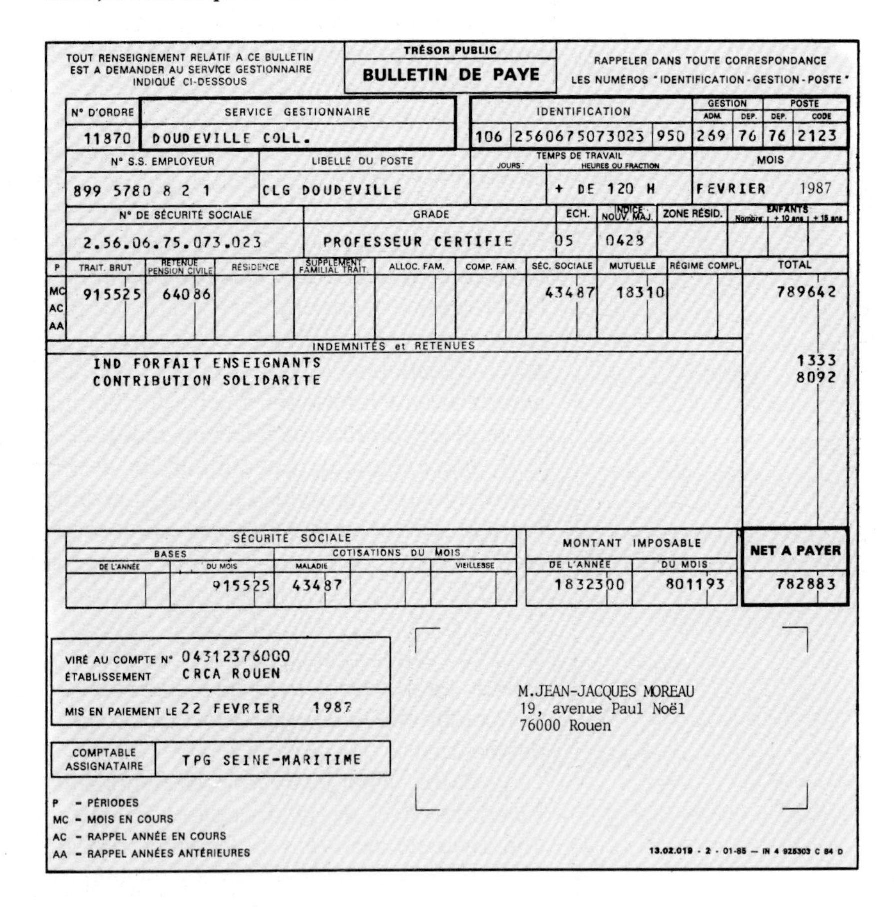

TOUT RENSEIGNEMENT RELATIF A CE BULLETIN EST A DEMANDER AU SERVICE GESTIONNAIRE INDIQUÉ CI-DESSOUS

TRÉSOR PUBLIC

BULLETIN DE PAYE

RAPPELER DANS TOUTE CORRESPONDANCE LES NUMÉROS " IDENTIFICATION - GESTION - POSTE "

N° D'ORDRE	SERVICE GESTIONNAIRE	IDENTIFICATION			GESTION ADM.	GESTION DEP.	POSTE DEP.	POSTE CODE
11870	DOUDEVILLE COLL.	106	2560675073023	950	269	76	76	2123

N° S.S. EMPLOYEUR	LIBELLÉ DU POSTE	TEMPS DE TRAVAIL JOURS	TEMPS DE TRAVAIL HEURES OU FRACTION	MOIS
899 5780 8 2 1	CLG DOUDEVILLE		+ DE 120 H	FEVRIER 1987

N° DE SÉCURITÉ SOCIALE	GRADE	ECH.	INDICE NOUV. MAJ.	ZONE RÉSID.	ENFANTS Nombre	ENFANTS + 10 ans	ENFANTS + 15 ans
2.56.06.75.073.023	PROFESSEUR CERTIFIE	05	0428				

P	TRAIT. BRUT	RETENUE PENSION CIVILE	RÉSIDENCE	SUPPLÉMENT FAMILIAL TRAIT.	ALLOC. FAM.	COMP. FAM.	SÉC. SOCIALE	MUTUELLE	RÉGIME COMPL.	TOTAL
MC	915525	64086					43487	18310		789642
AC										
AA										

INDEMNITÉS et RETENUES	
IND FORFAIT ENSEIGNANTS	1333
CONTRIBUTION SOLIDARITE	8092

SÉCURITÉ SOCIALE BASES DE L'ANNÉE	BASES DU MOIS	COTISATIONS DU MOIS MALADIE		COTISATIONS DU MOIS VIEILLESSE	MONTANT IMPOSABLE DE L'ANNÉE	MONTANT IMPOSABLE DU MOIS	NET A PAYER
	915525	43487			1832300	801193	782883

VIRÉ AU COMPTE N° 04312376000
ÉTABLISSEMENT CRCA ROUEN

MIS EN PAIEMENT LE 22 FEVRIER 1987

COMPTABLE ASSIGNATAIRE TPG SEINE-MARITIME

M.JEAN-JACQUES MOREAU
19, avenue Paul Noël
76000 Rouen

P - PÉRIODES
MC - MOIS EN COURS
AC - RAPPEL ANNÉE EN COURS
AA - RAPPEL ANNÉES ANTÉRIEURES

13.02.019 - 2 - 01-85 — IN 4 925303 C 84 D

Les impôts indirects, notamment la T.V.A. [18], ne sont pas pris en compte dans le revenu disponible.

Les impôts directs pour leur part équivalent à 10 % de ce revenu.

Depuis 1984, les gouvernements de M. Laurent Fabius, puis de M. Jacques Chirac, ont mis en œuvre **une politique de réduction des impôts** d'environ 3 % par an. Après les élections législatives du 16 mars 1986, le nouveau gouvernement a également ramené la tranche supérieure de l'impôt sur le revenu de 65 % à 58 %.

(16) Durant la même période, les allocations de chômage ont été multipliées par 42 !

(17) Ces prélèvements « obligatoires » représentaient, en 1985, 45,6 % du produit intérieur brut (P.I.B.). En d'autres termes, près de la moitié de ce que gagnent les Français est reversé à l'État sous forme de cotisations sociales et d'impôts.

(18) Taxe à la valeur ajoutée, payée par les ménages sur les achats de biens et de services.

A l'impôt sur le revenu s'ajoutent les impôts locaux (taxes foncières et d'habitation), l'impôt sur les plus-values immobilières ou mobilières, les revenus des valeurs et capitaux mobiliers, les revenus fonciers, etc. L'impôt sur les grandes fortunes qui avait été institué par la gauche en 1982, a été supprimé par la droite en 1986.

Le barème de l'impôt sur le revenu pour 1987

Fraction du revenu imposable (deux parts)	*Taux* (en %)
N'excédant pas 32 060 F.......	0
De 32 060 à 33 520 F........	5
De 33 520 à 39 740 F........	10
De 39 740 à 62 840 F........	15
De 62 840 à 80 780 F........	20
De 80 780 à 101 480 F........	25
De 101 480 à 122 780 F........	30
De 122 780 à 141 660 F........	35
De 141 660 à 236 040 F........	40
De 236 040 à 324 620 F........	45
De 324 620 à 383 980 F........	50
De 383 980 à 436 800 F........	55
Au-delà de 436 800 F............	58

Les ménages ouvriers et employés touchent plus de prestations sociales qu'ils ne paient d'impôts directs, alors que les cadres moyens, cadres supérieurs et professions indépendantes voient leurs prestations diminuer lorsque leur revenu s'accroît, tandis que, dans le même temps, leurs impôts augmentent.
Cela explique que l'écart existant par exemple entre le salaire brut annuel d'un cadre supérieur et celui d'un ouvrier professionnel, se réduit sensiblement lorsqu'on compare leur revenu disponible.
Cette réduction des écarts entre les revenus disponibles – ou « resserrement de l'éventail » – a été mise en œuvre au début des années soixante-dix et s'est poursuivie depuis.

Les impôts en 1986 (*)

Salaire perçu (en francs)	*Impôts dus (en francs)*
60 000	0
78 000	628
102 000	2 801
120 000	4 548
180 000	12 338
240 000	23 523
480 000	90 514

* Pour un ménage avec deux enfants

Revenu disponible en 1983 (19)

	salaire brut annuel	+ *prestations familiales*	– *cotisations sociales*	– *impôts*	= *Revenu disponible*
Ouvrier professionnel	**78 498**	5 866	10 565	673	**73 125**
Cadre supérieur	**277 452**	5 570	31 623	34 825	**216 574**
Écart	**3,5**		—		**2,9**

(19) En novembre 1986, l'I.N.S.E.E. a publié une étude actualisée sur le « revenu des ménages en 1983 ». Selon ces données, les revenus des cadres supérieurs représentaient 2,7 fois ceux des ouvriers. Après transferts sociaux (prestations) et impôts directs, le rapport n'était plus que de 1,9.

Ce que dépensent les Français

De 1950 à 1980, les Français ont connu trente années de croissance, les « Trente Glorieuses », selon l'expression de l'économiste Jean Fourastié. De 1950 à 1970, le pouvoir d'achat du salaire moyen a été multiplié par deux ; de 1970 à 1980, il a augmenté d'environ 3,5 % par an.
Durant ces trente ans, les Français ont pu acquérir les produits que leur proposait la « société de consommation » (télévision, machine à laver, voiture...). Au cours de la décennie 1970-80, l'inflation – qui atteignit 14,7 % en 1973 – a freiné la croissance du pouvoir d'achat, mais celui-ci a continué sa progression, avec toutefois des différences sensibles selon les catégories socio-professionnelles. Si le pouvoir d'achat des « smicards »[20] a augmenté de 5,7 % en moyenne par an et celui des ouvriers de 4,7 %, les cadres supérieurs ont vu le leur progresser seulement de 0,6 %.
Depuis 1981, on a d'abord assisté à la poursuite – ralentie mais effective – de l'augmentation du pouvoir d'achat (+ 2,9 % en 1981 et + 2,7 % en 1982), puis on a constaté une certaine baisse (– 0,7 % en 1983, – 0,7 % en 1984), avant d'observer de nouveau une très légère hausse en 1985 (+ 0,5)[21]. Bien entendu, ces évolutions sont variables selon que l'on considère les salariés, les agriculteurs, les commerçants ou les médecins.

En terme de revenu disponible, et non plus de salaire, la croissance du pouvoir d'achat des ménages entre 1980 et 1985 n'a été en moyenne que d'**environ 1 %,** en raison de l'augmentation des prélèvements sociaux que n'a pas toujours compensé celle des prestations sociales.
Les dépenses des Français représentent actuellement 87 % de leur revenu disponible. Entre épargner et dépenser, ils ont donc choisi : ils dépensent. Mais la façon dont ils le font a beaucoup changé au cours des dernières années. 1973, début de la première crise pétrolière, peut être considérée comme l'année marquant une rupture avec la période qui avait commencé en 1960. A partir de cette date, les Français vont consacrer une part croissante de leur budget aux dépenses pour **la santé, le logement et les loisirs,** au détriment de celles qu'ils effectuaient pour l'alimentation, l'habillement et l'équipement du logement (cf. tableau ci-après).

Le budget des ménages : 1960-1984 (en %)

	1960	**1973**	**1984**
Alimentation	35,5	24,4	21,0
Habillement	8,7	8,2	6,4
Logement	12,1	14,7	16,7
Équipement du logement	10,2	10,8	9,2
Santé	7,2	10,7	15,7
Transports et télécommunication	9,1	12,5	12,3
Loisirs et culture	5,5	6,4	7,8
Biens et services divers	13,7	12,2	10,9

Source : I.N.S.E.E.

Ces changements dans la hiérarchie des choix budgétaires reflètent à l'évidence l'évolution des besoins et des aspirations des Français. Mais ils sont également liés aux difficultés économiques récentes. Ainsi la consommation des familles n'a-t-elle progressé que de + 0,5 % en 1984 (cf. tableau comparatif ci-après).

Consommation des Français	
1960-1970	+ 4,3 % (*)
1970-1973	+ 5,1 %
1973-1982	+ 2,9 %
1983	+ 0,9 %
1984	+ 0,5 %

* *Rythme annuel en francs constants*

Pour atténuer cette baisse de la consommation, les Français ont puisé dans leur épargne. Celle-ci est passée de 15,6 % du revenu disponible en 1981 à 14,5 % en 1984.

(20) Personnes qui touchent le S.M.I.C.
(21) Selon les Comptes de la Nation. Estimation pour 1986 : + 2,2 %.

Le patrimoine des Français

L'épargne

Pour maintenir leur niveau de vie, les Français ont donc été contraints de réduire leur épargne. Ainsi, leur taux d'épargne a-t-il subi une baisse importante au cours des dix dernières années, passant de 18,6 % en 1979 à 12,3 % en 1985 et 1986. Cette baisse n'a cependant pas été régulière et les variations de la courbe de l'épargne ne résultent pas seulement de l'alternative dépense ou économie. Elles sont vraisemblablement la conséquence de phénomènes économiques tels que le chômage ou l'inflation, de facteurs démographiques ou sociaux, mais aussi d'éléments psychologiques liés, en particulier, aux modes de vie et aux mentalités. Ceux-ci, depuis quelques années, vont dans le sens d'**une réduction de l'épargne au profit de la consommation.**

Lorsque les Français épargnent, ils le font en vue d'objectifs variés, mais bien déterminés (impôts, gros achats, vacances...) et, le plus souvent, à court ou à moyen terme.

Les placements

Le fameux bas de laine, dans lequel les Français plaçaient autrefois leurs économies, a, semble-t-il, définitivement disparu des foyers français, au profit de **placements dans l'or, la terre, la pierre, ou encore à la Caisse d'épargne.** Toutefois, l'or n'est plus ce qu'il était – dollar oblige –, la terre ment parfois [22], la pierre est en crise et la Caisse d'épargne a mal résisté à l'inflation de ces dernières années. Aussi les Français se tournent-ils vers d'autres placements, et notamment les valeurs mobilières (obligations, actions). Celles-ci, il est vrai, ont depuis trois ou quatre ans le vent en poupe. La Bourse a connu plusieurs fois de véritables « explosions » : en 1983, elle a enregistré une hausse record de 56,2 % (troisième meilleure année boursière depuis la guerre, après les 65 % de 1946 et les 63 % de 1954), suivie de 16 % en 1984 et un nouveau « boum » à 45 % en 1985 ! [23]

(22) Allusion au slogan « la terre ne ment pas » utilisé en France, entre 1940 et 1945, dans le discours gouvernemental.
(23) De février à novembre 1986, on avait déjà enregistré une hausse de 47,3 %.

Victime peut-être indirecte de la spéculation boursière, mais à coup sûr de l'inflation, « l'Écureuil » (symbole de l'épargne et donc de la Caisse d'épargne) recueillait, sur ses différents livrets et comptes, deux fois moins d'argent en 1983 qu'en 1979 (22 milliards contre 44) et, en 1985, les retraits ont été supérieurs aux dépôts d'environ 500 millions. Après l'inflation, la Caisse d'épargne souffre actuellement de la concurrence des banques qui, comme elle, offrent des formules d'épargne exonérées d'impôts. Il y a là un paradoxe, puisque cette désaffection pour « l'Écureuil » se produit à un moment où les taux d'intérêt proposés sont désormais supérieurs à l'inflation. Mais les Français avaient entre temps appris que l'argent placé sur un livret d'épargne, entre 1970 et 1983, avait perdu environ un quart de sa valeur.

Sous quelle forme les Français préfèreraient-ils garder une grosse somme d'argent ?

	1984 (%)	*Rappel 1979 (%)*
Billets	1,5	*1,5*
Compte chèque	7,5	*12,0*
Épargne logement	**16,0**	*14,5*
Livret d'épargne	**23,5**	*28,0*
Bons et dépôts à terme	9,5	*10,5*
Emprunts et obligations	6,5	*4,0*
Actions	7,5	*4,5*
Or	7,0	*6,0*
Autres formes	4,0	*3,0*
Ne sait pas	17,0	*16,0*

Extrait du rapport I.R.E.S., dans Les Cahiers français, *nº 215.*

La fortune

Durant les « Trente Glorieuses », les Français se sont incontestablement enrichis : en 1980, leur patrimoine global représentait environ 8 600 milliards de francs soit 380 000 F par ménage. Ce chiffre est très approximatif car il est impossible, compte tenu de leur discrétion en la matière, de connaître les biens que possèdent réellement les Français (or, terre, œuvres d'art...) de même que la valeur exacte de ces biens. Si l'on évalue à 12 % la hausse annuelle moyenne, ce patrimoine équivaudrait aujourd'hui à environ 13 000 milliards soit une moyenne de **570 000 francs par ménage.** Il y a bien sûr de très importantes différences, selon les catégories socioprofessionnelles.

L'immobilier demeure l'élément majeur de la fortune des Français (50,4 %), qu'il s'agisse des résidences principales ou secondaires ou des immeubles dits de « rapport » à usage professionnel ou de logement.

L'épargne liquide ou à court terme (livrets d'épargne, comptes épargne-logement...) occupe la seconde position avec 13,5 % du total. Sa part tend actuellement à diminuer. Les entreprises viennent ensuite avec 12,6 %.

Les terres et les bois représentent 12 % et subissent une baisse constante depuis plusieurs années.

Les valeurs mobilières (actions, parts de société, obligations), avec 7,6 %, connaissent (on l'a souligné précédemment) une très forte hausse.

Les comptes chèques ferment la marche avec 3,9 % et semblent en irrémédiable déclin.
Les différences entre patrimoines dépendent essentiellement du capital professionnel (terres de l'agriculteur, usine et machines de l'industriel, cabinet du médecin...), de l'héritage et des revenus.

Dans tous les cas, il existe de **notables écarts à l'intérieur d'une même catégorie,** chez les salariés et surtout chez les non-salariés. Parmi ceux-ci il n'y a, en effet, aucune commune mesure entre le propriétaire d'une exploitation agricole de moins de cinq hectares dans le Limousin, et celui qui possède en Beauce un domaine de plus de cent hectares, ou entre le patron d'une entreprise de moins de dix personnes et le P.-D.G. d'une firme, nationalisée ou non, qui emploie plus de dix mille salariés.
La répartition du patrimoine est nettement plus inégale que celle des revenus. On estime que **1 % des Français** les plus riches possèdent près de **30 % du patrimoine total** ; les 10 % les plus fortunés en détiennent environ 60 %, tandis que les 10 % les moins fortunés doivent se contenter de 0,05 %.
Avec la crise économique de la dernière décennie, le rapport des Français avec l'argent s'est sensiblement modifié. Si la majorité d'entre eux (les deux tiers environ) continuent de « jouer les cigales », c'est-à-dire de « consommer », de dépenser immédiatement l'argent qu'ils gagnent, comme ce fut le cas entre 1945 et 1975, les autres adoptent le comportement de la fourmi. Afin de ne pas se trouver « dépourvus », ils réduisent leurs dépenses et considèrent l'argent essentiellement en terme d'épargne, de patrimoine.
Nul ne peut dire aujourd'hui ce que sera leur avenir financier, mais force est de constater qu'il existe bien désormais deux attitudes des Français face à l'argent.

Dites-nous ce que vous mangez...

La nourriture des Français n'est plus ce qu'elle était. Entre ruraux et citadins, adeptes de l'« ancienne » ou de la « nouvelle » cuisine, les différences sont sensibles. Comme le sont celles des goûts culinaires.

« Dis-moi ce que tu manges, je te dirai ce que tu es », affirmait Brillat-Savarin auteur d'une *Physiologie du goût* (1838). Cet aphorisme fameux est de nos jours confirmé par ce que l'on sait des habitudes et des pratiques alimentaires des Français qui, comme leurs conditions de vie, ont beaucoup évolué au cours des dernières années.

Outre la réduction de la part du budget des ménages consacrée à l'alimentation, intervient la baisse relative de son coût qui réduit les inégalités de consommation liées au revenu. De plus, le développement de la production de masse, « l'industrialisation » de l'agriculture et de l'artisanat alimentaire, l'extension géographique du marché contribuent à **effacer peu à peu les différences régionales,** à diffuser très largement des produits autrefois réservés aux couches les plus aisées de la population. Dans le même temps, l'urbanisation et le progrès technique atténuent les oppositions traditionnelles entre ville et campagne, entre travail manuel et travail intellectuel, oppositions particulièrement fortes dans le domaine des habitudes alimentaires. S'y ajoutent l'allongement de la scolarisation, l'accroissement des dépenses de santé et le développement des moyens modernes d'information qui facilitent et accélèrent la diffusion des normes et des modes en matière de diététique, d'hygiène et d'esthétique corporelle.

Toutefois, l'ensemble de ces facteurs ne débouche pas automatiquement sur l'uniformisation et la standardisation des comportements alimentaires. D'une part, ils résistent mieux et plus longtemps que prévu ; d'autre part, apparaissent de nouvelles différences. Études empiriques et enquêtes statistiques continuent donc d'enregistrer des écarts, parfois considérables, entre les consommations respectives des diverses catégories sociales.

La hiérarchie des plats

La « consommation alimentaire » des ouvriers, par exemple, demeure, en valeur, inférieure à la consommation moyenne de l'ensemble des ménages (indice 100). Par rapport à celle-ci, la consommation des ouvriers en 1979 était à l'indice 70, contre 112 pour les industriels, les gros commerçants et les membres des professions libérales et 105 pour les cadres supérieurs. Cet écart reste constant depuis une vingtaine d'années. Le calcul de ces indices de consommation par catégories socioprofessionnelles et par produits fait ressortir l'opposition entre un petit nombre d'aliments « surconsommés » par les ouvriers et(ou) les paysans (pain, pâtes, vin ordinaire...) et le grand nombre de produits surconsommés par les couches aisées : produits courants mais assez chers (viande de boucherie, poisson, fruits...), produits surgelés ou plats préparés, produits de luxe ou de demi-luxe (crustacés, pâtisserie, vins fins...).

Ainsi, le bœuf demeure une viande « bourgeoise » surconsommée par les cadres supérieurs, les industriels, les gros commerçants, les membres des professions libérales ; elle s'oppose aux viandes « paysannes », volaille et lapin, et surtout au porc, viande populaire traditionnelle. On retrouve cette hiérarchie des plats pour les légumes, desserts et boissons. Aux endives, aubergines et artichauts, très appréciés des cadres et professions libérales, répondent la laitue, les pommes de terre et les poireaux que l'on trouve habituellement à la table des ouvriers et des paysans.

Les fromages de gruyère et de roquefort sont élus par les milieux « bourgeois », alors que les milieux « populaires » préfèrent le camembert et le brie. Même opposition pour les fruits : les premiers choisissent fraises, clémentines et raisins, tandis que les seconds se contentent de bananes, d'oranges ou de pêches.

Au chapitre des boissons, les vins fins et le whisky sont dégustés surtout par les cadres supérieurs (qui se distinguent ici très nettement des professions libérales, industriels et gros commerçants) quand les vins ordinaires et la bière sont généralement bus par les agriculteurs et les ouvriers.

Alimentation des champs, alimentation des villes

Deux grandes lignes de partage se dessinent ici : l'une sépare les agriculteurs des autres catégories socioprofessionnelles ; l'autre, les ouvriers des employés.

L'alimentation « paysanne » se caractérise par l'importance de l'**« autoconsommation** » qui représentait, en 1979, 37,2 % de la consommation alimentaire totale des agriculteurs. Celle-ci se situe presque trait pour trait à l'opposé de celle des cadres supérieurs. Elle apparaît cependant non pas comme un simple attachement aux traditions, voire un ensemble de survivances, mais comme « un comportement traditionnel modernisé, qui s'inscrit dans le mode de vie de la couche montante des agriculteurs »[1]. Ce comportement correspond à un « calcul économique rationnel », car l'autoconsommation permet de limiter les dépenses consacrées à l'alimentation et rend possible l'accès à une consommation de type urbain (équipement domestique ou loisirs). L'autoconsommation peut donc être perçue à la fois comme une possibilité pratique et comme une nécessité découlant du sentiment d'appartenance à un groupe social bien déterminé. Tout se passe « comme si elle réactivait, au niveau privé de l'économie domestique, tout un ensemble d'attitudes anciennes que les agriculteurs ont été amenés à refouler au niveau de la gestion de l'exploitation »[2]. Agissant comme **« compensation symbolique »,** elle représente sans doute « l'indépendance et l'autonomie que les paysans ont de plus en plus de mal à préserver en tant que producteurs »[3].

L'alimentation des employés est sensiblement différente de celle des

ouvriers. Elle est plus coûteuse, plus moderne et plus proche de celle des cadres. Les employés consomment moins d'aliments traditionnels à bon marché que les ouvriers et davantage de produits courants, mais assez chers (viande de boucherie, légumes et fromage frais...). Ils achètent également plus de conserves et de plats surgelés.
Enfin, leur alimentation est plus conforme aux modes, sinon aux normes diététiques. Ils ont tendance à suivre les conseils prodigués par les journaux ou magazines. Leur comportement tend à se rapprocher de celui des cadres supérieurs : ils sont soucieux de leur santé, voire de leur ligne.

Goûts et plaisirs de la table

Comme l'alimentation « populaire » (les ouvriers d'origine paysanne n'ont pas les mêmes goûts que les ouvriers d'origine ouvrière), l'alimentation « bourgeoise » n'est pas uniforme. Les intellectuels ont, en matière gastronomique, des goûts différents de ceux des cadres supérieurs et des membres des professions libérales.
L'ensemble de ces différences ont été examinées dans un sondage réalisé par la S.O.F.R.E.S. pour la revue spécialisée *Cuisine et vins de France.* Les goûts culinaires des Français dans leur diversité sexuelle, sociale et même politique sont ainsi révélés dans cette enquête aussi savoureuse qu'instructive. On y découvre notamment le menu idéal de nos compatriotes, leurs plats, leurs fromages, leurs desserts, leurs vins préférés, etc.
De ce palmarès gastronomique, on retiendra que « le plaisir de la table est de tous les âges, de toutes les conditions, de tous les pays et de tous les jours ». A cette nouvelle sentence, Brillat-Savarin ajoutait : « Il peut s'associer à tous les autres plaisirs ; et reste le dernier pour nous consoler de leur perte ».

---

(1) « Les pratiques alimentaires », par Claude et Christiane Grignon, dans *Données sociales*, 1984 (I.N.S.E.E.).
(2) *Ibid.*
(3) *Ibid.*

LES PLATS PRÉFÉRÉS DES FRANÇAIS (4)

Les plats	*Gigot*	*Coq au vin*	*Steak au poivre*	*Bœuf bourguignon*	*Sole normande*	*Turbot sauce hollandaise*	*Pot-au-feu*	*Choucroute*	*Cassoulet*	*Blanquette de veau*	*Poularde à la crème*	*Aucun de ceux-ci*	*Sans opinion*
Total (%)	**43**	**30**	**27**	**26**	**24**	**23**	**22**	**22**	**20**	**18**	**10**	**1**	**1**
Sexe													
Homme	41	33	32	31	17	18	22	23	23	14	8		
Femme	45	27	22	22	31	28	22	21	16	22	12		
Catégorie socioprofessionnelle													
• Agriculteur, salarié agricole	50	42	22	38	14	9	25	22	14	23	3		
• Petit commerçant, artisan	42	26	30	25	19	19	21	25	23	19	15		
• Cadre supérieur, profession libérale, industriel, gros commerçant	43	28	37	23	32	36	15	14	21	13	9		
• Cadre moyen, employé	41	29	31	23	27	30	18	26	21	14	12		
• Ouvrier	40	34	30	31	21	14	23	23	20	23	9		
• Inactif, retraité	46	25	16	24	25	25	27	19	18	18	9		
Option politique													
• Parti communiste	35	31	18	39	11	10	29	19	25	33	13		
• Parti socialiste	46	34	25	28	25	21	21	23	17	20	7		
• U.D.F.	43	27	29	21	28	27	28	23	17	15	11		
• R.P.R.	51	28	28	19	28	35	19	21	19	13	12		

Le menu idéal des Français

Huîtres
Saumon fumé
Gigot
Camembert
Charlotte aux fraises
Bordeaux rouge
ou
Champagne
Cognac

Ce tableau confirme – mais est-ce une surprise ? – que les femmes n'ont pas toujours les mêmes goûts que les hommes, que l'appartenance à tel milieu social ou professionnel est souvent déterminante et que les alliances politiques achoppent aussi devant la table.

L'analyse des scores obtenus par les différents plats fait apparaître le succès incontestable du gigot, vainqueur toutes catégories confondues. A une exception près : celle des adhérents ou sympathisants du parti communiste qui lui préfèrent le bœuf bourguignon. Sur le terrain politique toujours, on remarque à droite, notamment au Rassemblement pour la République (R.P.R.), un goût prononcé pour le turbot sauce hollandaise. Négligeant ce poisson d'origine nordique, les femmes optent pour la sole normande qu'elles placent immédiatement après le gigot.

Les agriculteurs ne sont guère alléchés par les poissons, ils apprécient bien davantage des nourritures plus solides comme le coq au vin ou le pot-au-feu.

Les cadres moyens ou supérieurs, pour leur part, se distinguent des agriculteurs et des ouvriers par leur peu d'enthousiasme pour les plats en sauce.

Le coq au vin, cependant, est classé au second rang par la majorité de nos compatriotes. Peut-être faut-il y voir un hommage inconscient (mais ambigu...) à l'animal emblématique de la France ?

(4) Les tableaux des pages 38, 39 et 40 sont extraits d'un sondage S.O.F.R.E.S., réalisé pour *Cuisine et vins de France*.

LES VINS PRÉFÉRÉS DES FRANÇAIS

Les vins	*Bordeaux rouge*	*Champagne*	*Beaujolais*	*Bourgogne rouge*	*Alsace*	*Côtes-du-Rhône*	*Bordeaux blanc*	*Bourgogne blanc*	*Val-de-Loire blanc*	*Val-de-Loire rouge*	*Aucun de ceux-ci*	*Sans opinion*
Total (%)	**46**	**45**	**31**	**29**	**25**	**24**	**6**	**5**	**5**	**3**	**7**	**3**
Sexe												
Homme	56	35	34	34	25	29	3	7	4	3		
Femme	36	55	28	24	24	19	8	4	5	2		
Catégorie socioprofessionnelle												
• Agriculteur, salarié agricole	39	34	44	22	38	41	9	2	2	–		
• Petit commerçant, artisan	40	49	38	32	32	11	4	2	8	2		
• Cadre supérieur, profession libérale, industriel, gros commerçant	47	50	25	36	17	19	5	7	4	4		
• Cadre moyen, employé	49	49	32	33	25	19	5	5	6	4		
• Ouvrier	48	47	32	24	26	25	5	4	4	3		
• Inactif, retraité	43	40	28	28	22	27	8	8	5	2		
Option politique												
• Parti communiste	49	44	22	29	28	29	11	4	3	1		
• Parti socialiste	45	43	32	29	25	24	7	5	4	2		
• U.D.F.	42	49	31	34	25	23	3	5	5	6		
• R.P.R.	54	49	35	28	27	22	3	6	4	5		

Deux vins arrivent en tête avec une large avance sur leurs concurrents : le bordeaux rouge et le champagne. Le premier devance le second d'une courte encolure. Un quatuor de trois vins rouges et d'un blanc suit à distance respectueuse, et recueille des scores honorables. En queue de peloton, trois vins blancs et un rouge sont loin derrière.

A noter que 7 % des personnes interrogées ne se prononcent pour aucun des dix vins proposés (des amateurs de bière ou des buveurs d'eau sans doute ?) et que 3 % sont « sans opinion », ce qui ne laisse pas de surprendre de la part d'un peuple réputé œnophile.

L'étude détaillée des réponses fait apparaître, comme pour les plats, de sensibles nuances :

Selon le sexe, les inclinations œnologiques sont inversées : au bordeaux rouge que 56 % des hommes placent en tête, les femmes, dans la même proportion (55 %), préfèrent le champagne. Seul le vin d'Alsace réconcilie les deux sexes (25 et 24 %) qui n'ont donc, en ce domaine, que peu de points communs.

Sociologiquement parlant, l'harmonie n'est pas parfaite non plus : les agriculteurs, par exemple, se distinguent nettement des autres professions en privilégiant beaujolais et côtes-du-Rhône.

Politiquement enfin, le bordeaux rouge est l'objet d'un assez étonnant consensus gauche-droite (avec une prédilection particulière au R.P.R.), à l'exception toutefois des libéralo-centristes de l'Union pour la démocratie française (U.D.F.) qui accordent au champagne la majorité de leurs suffrages.

LES FROMAGES PRÉFÉRÉS DES FRANÇAIS

Camembert	45 %
Chèvre	41 %
Roquefort	40 %
Gruyère	36 %
Brie	27 %
Reblochon	19 %
Cantal	18 %
Munster	16 %
Pont-l'Évêque	11 %
Aucun de ceux-ci	3 %
Sans opinion	– %

Peu de surprises ici : les Français ont, en matière de fromages, des goûts très classiques. On ne s'étonnera donc point de trouver au premier rang le camembert, suivi du chèvre et du roquefort. Les scores sont beaucoup plus serrés que pour les vins et nul n'est sans opinion. (On dit, il est vrai, qu'il existe autant de fromages que de jours dans l'année.)
Seules nuances importantes : les femmes préfèrent le chèvre et le gruyère, tandis que les électeurs communistes se prononcent en faveur du roquefort.

LES DESSERTS PRÉFÉRÉS DES FRANÇAIS

Charlotte aux fraises	51 %
Mille-feuilles	39 %
Mousse au chocolat	30 %
Profiteroles	26 %
Tarte Tatin	25 %
Baba au rhum	22 %
Œufs à la neige	21 %
Gâteau au chocolat	20 %
Parfait au café	14 %
Aucun de ceux-ci	3 %
Sans opinion	1 %

Vive les vacances !

Environ 55 % des Français partent en vacances au moins une fois par an. Tous, cependant, ne prennent pas le même type de vacances : de plus en plus, ils choisissent des durées, des lieux et des modes de séjour différents et adoptent également de nouvelles formules de vacances.

Des vacances en hausse

Depuis 1964, le taux de départ en vacances des Français augmente d'environ 1 % chaque année. Cette croissance est due à l'augmentation rapide du taux de départ des catégories socioprofessionnelles (C.S.P.) qui partaient le moins jusque-là (patrons de l'industrie et du commerce, exploitants et salariés agricoles, ouvriers). Ce taux a également augmenté pour les autres C.S.P., à l'exception des professions libérales et des cadres supérieurs pour lesquels il était déjà le plus élevé.
L'écart entre les diverses C.S.P. se resserre donc, mais le développement des vacances d'hiver (notamment les « sports d'hiver ») reste un phénomène encore limité à une minorité. En 1985, 53,8 % des Français sont partis en

TAUX DE DÉPART EN VACANCES SELON LA C.S.P. DU CHEF DE MÉNAGE (% en 1985)

Catégorie socioprofessionnelle	*vacances d'été*	*vacances d'hiver*
Cadres supérieurs et professions libérales	86,2	60,3
Cadres moyens	81,9	46,6
Employés	62,9	25,4
Ouvriers	49,2	16,0
Patrons, artisans, commerçants	53,1	22,3
Agriculteurs exploitants et salariés agricoles	17,7	6,8
Personnel de service	51,0	15,5
Autres actifs (*)	66,5	35,9
Inactifs	40,2	18,8

* Armée, police, artistes — *Source : I.N.S.E.E.*

vacances d'été et 24,9 % en vacances d'hiver (en 1975, ils n'étaient respectivement que 50,2 % et 17,1 %). Les vacances d'été demeurent bien les plus importantes, mais les vacances d'hiver se sont développées comme vacances complémentaires, correspondant à un fractionnement ou à un allongement des congés. Leur durée moyenne est de 14 jours par an contre 25 en été.
Le double départ (été-hiver) implique à l'évidence des ressources assez importantes et des possibilités de s'affranchir temporairement des contraintes professionnelles.

Des vacanciers par millions

Les Parisiens et les habitants de l'agglomération parisienne sont les vacanciers les plus nombreux (80 % de départs pendant l'été 1985). En règle générale, le taux de départ est d'autant plus important qu'est élevé le taux d'urbanisation (de 45 % à 60 % pour les agglomérations de moins de 20 000 habitants à plus de 100 000 habitants). Toutefois, depuis 1969, le pourcentage des Parisiens qui partent en vacances est quasiment fixe, alors que celui des habitants de la banlieue est en croissance continue (et particulièrement forte entre 1969 et 1975).
Les vacanciers les plus nombreux ont moins de 14 ans ou sont âgés de 30 à 39 ans. Depuis une vingtaine d'années, les taux de départ ont augmenté pour toutes les générations, mais de façon inégale. La progression la plus faible est celle des personnes âgées de 70 ans ou plus, qui sont cependant passées de 20 % à 32 % (soit 1,5 million de personnes en 1982). L'augmentation la plus sensible est celle des trentenaires (44 % en 1961 et 57 % en 1982).

La durée des vacances

Depuis le début des années soixante, le nombre de jours de vacances passés hors du domicile reste de l'ordre d'**une trentaine de jours ;** avec, ici encore, des différences assez sensibles selon les C.S.P. (cf. tableau ci-contre).

Nombre moyen de jours de vacances en 1982	
Cadres supérieurs et professions libérales	37,7
Cadres moyens	31,7
Employés	27,6
Ouvriers	24,5
Patrons, artisans, commerçants	22,3
Agriculteurs exploitants et salariés	15
Personnel de service	24,7
Autres actifs	38,9
Inactifs	35,7

Où et comment les Français passent leurs vacances ?

La répartition des séjours de vacances selon certaines caractéristiques (modes d'hébergement, types et lieux de séjour) reste relativement stable à l'intérieur de chaque C.S.P. Elle permet de dégager une typologie des vacances liée au milieu social.
Les séjours chez des parents ou amis constituent le mode d'hébergement le plus utilisé – bien qu'inégalement – par tous les ménages, quelle que soit leur appartenance socioprofessionnelle. Les autres modes d'hébergement (cf. tableau ci-après) sont diversement utilisés.
Deux catégories sont atypiques : les agriculteurs qui, en dehors des séjours chez des parents ou amis, choisissent l'hôtel ou le camping, et les inactifs qui, souvent âgés, pratiquent peu le camping et la location.

Les vacances à la mer continuent d'être celles qui séduisent le plus grand nombre de vacanciers de tous les milieux. Elles sont suivies d'assez près par les séjours à la campagne.
Les séjours à l'étranger, après une forte croissance ces dernières années, se sont stabilisés autour de 15 %. En 1984 et 1985, environ 6,2 millions de nos compatriotes ont passé leurs vacances à l'étranger. Par C.S.P., ce sont les cadres supérieurs et les professions libérales qui ont le taux de départ à l'étranger le plus important (plus de 16 %) ; mais ce sont les ouvriers qui, sur l'ensemble de leurs vacances, se rendent le plus à l'étranger (essentiellement, les immigrés dans leur pays d'origine).

LES SÉJOURS DE VACANCES EN 1985 (%)

Modes d'hébergement	
Résidence principale de parents et amis	**26,2**
Tente, caravane	19,5
Location	16,2
Résidence secondaire de parents et amis	9,7
Résidence secondaire	14,8
Hôtel	5,5
Autres	4,2
Village de vacances	3,9
Types de séjour	
Mer	**44,6**
Campagne	24,1
Montagne (hors sports d'hiver)	15,6
Ville	7,9
Circuit	7,8

Source : I.N.S.E.E.

De nouvelles formules de vacances

Période de repos, les vacances sont aussi, et de plus en plus, le moment où l'on peut faire du sport, se distraire ou se cultiver : le soleil et la mer ne suffisent plus aux vacanciers de l'hexagone ; il leur faut des activités ou du dépaysement, de l'aventure ou de l'exotisme...
Clubs de vacances et de tourisme leur proposent donc aussi bien des stages de voile ou d'informatique et des séjours à la ferme en Auvergne que des circuits à travers le Sahara, des randonnées au Népal ou des croisières sur le Nil. La liberté, l'évasion et le rêve sont les maîtres-mots de la publicité touristique. Les îles des Antilles, l'Inde des Maharadjahs ou le Mexique précolombien ne sont certes pas à la portée de toutes les bourses ! Mais, une chose est certaine : un nombre croissant de Français choisissent désormais ces nouvelles formules de vacances.

3

Contexte politique

La droite au pouvoir

La droite est au gouvernement, elle est redevenue majoritaire à l'Assemblée nationale. Mais sa majorité est fragile, et elle doit tenir compte de la cohabitation...

A l'issue de cinq années de gouvernement et de majorité socialistes, les élections législatives du 16 mars 1986 ont vu la coalition de droite R.P.R.-U.D.F. l'emporter avec environ 41 % des voix, ce qui, avec l'appoint des 4 % de suffrages « divers droite », lui a donné la majorité absolue des sièges à l'Assemblée nationale (289). Quant à l'extrême droite, représentée par le Front national (F.N.) de M. Jean-Marie Le Pen, elle pouvait constituer un groupe parlementaire avec 35 députés élus par près de 10 % des électeurs. Avec le succès de la droite « classique », cette progression spectaculaire de l'extrême droite (aux élections législatives de 1981, elle avait à peine obtenu 0,50 % des suffrages) fut l'un des faits marquants de ce scrutin.

A gauche, le Parti socialiste (P.S.), avec ses alliés du Mouvement des radicaux de gauche (M.R.G.), recueillait près de 32 % des voix, score bien sûr insuffisant pour conserver la majorité, mais qui fait de lui la première force politique en France.

De son côté, le Parti communiste (P.C.), en n'atteignant pas les 10 % de suffrages, subissait une nouvelle hémorragie électorale, confirmant ainsi le recul régulier enregistré depuis plusieurs années (20,6 % aux législatives de 1978).

Le gouvernement de M. Chirac

La victoire de la droite conduisait le président de la République, M. François Mitterrand, à nommer comme Premier ministre, ainsi que le veut la Constitution, le dirigeant du groupe le plus important de la nouvelle majorité, c'est-à-dire M. Jacques Chirac, président du R.P.R. Ainsi était institutionnalisée la « **cohabitation** » (cf. p. 57) entre un président de la République « de gauche » et un Premier ministre « de droite ».

Le nouveau gouvernement constitué par M. Chirac comprend 42 membres dont un ministre d'État chargé de l'Économie, des Finances et de la Privatisation, treize ministres, neuf ministres délégués, trois secrétaires d'État auprès du Premier ministre, onze secrétaires d'État auprès d'un ministre et quatre secrétaires d'État.

Politiquement, les deux principales composantes de la nouvelle majorité sont représentées à parts à peu près égales (21 R.P.R. et apparentés, 19 U.D.F. et apparentés) ; cinq femmes font partie de ce gouvernement, une comme ministre de la Santé chargé de la Famille, trois comme secrétaires d'État chargés de la Francophonie, de l'Enseignement et de la Formation professionnelle et une déléguée à la Condition féminine ; vingt-cinq membres du gouvernement ont moins de cinquante ans, douze ont entre cinquante et soixante ans, et cinq entre soixante et soixante-dix ans.

La nouvelle majorité

Les 577 élus du 16 mars se répartissent dans les groupes politiques suivants (rappelons qu'il faut trente députés pour constituer un groupe parlementaire) : le groupe socialiste, qui est le plus important avec 196 membres, auxquels s'ajoutent 16 apparentés, dont 7 M.R.G. ; vient ensuite le R.P.R. avec 147 membres, plus 8 apparentés ; puis, l'U.D.F., 114 membres, plus 17 apparentés ; ferment la marche le groupe communiste avec 32 membres, plus 3 apparentés, et celui du Front national avec 35 membres [1].
A ces 568 députés « inscrits » s'ajoutent 9 « non-inscrits », dont 4 « divers gauche » et 5 « divers droite » [2]. Ces derniers (au moins 3 d'entre eux) doivent impérativement joindre leurs voix à celles de leurs 286 collègues R.P.R./U.D.F., afin que la nouvelle majorité ait la majorité absolue et puisse ainsi voter les projets de loi que le gouvernement soumet à l'Assemblée nationale. A l'évidence, la voie est étroite et toute défection dans le camp majoritaire peut être lourde de conséquence, sauf si le Front national accorde son soutien à la coalition R.P.R./U.D.F. Mais celle-ci, par la bouche de ses principaux responsables, affirme refuser cet éventuel renfort que le Front national, d'ailleurs, ne paraît guère disposé à lui apporter.

QUI A VOTÉ POUR QUI ?

Grâce aux sondages effectués auprès des électeurs, le 16 mars à la sortie des bureaux de vote, on a pu obtenir une photographie de l'électorat des différents partis. On connaît désormais les préférences politiques des Français, hommes et femmes, jeunes et vieux, ouvriers et cadres supérieurs, retraités et chômeurs...

PAR CLASSE D'ÂGE

- **Moins de 25 ans**
  40 % se sont prononcés pour le R.P.R. et l'U.D.F.
  36 % pour le P.S.
  10 % pour le F.N.
  8 % pour le P.C.
- **25 à 34 ans**
  53 % ont voté P.S.
  30 % .... R.P.R. et U.D.F.
  12 % .... P.C.
  8 % .... F.N.
- **35 à 49 ans**
  40 % ont voté R.P.R. et U.D.F.
  33 % .... P.S.
  10 % .... P.C.
  9 % .... F.N.
- **50 à 64 ans**
  49 % ont voté R.P.R. et U.D.F.
  25 % .... P.S.
  12 % .... F.N.
  9 % .... P.C.
- **65 ans et plus**
  53 % ont voté R.P.R. et U.D.F.
  23 % .... P.S.
  10 % .... P.C.
  9 % .... F.N.

(1) Depuis, un député a quitté le groupe du Front national et un autre en a été exclu.
(2) Ils ont été rejoints par les deux ex-députés du Front national.

PAR CATÉGORIE SOCIOPROFESSIONNELLE

– **Agriculteurs**

54 % ont voté	R.P.R.-U.D.F.
19 %	P.S.
11 %	F.N.
9 %	P.C.

– **Commerçants et artisans**

64 % ont voté	R.P.R.-U.D.F.
15 %	P.S.
12 %	F.N.
7 %	P.C.

– **Cadres supérieurs et professions libérales**

50 % ont voté	R.P.R.-U.D.F.
33 %	P.S.
8 %	F.N.
5 %	P.C.

– **Cadres moyens**

38 % ont voté	R.P.R.-U.D.F.
37 %	P.S.
10 %	P.C.
9 %	F.N.

– **Employés**

42 % ont voté	P.S.
33 %	R.P.R.-U.D.F.
10 %	P.C.
9 %	F.N.

– **Ouvriers**

37 % ont voté	P.S.
29 %	R.P.R.-U.D.F.
19 %	P.C.
11 %	F.N.

– **Personnels de service**

40 % ont voté	R.P.R.-U.D.F.
31 %	P.S.
15 %	P.C.
6 %	F.N.

PAR SEXE

– **Hommes**
40 % d'entre eux ont voté pour le R.P.R. et l'U.D.F.
30 % pour le P.S.
12 % pour le F.N.
12 % pour le P.C.

– **Femmes**
45 % ont apporté leurs suffrages au R.P.R. et à l'U.D.F.
33 % au P.S.
9 % au P.C.
7 % au F.N.

PAR SITUATION

– **Étudiants**

43 % ont voté	R.P.R.-U.D.F.
41 %	P.S.
5 %	F.N.
4 %	P.C.

– **Femmes au foyer**

52 % ont voté	R.P.R.-U.D.F.
26 %	P.S.
8 %	F.N.
6 %	P.C.

– **Retraités**

52 % ont voté	R.P.R.-U.D.F.
28 %	P.S.
11 %	F.N.
8 %	P.C.

– **Chômeurs**

37 % ont voté	R.P.R.-U.D.F.
33 %	P.S.
12,5 %	F.N.
11,5 %	P.C.

De ces données, il ressort que :

- Les femmes ont davantage voté pour la droite classique ou parlementaire (R.P.R.-U.D.F.) que les hommes, mais sensiblement moins pour l'extrême droite. Les suffrages féminins en faveur de la gauche (P.S. et P.C.) correspondent aux chiffres de l'ensemble des électeurs.
- C'est la classe d'âge 25-34 ans qui a accordé le plus grand nombre de suffrages à la gauche (53 % au P.S. et 12 % au P.C.), tandis que les 65 ans et plus votaient très majoritairement à droite (53 % au R.P.R.-U.D.F. et 9 % au F.N.).
- Les commerçants et les artisans se sont prononcés massivement pour la droite et l'extrême droite (76 % au total), suivis par les agriculteurs (65 %), alors que les employés et les ouvriers apportaient leurs voix à la gauche socialiste et communiste, respectivement 52 % et 56 %. Aux deux extrêmes de l'éventail politique, le Front national fait son meilleur score chez les commerçants et les artisans, qui devancent de peu les agriculteurs et les ouvriers ; c'est chez ces derniers et auprès des personnels de service que le Parti communiste conserve le plus d'adeptes.
- Les étudiants se partagent presque équitablement entre la droite parlementaire et la gauche socialiste, rejetant vers les marges le Front national et le Parti communiste.

  Les femmes au foyer et les retraités apportent deux fois plus de voix au R.P.R. et à l'U.D.F. qu'au P.S.

  Enfin, les chômeurs penchent légèrement plus pour la droite que pour la gauche, avec des pourcentages supérieurs à la moyenne nationale pour le Front national et le Parti communiste.

Les motivations des électeurs

Les mêmes sondages ont révélé que les thèmes qui ont motivé le choix électoral des Français ont été :

1. le chômage .... **45** %
2. les inégalités sociales .... 27 %
3. l'insécurité .... 25 %
4. le rôle de la France dans le monde .... 18 %
5. l'immigration .... 15 %
6. la hausse des prix .... 11 %

59 % des électeurs ont déclaré s'être déterminés longtemps avant le vote, mais 6 % ne se sont véritablement décidés que le 16 mars.

L'hémicycle de l'Assemblée nationale.

• *QUI SONT LES NOUVEAUX DÉPUTÉS ?*

Sur les 577 députés élus le 16 mars, on compte 34 femmes, soit 5,8 %. Elles étaient 28 sur 491 (5,9 %) dans la précédente Assemblée. 21 d'entre elles sont dans les rangs du groupe parlementaire socialiste qui comprend 212 députés, 5 appartiennent au groupe R.P.R. (sur 155), 4 à l'U.D.F. (sur 131), 3 au P.C. (sur 35), 1 au F.N. (sur 35).

La moyenne d'âge des nouveaux élus est de cinquante et un ans contre quarante-neuf pour l'Assemblée sortante.

Les plus jeunes sont les socialistes : quarante-huit ans (mais quarante-six en 1981), ils devancent de peu les députés du Front national (quarante-neuf ans). Au R.P.R. et à l'U.D.F., la moyenne s'établit à cinquante-trois ans (contre cinquante-quatre en 1981), les membres de l'U.D.F. étant légèrement plus jeunes que leurs collègues du R.P.R. Rajeunissement également et même moyenne au Parti communiste (cinquante-trois ans contre cinquante-quatre).

Sociologiquement, la nouvelle Assemblée comprend davantage de chefs d'entreprises, d'avocats et de médecins, et moins d'enseignants et de salariés du secteur privé.

Trente-cinq industriels et administrateurs de sociétés ont été élus (contre treize en 1982). A l'exception de deux d'entre eux qui figurent dans les rangs socialistes, tous siègent sur les bancs de la droite.

Les avocats sont passés de 19 à 31 (deux tiers à droite, un tiers à gauche), les médecins de 31 à 42 (trois quarts à droite, un quart à gauche).

En revanche les enseignants, s'ils restent fortement représentés, notamment au Parti socialiste (71), voient leurs effectifs se restreindre (130 contre 161), tout comme les ingénieurs et cadres supérieurs du privé (36 contre 46). Les fonctionnaires des grands corps de l'État constituent encore un bloc solide (50), les ouvriers du privé (catégorie indiquée comme profession d'origine) ne sont plus que 7 contre 22 dans la précédente Chambre.

Les journalistes qui étaient au nombre de 10 sont désormais 21. Enfin, 21 députés, parmi lesquels 13 socialistes, sont déclarés comme « permanents politiques ».

GÉOGRAPHIE POLITIQUE DE LA FRANCE APRÈS LES ÉLECTIONS LÉGISLATIVES DU 16 MARS 1986

L'union R.P.R.-U.D.F. réalise des scores souvent supérieurs à 50 % dans l'Ouest du pays, notamment dans le Morbihan, en Ille-et-Vilaine et dans les Pays de la Loire. Elle atteint également ou dépasse la majorité absolue dans les départements du Massif Central. Ses points faibles sont surtout le midi méditerranéen où elle est supplantée au Sud-Ouest par le Parti socialiste, et au Sud-Est par le Front national. Elle obtient de bons résultats en Corse.

RPR + UDF

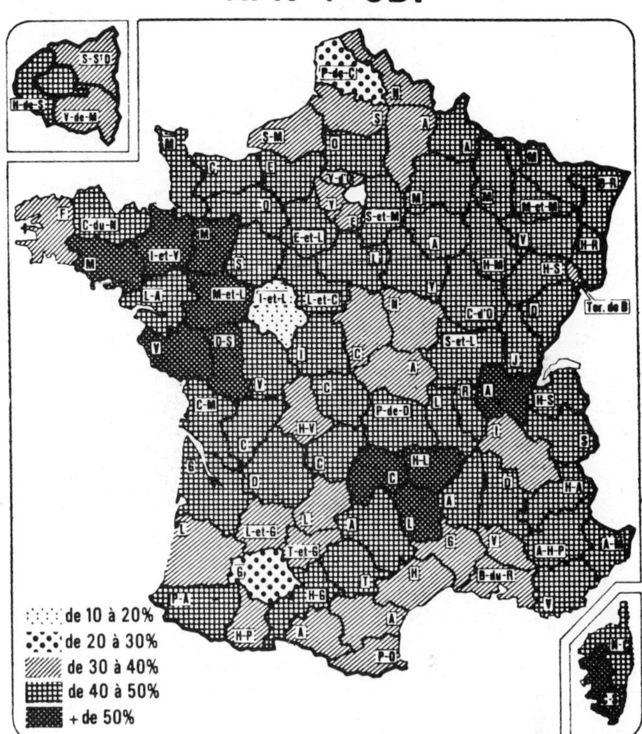

Le pourcentage des voix est calculé par rapport aux suffrages exprimés

L'ensemble du Sud-Ouest, de l'Atlantique à la Méditerranée, constitue le bastion du Parti socialiste et de ses alliés du Mouvement des radicaux de gauche. Une surprise : le maintien d'une position forte dans les départements bretons, où la guerre scolaire a fait rage et aurait pu affaiblir le P.S. En dépit de quelques échecs (région parisienne, côte d'Azur...), une bonne implantation sur tout le territoire.

PS + MRG

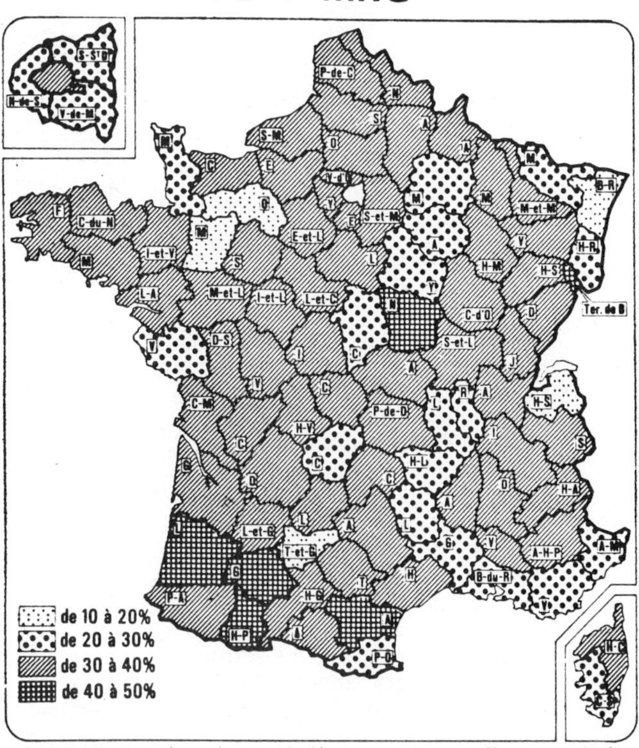

Le pourcentage des voix est calculé par rapport aux suffrages exprimés

Une carte facile à lire : le Front national obtient ses meilleurs résultats dans les départements méridionaux, de l'Hérault aux Alpes-Maritimes, avec des scores approchant ou dépassant 20 %. Des résultats supérieurs à sa moyenne nationale également dans des départements proches de la région parisienne, dans l'Est, et la région lyonnaise. Ces places fortes correspondent très précisément à des zones de forte immigration. A l'inverse, où l'immigration est faible (Bretagne, Massif Central), des scores inférieurs à 5 %.

FRONT NATIONAL

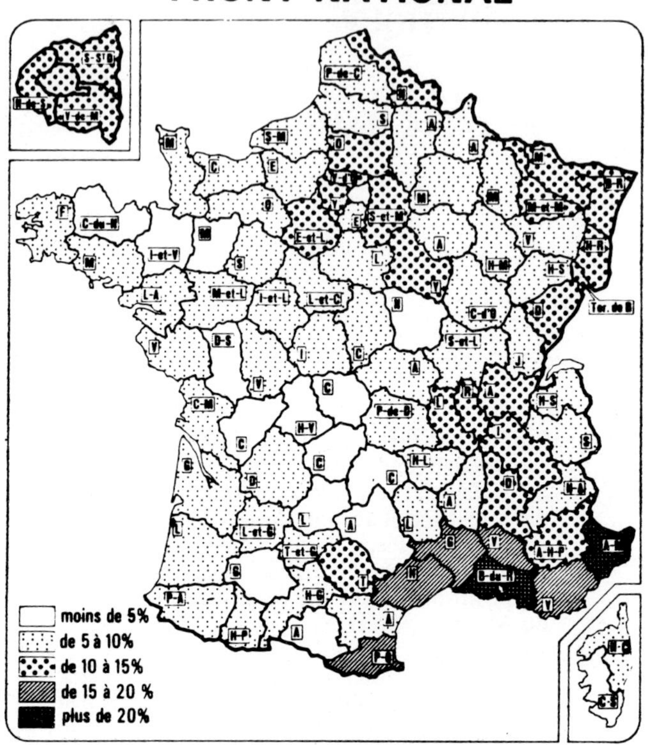

Le pourcentage des voix est calculé par rapport aux suffrages exprimés

Traditionnellement peu implanté à l'Ouest et à l'Est, le Parti communiste perd du terrain dans la région parisienne, y compris Paris, où il est désormais sous la barre des 5 %. Bien qu'ayant obtenu des résultats supérieurs à sa moyenne nationale, il régresse également dans le Nord et le Sud-Est. Ses bastions demeurent le Pas-de-Calais, le Limousin et, à un degré moindre, le Sud-Est.
Dans 58 départements, il a réalisé un score inférieur à 10 %, ne retrouvant ses chiffres des années 70 (+ de 20 %) que dans trois départements.

PC

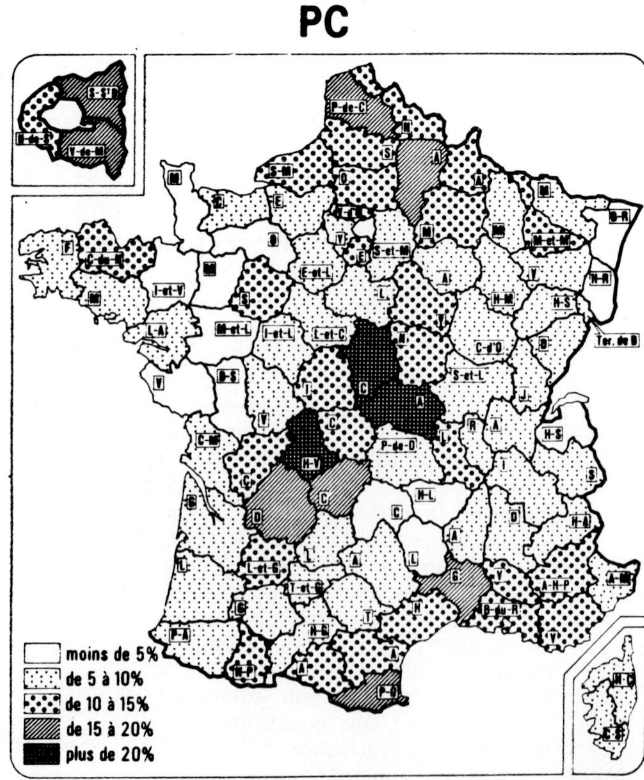

Le pourcentage des voix est calculé par rapport aux suffrages exprimés

France de droite, France de gauche...

La victoire de la coalition R.P.R.-U.D.F. aux élections de mars 1986 n'a fait que confirmer le « retour à droite » des Français, qu'avaient déjà observé les politologues. Conséquence : un nouveau paysage politique et une France « quadripolaire » qui succède à la France bipolaire des trois dernières décennies. Une preuve, s'il en était besoin, que la France demeure un pays fortement « idéologisé ».

Après les élections de mars 1986 et les commentaires « à chaud » de la classe politique et des journalistes, est venu le temps de l'analyse et de la réflexion. Plusieurs études réalisées par des politologues ont ainsi été publiées quelques mois après ce scrutin, notamment celles de Jérôme Jaffré [1], directeur d'études politiques à la S.O.F.R.E.S., Gérard Le Gall [2], membre de l'Association française de science politique, et Alain Lancelot [3], membre de la Fondation nationale des sciences politiques.

Retour à droite

Pour ces trois experts, un fait est incontestable : le vote de mars a confirmé **le retour à droite d'une majorité des électeurs.** 54,6 % d'entre eux se sont en effet prononcés pour la droite (R.P.R. + U.D.F. + F.N.). Leurs suffrages ont dépassé 50 % dans 77 départements (sur 95) et dans 18 régions (sur 22). Toutefois, comme le fait observer A. Lancelot, « au vu des résultats de 1984 [4] et 1985 [5], et des sondages pré-électoraux, on attendait une remontée encore plus nette de la coalition R.P.R./U.D.F. ». J. Jaffré croit même pouvoir discerner « l'affaiblissement continu de l'attraction » exercée par la droite depuis 1985. G. Le Gall, pour sa part, note que les abstentionnistes ont été moins nombreux dans l'électorat de droite que dans celui de gauche ; de fait, souligne-t-il, « les départements urbains, de vieille industrie, de tradition de

(1) Dans *Pouvoirs,* n° 38 (P.U.F.).
(2) Dans *Revue politique et parlementaire,* n° 992.
(3) Dans *Projet,* n° 199.
(4) Élections au Parlement européen (la droite avait obtenu 46,5 % des suffrages et l'extrême droite 10,9 %).
(5) Élections cantonales (la droite avait obtenu 49,07 % et l'extrême droite 8,67 %).

gauche et à forte implantation communiste enregistrent de fortes poussées d'incivisme ». D'après les sondages post-électoraux de la S.O.F.R.E.S., les plus forts taux d'abstention ont été relevés parmi l'électorat populaire, alors que les agriculteurs et les cadres supérieurs accomplissaient en grand nombre leur devoir électoral. C'est pourtant chez les cadres supérieurs et les membres des professions libérales que la gauche progresse le plus nettement (+ 5 %) ; en revanche, elle perd 12 % des suffrages ouvriers et 7 % de ceux des petits commerçants et artisans.

L'électorat populaire a, semble-t-il, exprimé sa déception « à l'égard d'une gauche accusée de ne pas avoir tenu ses promesses d'une vie meilleure » (J. Jaffré). Cependant, c'est surtout le Parti communiste (P.C.) qui a fait les frais de cette déception, en recueillant 9,7 % des suffrages, alors qu'il dépassait encore 20 % en 1978. Les voix perdues par le P.C. se sont en grande partie reportées sur le Parti socialiste (P.S.) qui, s'il ne réédite pas son score de 1981 (37,4 %), n'en demeure pas moins le premier parti de France, disposant « d'une implantation harmonieuse ou forte sur l'ensemble du territoire métropolitain » (G. Le Gall). Il confirme ainsi l'attrait qu'il exerce auprès de l'électorat de gauche qui lui a accordé plus de 70 % de ses suffrages dans 93 départements. Outre la récupération de nombreuses voix communistes, il a également « phagocyté le courant écologiste et l'extrême gauche » (J. Jaffré).

Principale victime de cette « implantation » socialiste, le P.C. a essentiellement perdu du terrain auprès de son électorat « naturel », les ouvriers, ainsi qu'auprès des jeunes. Si la majeure partie de ces voix s'est portée sur le P.S., les enquêtes effectuées à la sortie des urnes ont montré qu'un pourcentage certain d'électeurs communistes avaient voté pour le Front national.

Affiches du R.P.R. et du P.S. à l'occasion de la campagne des élections législatives de mars 1986.

La coupure traditionnelle entre une France de gauche et une France de droite, autrement dit une France bipolaire, semble désormais laisser la place à une France quadripolaire.

En obtenant un score de 9,8 %, le parti de M. Jean-Marie Le Pen, outre son entrée à l'Assemblée nationale, réussit à s'imposer, à l'extrême droite de l'éventail politique français, comme une force avec laquelle il faut désormais compter.

S'agit-il de l'émergence d'un véritable courant idéologique, profond et durable, ou simplement de l'apparition d'un électorat « protestataire », dont la seule motivation serait l'hostilité à la présence de populations immigrées jugées trop nombreuses ? Les prochaines consultations électorales permettront vraisemblablement de répondre à cette question.

Une France « quadripolaire »

Aujourd'hui, tous les observateurs s'accordent pour estimer que **le paysage politique français s'est modifié.** A la traditionnelle coupure de la France en deux parties à peu près égales, une France de droite et une France de gauche (à laquelle a longtemps correspondu une coupure entre une France « blanche » située au nord de la Loire, et une France « rouge » au sud), succède désormais **une France non plus bipolaire mais en quelque sorte « quadripolaire »**.

En effet, si les Français continuent d'accorder massivement (80 %) leur préférence aux deux blocs majoritaires droite-gauche, représentés respectivement par la coalition R.P.R.-U.D.F. et par le P.S. et ses alliés radicaux de gauche, une partie non négligeable d'entre eux (20 %) se tourne vers le P.C. ou le Front national.

Cette évolution idéologique de la France est particulièrement spectaculaire sur le plan géographique.

La division classique Nord (droite)-Sud (gauche) a éclaté, au profit d'une diversification régionale, liée à l'environnement spatial, mais aussi historique, culturel, religieux et socio-économique.

C'est ce que montre parfaitement le monumental travail d'une équipe de géographes, d'historiens, de sociologues et d'économistes, récemment publié sous le titre *Géopolitiques des régions Françaises* [6]. Sans prétendre résumer les trois volumes et les quelque trois mille pages de ce « grand tableau de la France et des Français », on peut néanmoins affirmer qu'il décrit, avec une impressionnante richesse de données et d'analyses, un nouveau territoire politico-idéologique.

On découvre ainsi que, si les ouvriers continuent généralement de voter pour la gauche, cette tendance ne se vérifie pas dans les régions industrielles comme la Lorraine et la région lyonnaise. De même, les paysans normands ou bretons font d'autres choix que leurs homologues du Limousin ou de l'Aquitaine. Enfin, l'adhésion à une même croyance religieuse n'implique pas nécessairement une option politique identique : les catholiques de Bretagne votent différemment de ceux de Vendée, tout comme les protestants des Cévennes et ceux d'Alsace.

Fidèles aux conceptions de la Nouvelle Histoire [7], les auteurs de cet ouvrage prennent en compte l'ensemble des éléments (situation économique, problèmes sociaux, rôle du système éducatif, poids de la religion, question de l'immigration, etc.) qui permettent de (re)constituer le paysage idéologique de la France actuelle. Leurs observations recoupent les enseignements des dernières consultations électorales. Ainsi, la gauche progresse dans l'Ouest et en Alsace, régions historiquement conservatrices, mais cède du terrain dans ses bastions traditionnels du Nord et du Sud-Est. Le Parti communiste s'effondre à l'Ouest (sauf en Bretagne) et à l'Est, tandis que le Front national s'impose avec force dans le midi méditerranéen [8].

Une France « idéologisée »

Au-delà des changements circonstanciels qu'entraînent telle ou telle élection, les sautes d'humeur de l'opinion ou les révisions déchirantes de quelques politiciens, il existe bien des mouvements profonds, rééquilibrages, reclassements ou retours de balancier (de gauche à droite ou inversement), qui constituent le tissu idéologique d'un pays comme la France. Pays historiquement très « idéologisé », dans lequel régulièrement on annonce, on souhaite ou on redoute la « mort des idéologies ». Outre qu'il y a sans doute là un argument idéologique, force est d'admettre que les idéologies sont encore bien vivantes.

Faut-il s'en plaindre ou s'en réjouir ? A chacun sa vérité.

---

(6) Sous la direction d'Yves Lacoste : tome I, *La France septentrionale ;* tome II, *La Façade occidentale ;* tome III, *La France du Sud-Est,* Éd. Fayard.

(7) Courant apparu en 1929 avec la revue des *Annales* et qui a profondément transformé la conception de l'histoire. A l'histoire événementielle (événements politiques, militaires, diplomatiques) des hommes illustres, les « nouveaux historiens » opposent l'histoire globale de la société qui prend en compte les aspects économiques, démographiques, culturels, etc.

(8) Cf. p. 51 « Géographie politique de la France après les élections législatives du 16 mars 1986 ».

Le retour du scrutin majoritaire

Le rétablissement du scrutin majoritaire et le nouveau découpage électoral vont certainement modifier le paysage politique français. Ce mode de scrutin, caractéristique de la tradition républicaine, notamment depuis 1958, a ses avantages et ses inconvénients, ses partisans et ses adversaires. Une majorité s'est dégagée en sa faveur, tant dans la classe politique que dans l'opinion publique.

Le découpage électoral

C'est le 24 novembre 1986 qu'est paru au *Journal officiel* le nouveau découpage électoral de la France. Il faisait suite au rétablissement du scrutin majoritaire [1] voté par le Parlement en juin de cette même année.

Le territoire français est maintenant découpé en **577 circonscriptions** [2], contre 491 en 1981, pour la dernière élection législative au scrutin majoritaire. Ce chiffre est toutefois le même que lors de l'élection au scrutin proportionnel de mars 1986. Les nouvelles circonscriptions concernent 57 départements parmi les plus peuplés. L'objectif du gouvernement n'était pas d'atteindre un équilibre démographique parfait, mais de **tenir compte des entités historiques, géographiques et surtout sociologiques.**

Le ministre de l'Intérieur, à qui cette tâche est traditionnellement confiée, avait nommé une « commission des sages » (composée de deux membres du Conseil d'État [3], deux de la Cour de Cassation [4], deux de la Cour des Comptes [5]) chargée de formuler un avis sur son projet.

Hormis quelques « recommandations », suivies dans l'ensemble par le ministre, l'avis a été globalement positif.

---

(1) Cf. ci-après, p. 58.
(2) Divisions électorales (départements, arrondissements...).
(3) Organisme que le gouvernement doit consulter sur ses projets de lois ou de décrets.
(4) Juridiction d'appel qui juge tous les recours en matière pénale (contraventions, délits ou crimes).
(5) Organisme de contrôle des finances publiques.

Pour sa part, le Conseil constitutionnel [6], saisi par les députés de l'opposition, a déclaré le découpage conforme à la Constitution.
Les prochaines élections législatives [7] se dérouleront donc au scrutin majoritaire.

La tradition de la Ve République

Le changement, en apparence purement technique, représente en fait une modification profonde du paysage politique. Comme le souligne le journaliste Alain Duhamel, « la règle du jeu changeant du tout au tout, les perspectives électorales se déplacent, les espérances des forces politiques se modifient, les comportements des acteurs s'annoncent différents » [8]. Le **rétablissement du scrutin majoritaire** constitue un retour à la tradition de la Ve République telle que l'avait voulue le général de Gaulle. Ce mode de scrutin, peu en vigueur hors de France, est ici le plus utilisé depuis qu'existe le suffrage universel. Il est aussi, si l'on en croit les sondages, celui que préfèrent les Français.

Qu'est-ce que le scrutin majoritaire ?

Le scrutin majoritaire uninominal [9] à deux tours a été en vigueur de 1958 à 1985, année où il a été remplacé par le scrutin proportionnel [10], avant d'être rétabli en 1986. Avec ce mode de scrutin, les électeurs élisent **un député dans chaque circonscription.** Le candidat peut être élu au premier tour s'il obtient la majorité absolue des suffrages exprimés (la moitié plus une voix). Si aucun candidat n'est dans ce cas, il y a **ballotage** et il faut alors procéder à un second tour. Seuls les candidats ayant obtenu au moins 12,5 % des suffrages des électeurs inscrits sont autorisés à se présenter au second tour. Dans certains cas, des candidats ayant atteint le minimum requis se retirent néanmoins considérant qu'ils n'ont aucune chance d'être élus. Ils peuvent recommander, ou non, à leurs électeurs de voter pour tel ou tel candidat resté en lice. Dans d'autres circonstances, ils peuvent se désister en faveur d'un candidat dont les opinions ou le programme sont proches des leurs et qu'ils estiment mieux placé pour l'emporter.
Lorsque deux candidats s'affrontent au second tour, on dit qu'il y a **duel**, lorsqu'ils sont trois, on parle d'**élection triangulaire**.
A l'issue de ce second tour, est élu le candidat arrivé en tête à la majorité relative. Pour caractériser le scrutin majoritaire, on utilise cette formule : « Au premier tour, on choisit ; au second, on élimine ! »

Pour ou contre ?

Pour ses partisans, le scrutin majoritaire a plusieurs avantages :
– il oblige les partis politiques à conclure leurs alliances devant les électeurs et donc à respecter leurs engagements ;
– il est le seul qui assure une majorité nette et stable et permette ainsi au gouvernement de s'appuyer sur cette majorité ;
– il garantit par conséquent le bon fonctionnement de l'exécutif et la solidité des institutions, limitant le pouvoir des partis qui avait caractérisé la IVe République ;
– il évite enfin les « combinaisons d'état-major » et les candidatures de « politiciens professionnels », renforçant ainsi les liens qui unissent l'élu à ses électeurs.

Pour ses adversaires, le scrutin majoritaire présente l'inconvénient majeur d'être injuste car :
– il ne reflète pas l'ensemble des courants d'opinion existant en France et n'assure pas leur représentation ;
– il entraîne une sur-représentation des « grands » partis, en favorisant leurs alliances électorales (par exemple, P.C./P.S. ou R.P.R./U.D.F.), et donc l'élimination des petits ;
– il accorde une « prime » excessive aux formations politiques venant en tête des suffrages. Cette prime, que certains politologues appellent « l'effet amplificateur », fait que le parti ayant recueilli le pourcentage de voix le plus élevé obtient un pourcentage de sièges nettement supérieur. Ainsi, aux élections législatives en 1968, les partis de droite, avec 44 % des suffrages, ont remporté 73 % des sièges. En 1981, le Parti socialiste et le Mouvement des radicaux de gauche ont obtenu 59 % des sièges avec 38 % des voix ;
– il institutionnalise les inégalités de représentation qui sont la conséquence, d'une part, du principe selon lequel chaque département doit avoir au moins deux députés, d'autre part, du découpage des circonscriptions. Ainsi, en 1981, la troisième circonscription de l'Essonne comptait 186 986 électeurs et la deuxième circonscription de la Lozère 26 251 ; chacune d'elles a élu un député !
Système souple, le scrutin majoritaire paraît avoir les faveurs non seulement des citoyens français, mais aussi de la majorité des politologues qui estiment, avec l'un d'entre eux, Olivier Duhamel, qu'il aboutit à « un régime plus efficace et plus démocratique que le parlementarisme d'antan ».

---

(6) Organisme qui se prononce notamment sur la conformité des lois à la Constitution, avant leur promulgation. Il veille aussi à la régularité des élections.
(7) Elles devraient normalement avoir lieu en 1991 (les élections législatives sont organisées tous les cinq ans), mais pourraient intervenir avant cette date en cas, par exemple, de dissolution de l'Assemblée nationale par le président de la République qui sera élu en 1988.
(8) Dans *Le Quotidien de Paris* (21 novembre 1986).
(9) Les électeurs doivent se prononcer sur un seul nom.
(10) Scrutin proportionnel de liste, départemental, à un tour. Avec ce système, sont élus les candidats inscrits avec un numéro d'ordre sur la liste d'un parti, proportionnellement au nombre de voix obtenues par cette liste. Les sièges restants sont attribués à la plus forte moyenne. En 1986, une liste devait obtenir au moins 5 % des suffrages exprimés pour être représentée.

Une nouvelle donne : la cohabitation

Depuis plus d'un an, la cohabitation est entrée dans les mœurs politiques françaises. Elle a sensiblement modifié les rôles respectifs du président de la République et du Premier ministre. D'abord favorables à la cohabitation les Français semblent désormais lui être hostiles. Qu'en sera-t-il au lendemain de la prochaine élection présidentielle ?

Les élections législatives de mars 1986 ont créé une situation absolument inédite dans la vie politique française, depuis l'avènement en 1958 de la Ve République : la cohabitation (ou coexistence) entre un président de la République représentant une tendance politique (la gauche en l'occurrence) et un Premier ministre et son gouvernement représentant la tendance opposée. La Constitution de la Ve République n'excluait pas cette situation, mais jusque-là elle ne s'était jamais produite. Le général de Gaulle de 1958 à 1969, Georges Pompidou de 1969 à 1974, Valéry Giscard d'Estaing de 1974 à 1981 ont dirigé des gouvernements et des majorités parlementaires de sensibilité politique identique à la leur ou proche d'elle. De même, François Mitterrand, qui fut premier secrétaire du Parti socialiste, a été, entre mai 1981 et mars 1986, assisté d'un Premier ministre socialiste, dirigeant un gouvernement d'union de la gauche et disposant, pour appliquer sa politique, du soutien d'une majorité de députés de gauche à l'Assemblée nationale.
De 1981 à 1986, cinq années de pouvoir exécutif et législatif ancré à gauche succédaient ainsi à vingt-trois ans de domination sans partage de la droite. C'est ce que les politologues appellent « **l'alternance** », phénomène qui réjouit tous ceux en France qui sont attachés au fonctionnement démocratique des institutions.

La Constitution, rien que la Constitution...

Si les résultats des élections du 16 mars 86 ne constituèrent pas une grande surprise, c'est que, depuis plusieurs mois, la victoire de la droite était pronostiquée par tous les observateurs, et que la seule incertitude résidait dans son ampleur.
En revanche, l'« inconnue » politique de ce scrutin, l'énigme qui faisait couler des flots d'encre et de paroles dans le monde des médias et dans la classe politique, était la cohabitation éventuelle entre un président de la République de gauche et un Premier ministre de droite.

De fait, ce qu'annonçaient les experts et ce que laissaient prévoir les sondages se produisit : la droite remporta les élections [1]. Les supputations des mois précédents (le président de la République nommerait-il, en cas de victoire de l'opposition de droite, un Premier ministre issu des rangs de celle-ci ? Y aurait-il ou non cohabitation ?...) allaient laisser la place à un « suspense » de quelques heures. « Que va faire François Mitterrand ? » titrèrent les journaux. La réponse ne tarda point : « J'appliquerai la Constitution, rien que la Constitution, toute la Constitution » [2]. Respectant donc la pratique constitutionnelle [3], le président de la République nomma comme Premier ministre Jacques Chirac, « leader » du principal parti de la nouvelle majorité (le R.P.R.).

La cohabitation, mode d'emploi

Après avoir excité les imaginations et enrichi le vocabulaire politique, la cohabitation, mot appartenant jusqu'ici au domaine de la vie privée, devenait une réalité. **Une nouvelle donne politique** était désormais mise en place. De tous côtés fusèrent alors une série de questions : « Comment la cohabitation va-t-elle fonctionner ? Durera-t-elle ? Combien de temps ? Échouera-t-elle ? Quand interviendra la rupture ? », etc. Après environ un an de fonctionnement, on peut répondre à la première de ces questions : la cohabitation a fonctionné, souvent sans heurts, parfois avec des moments de tension, mais sans qu'éclate jamais une véritable crise.

A plusieurs reprises, le président de la République est intervenu pour exprimer des « réserves » ou marquer sa « désapprobation » à l'égard de certaines décisions ou mesures gouvernementales, notamment les privatisations [4], la suppression de l'autorisation administrative de licenciement [5], le projet de réforme du code de la nationalité [6], le nouveau découpage électoral [7], la loi sur la « liberté de communication » [8]...

(1) Cf. « La droite au pouvoir », p. 46.
(2) Paraphrase du serment que doivent prononcer les témoins lors d'un procès : « Je jure de dire la vérité, toute la vérité, rien que la vérité. »
(3) Le général de Gaulle déclara le 31 janvier 1964 : « Une constitution, c'est un esprit, des institutions, une pratique. »
(4) Cf. « L'enjeu des privatisations », p. 72.
(5) Cf. note (9) p. 101.
(6) Cf. « Immigrés : être ou ne pas être Français ? », p. 127.
(7) Cf. « Le retour du scrutin majoritaire », p. 57.
(8) Cf. « Le nouveau paysage audiovisuel », p. 162.

Dans certains cas, il a refusé de signer des ordonnances[9] préparées par le gouvernement (sur les privatisations, le découpage électoral et la flexibilité du temps de travail). Mais, qu'il s'agisse de réserves, de désapprobation ou de refus de signature, le président de la République n'a jamais pu s'opposer à une décision voulue par le gouvernement. Ainsi, les ordonnances qu'il n'a pas signées ont été transformées en projets de loi, soumis au Parlement et votés quelques semaines plus tard par la majorité. Le chef de l'État n'a pu que retarder l'adoption de mesures décidées par le gouvernement.

Cohabitation et Constitution

On est ici au cœur de la problématique de la cohabitation.
En cas de désaccord profond avec le gouvernement, le président de la République, s'il n'accepte pas de s'incliner, ne peut que démissionner ou prononcer la dissolution de l'Assemblée nationale, comme la Constitution lui en donne le droit. Il prend alors le risque d'ouvrir une crise dont les électeurs le rendraient responsable, ce qui nuirait certainement à sa réélection, s'il était à nouveau candidat, ou aux chances de celui qui représenterait le courant socialiste.
S'il s'incline, comme il l'a fait plusieurs fois depuis un an, il contribue, bon gré, mal gré, à l'affaiblissement du rôle du président de la République[10], tel du moins que ses prédécesseurs, de 1958 à 1981, et lui-même jusqu'en 1986, l'ont assumé.
C'est incontestablement là que réside le fait politique nouveau – qu'on peut juger positif ou négatif – introduit par la cohabitation, c'est-à-dire la réduction du rôle du président de la République.
La cohabitation marque la fin de la primauté absolue, « monarchique », du chef de l'État, telle qu'elle s'est exercée de 1958 à 1986, conformément aux vœux du général de Gaulle qui avait affirmé : « L'autorité indivisible de l'État est

confiée toute entière au Président par le peuple qui l'a élu ; il n'en existe aucune autre, ni ministérielle, ni civile, ni militaire, ni judiciaire qui ne soit conférée et maintenue par lui ».

Dans le contexte actuel, le Premier ministre n'est plus subordonné au président de la République, qui doit désormais composer avec lui. *Leader* de la majorité parlementaire, le chef du gouvernement est celui qui élabore et dirige la politique française [11].

S'il « reste maître du feu nucléaire, chef des armées et initiateur de la diplomatie » [12], le président de la République « cohabitationniste » redevient – comme le prévoit le texte de la Constitution [13] – **un arbitre,** un « juge-arbitre », précisera François Mitterrand. Ainsi, remarque O. Duhamel, « la cohabitation rapproche comme jamais la pratique institutionnelle effective du texte constitutionnel établi pour la régir » [14].

Les Français et la cohabitation

Une chose demeure certaine : les Français, comme l'attestent les sondages, sont dans leur ensemble très attachés à la Constitution de la Vᵉ République (dont le mérite essentiel, à leur yeux, est d'assurer la stabilité de l'exécutif, tandis que les politologues lui savent gré de s'adapter à toutes les conjonctures politiques).

Il n'en est pas de même pour la cohabitation qui, après avoir rallié tous leurs suffrages tout au long de l'année 1986, est considérée, au cours des premiers mois de 1987, comme négative par une majorité d'entre eux.

En dépit de ce revirement, probablement dû aux désaccords de plus en plus fréquents entre le président de la République et le Premier ministre, deux tiers environ des Français souhaitent que la cohabitation aille jusqu'à son terme, c'est-à-dire l'élection présidentielle d'avril 1988.

Selon ses résultats et ceux d'éventuelles élections législatives qui la prolongeraient, on devrait assister soit à la persistance du recul du pouvoir présidentiel, au bénéfice du Premier ministre et de la majorité parlementaire, soit au retour de la primauté du président de la République, avec concordance de la majorité présidentielle et de la majorité parlementaire.

---

(9) Selon la Constitution, « le gouvernement peut, pour l'exécution de son programme, demander au Parlement de prendre par ordonnances, pendant un délai limité, des mesures qui sont normalement du domaine de la loi. »

(10) Le politologue Olivier Duhamel parle de « repli présidentiel », dans *Le Débat,* nº 43, janvier-mars 1987.

(11) La Constitution dit : « Le Premier ministre dirige l'action du gouvernement (qui) détermine et conduit la politique de la Nation. »

(12) Maurice Duverger, dans *Le Débat,* nº 43, janvier-mars 1987.

(13) « Le président de la République (...) assure par son arbitrage le fonctionnement régulier des pouvoirs publics ainsi que la continuité de l'État. »

(14) Dans *Le Débat, op. cit.*

Régionalisation : une chance pour l'avenir ?

Après les élections régionales du 16 mars 1986 qui, à l'instar des législatives, ont vu le succès des partis de droite, les régions disposent désormais de conseils élus au suffrage universel direct. Sauront-ils mettre en œuvre la véritable régionalisation que souhaite une large majorité de Français ? Ceux-ci parviendront-ils enfin à concilier leurs aspirations contradictoires à l'enracinement et à l'ouverture ?

La régionalisation, sinon le régionalisme, n'est pas une idée neuve en France. Le mot « régionalisme » apparaît après la Commune, des mouvements qui s'en réclament surgissent dans l'Alsace des années trente et en Bretagne sous l'Occupation, mais l'idée régionale reste confuse, revendiquée aussi bien par des révolutionnaires que par des conservateurs ou des libéraux. Il faudra attendre 1956 pour voir la régionalisation s'amorcer avec la création de vingt-deux « régions de programme ». Dans le cadre de l'aménagement du territoire, il était apparu indispensable à un certain nombre de responsables politiques de mettre en œuvre la **déconcentration économique et administrative du pays.** Cet ambitieux dessein eut du mal à se concrétiser dans une France solidement ancrée dans le jacobinisme[1] centralisateur. Il allait pourtant s'imposer, à travers les péripéties historiques et politiques des années soixante, notamment l'échec du référendum de 1969 sur la régionalisation, qui contraignit le général de Gaulle à abandonner le pouvoir.

C'est durant cette période que l'idée régionale, qui avait jusque-là été plutôt incarnée par la droite (d'Alexis de Tocqueville et Charles Maurras au « néo-régionalisme » de l'État français entre 1940 et 1945), allait progressivement être reprise à son compte par la gauche.

Au-delà de sa version « soixante-huitarde » (Proudhon revu par les défenseurs du Larzac et tous ceux qui voulaient « vivre et travailler au pays »), elle contribua sans doute, à l'issue d'une longue et patiente imprégnation culturelle et politique, à la victoire de la gauche en 1981. Celle-ci fit adopter, en

(1) Du Club des Jacobins, groupe politique qui se réunissait dans un ancien couvent de Jacobins, à la veille de la Révolution française ; jacobinisme : conception selon laquelle le pouvoir politique et administratif doit être assuré par le seul gouvernement central.

mars 1982, une loi de décentralisation qui transforma la région, établissement public depuis 1972, en une collectivité territoriale de la République. Événement d'une portée considérable, « révolution tranquille » qui rompt le cordon ombilical entre l'État et la région, dont l'exécutif, assuré jusqu'alors par les préfets (nommés par le Gouvernement), est désormais confié aux présidents des conseils régionaux. Dans le même temps, on transfère à la région des compétences qui étaient de la responsabilité de l'État, notamment en matière d'éducation, de formation professionnelle, d'urbanisme, de logement et de transports...

A l'issue de cette évolution – dont on n'a pas fini de mesurer les conséquences – une série de questions se posent : quelle est l'attitude des Français à l'égard de la régionalisation ? Que représente-t-elle pour eux ? Comment l'envisagent-ils ? Qu'en attendent-ils ?

CE QUE LES FRANÇAIS PENSENT DE LA RÉGIONALISATION (2)

« Êtes-vous favorables ou défavorables à la régionalisation ? »		
tout à fait favorable	18 %	**67 %**
plutôt favorable	49 %	
plutôt/tout à fait défavorable	14 %	
sans opinion	19 %	

Qu'il exprime un profond rejet du centralisme monarchique puis républicain ou un vif sentiment d'appartenance territoriale, **l'attachement des Français à l'idée de régionalisation paraît donc incontestable.**

Êtes-vous d'accord pour que les régions puissent avoir une politique différente de celle de l'État dans les domaines suivants :

	oui	*non*	*sans opinion*
L'éducation	38 %	50 %	12 %
La protection sociale	37 %	52 %	11 %
Les impôts	40 %	47 %	13 %
Le travail	55 %	35 %	10 %
La sécurité et la police	43 %	47 %	10 %
L'urbanisme et le logement	63 %	26 %	11 %
La radio et la télévision	53 %	34 %	13 %

Ces réponses nuancées montrent à l'évidence que les Français continuent d'accorder leur confiance à l'État pour ce qui touche à certains domaines de leur vie et de leurs préoccupations quotidiennes, notamment la protection sociale et l'éducation.

Pour mettre en œuvre la politique de décentralisation, quels sont, parmi les personnages suivants, les deux qui vous semblent les plus importants ?	
Le député	34 %
Le président du conseil général	30 %
Le commissaire de la République (préfet)	22 %
Le président du conseil régional	30 %
Le sénateur	8 %
Le maire de la capitale régionale	31 %
Sans opinion	21 %

Immédiatement après le député, qui est encore perçu comme un des principaux acteurs de la vie politique des régions, le président du Conseil régional doit donc, selon les Français, jouer un rôle de premier plan dans la mise en œuvre de la régionalisation.

Le total des pourcentages est supérieur à 100, la plupart des personnes interrogées ayant donné deux réponses.

(2) *Source :* Observatoire interrégional du politique, organisme créé par la Fondation nationale des sciences politiques et le Centre national de la recherche scientifique.

En matière économique, 71 % des personnes interrogées estiment que la région doit « **développer en priorité des activités nouvelles** » (contre 21 % qui se prononcent pour le soutien des activités traditionnelles). « Pour assurer le développement de leur région », 76 % pensent que la création de petites et moyennes entreprises est le moyen efficace (17 % faisant confiance aux grandes entreprises).
Sondés sur l'avenir de leur région, 46 % se déclarent « tout à fait ou plutôt optimistes », et 30 % « plutôt ou tout à fait pessimistes ». Enfin, questionnés sur les lieux auxquels ils ont « le sentiment d'appartenir avant tout », ils placent la région, avec 11 %, derrière la France (45 %) et la ville ou la commune où ils habitent (33 %), mais devant le département (5 %), ce qui peut surprendre après deux siècles d'administration départementale.

Régionalisation et modernisation

Entre la France et le « village », qui sont bien les « deux patries » des Français, **la région représente un territoire intermédiaire,** moins vaste que la nation et moins limité que la commune.
Ce sentiment d'appartenance régionale est inséparable d'une histoire familiale, puisque 51 % des Français sont installés dans une région où leurs ancêtres ont vécu depuis plusieurs générations. 18 % y vivent depuis la génération de leurs parents et 21 % s'y sont établis eux-mêmes.
C'est dans le Nord/Pas-de-Calais et en Alsace qu'on trouve les Français les plus anciennement enracinés.
Pour ces derniers, comme pour leurs compatriotes de Bretagne ou du Midi, il existe une indéniable conscience régionale. Celle-ci n'est cependant pas également partagée sur l'ensemble du territoire. Les identités, les spécificités régionales sont certes diverses, mais toutes semblent plus déterminantes que les appartenances sociales ou les préférences politiques.
En dernière analyse, on peut formuler cette interrogation : la régionalisation peut-elle contribuer à la modernisation du pays ou ne risque-t-elle pas d'en être le frein ? La situation actuelle ne permet pas d'apporter une réponse formelle, en raison de la coexistence, au sein de l'Hexagone, de deux types d'attitudes à l'égard du fait régional. La première peut être qualifiée de traditionnelle : elle se réfère à des activités et des valeurs anciennes, elle est le propre d'hommes et de femmes qui se veulent fidèles à leurs racines et souhaitent préserver leur identité. La seconde sera considérée comme moderniste : elle correspond à ceux qui ont choisi de nouvelles activités, qui vivent selon des critères différents, qui sont ouverts au changement et n'hésitent pas à regarder vers de nouveaux horizons.
Peut-on concilier ces deux attitudes ? Peuvent-elles contribuer, chacune à leur manière, à la mise en place et à la réussite d'une véritable régionalisation ? De la réponse à ces questions dépend l'avenir des régions françaises, et donc de la France elle-même.

4

Situation économique

Industrie : sortir de la crise ?

Après trente années « glorieuses » [1], l'industrie française a connu, au cours de la dernière décennie, une série de graves difficultés : ralentissement des investissements, recul des exportations, et surtout licenciements et fermetures d'usines. Les résultats de 1985 et les grandes tendances de 1986 font cependant apparaître une certaine reprise et peuvent laisser entrevoir une sortie de la crise au cours des prochaines années.

Dans les années qui ont suivi le premier choc pétrolier, la France a éprouvé le « goût amer des usines arrêtées et des ouvriers au chômage » [2]. Dans les houillères et dans l'industrie textile d'abord, puis dans la sidérurgie, la construction navale et, plus récemment, dans l'industrie automobile, des ouvriers, des employés, mais aussi des cadres ont été licenciés et des entreprises ont dû cesser leurs activités. Outre ces symptômes marquants, l'affaiblissement de l'industrie française se traduit par quelques chiffres : en 1983, elle ne représentait plus que 19,3 % du Produit intérieur brut (P.I.B.) contre 22,8 % en 1974 ; en 1985, elle assurait 8,2 % des exportations des douze plus grands pays industrialisés contre 10,4 % en 1979 ; enfin, elle a perdu 612 000 emplois entre 1979 et 1984.

Les nationalisations de 1982

Dès 1981, le président de la République, François Mitterrand, et son gouvernement ont entrepris de **réorganiser l'industrie nationale,** de lui donner un sang neuf, en élargissant le secteur public. Au début de l'année 1982, le Parlement a ainsi été amené à voter une importante série de nationalisations. Onze sociétés sont passées sous le contrôle de l'État, permettant au secteur public de tripler sa part dans l'emploi industriel où il regroupe alors 20 % des effectifs (800 000 salariés).

Jusque-là, les seules entreprises nationalisées dans l'industrie, outre les arsenaux et la S.E.I.T.A. [3], étaient essentiellement Renault pour l'automobile, la S.N.I.A.S. [4] et la S.N.E.C.M.A. [5] pour l'aéronautique, et quelques firmes dans la chimie. Après 1982, l'industrie nationalisée va occuper des positions dominantes, sinon de monopole, dans un certain nombre de secteurs clés. Ainsi, dans le matériel électrique et électronique, avec la nationalisation de la

Compagnie générale d'électricité (C.G.E.) et de Thomson-Brandt, la part de l'État représente environ 35 %. Dans la chimie, elle passe de 18 % à 48 % après la nationalisation de Péchiney et de Rhône-Poulenc.
Usinor et Sacilor étant nationalisées, l'État contrôle désormais 80 % du marché français dans la sidérurgie et, après ses prises de participation majoritaire (à 51 %) dans le groupe Dassault-Bréguet et la société Matra, 84 % dans l'aéronautique. Enfin, la nationalisation de Saint-Gobain permet à l'État de posséder 35 % de l'industrie du verre.
Au lendemain de ces nationalisations, la France est **le deuxième pays européen** après l'Autriche, et le premier dans la Communauté Économique Européenne (C.E.E.) par le poids économique du secteur public (22,8 %). Ce poids dans l'industrie équivaut à environ 24 % des effectifs (760 000 salariés), 30 % des ventes et 32 % du chiffre d'affaires (contre 18 % avant 1982).
A l'exception de la C.G.E., toutes ces entreprises étaient déficitaires en 1982, notamment Péchiney, Sacilor (plus de 4,6 milliards de francs) et Usinor (plus de 3,7 milliards), aussi les nationalisations vont-elles leur permettre de recevoir de l'argent de l'État. Entre 1982 et 1984, celui-ci accordera 35 milliards de francs au secteur public de l'industrie, dont une trentaine aux sociétés nationalisées en 1982. Près de la moitié de ces capitaux ira à la sidérurgie, secteur particulièrement en crise.
Cet apport financier sera accompagné de **restructurations** (par exemple, cession par Péchiney de son secteur acier en faveur de Sacilor), d'un important effort d'investissement et d'une réduction des effectifs. Mesures qui entraîneront un redressement de situation pour certains groupes déficitaires en 1982. Péchiney a annoncé 700 millions de bénéfices en 1985, Thomson 1 milliard (2,2 milliards de déficit en 1982), et Rhône-Poulenc 2,3 milliards (787 millions de déficit en 1982). Le retour progressif aux bénéfices va coïncider avec la diminution de l'apport de l'État. Celui-ci, en effet, après une phase d'interventionnisme marqué entre 1981 et 1983, va opérer un retrait de plus en plus sensible, accordant désormais la priorité à des mesures d'accompagnement et à une action sur l'environnement.

Vers la privatisation

A partir de 1983, des sociétés se tournent donc vers la Bourse pour obtenir des ressources nécessaires à leur développement, en particulier sur le plan international. Elles vont ainsi bénéficier de plusieurs milliards de capitaux privés. Leur privatisation est dès lors déjà acquise « dans les esprits, les méthodes et la politique de l'emploi, si ce n'est encore dans l'application de la loi »[6]. Celle-ci sera l'une des premières que fera adopter le nouveau gouvernement issu des élections législatives de mars 1986. Elle prévoit notamment **la privatisation, d'ici le 1er mars 1991, de neuf grandes sociétés**[7].

(1) Cf. le livre de Jean Fourastié, *Les Trente Glorieuses* (Fayard), et ci-dessus p. 30.
(2) Hervé Le Bras, *Les Trois France* (Éd. Odile Jacob - Le Seuil).
(3) Service d'exploitation industrielle du tabac et des allumettes.
(4) Société nationale industrielle aérospatiale.
(5) Société nationale d'étude et de construction des moteurs d'avion.
(6) Claire Blandin, dans *Le Monde*, 23 septembre 1986.
(7) Compagnie de Saint-Gobain, Compagnie de machines Bull, C.G.E., Compagnie générale de constructions téléphoniques (C.G.C.T.), Péchiney, Rhône-Poulenc, Société Matra, Elf-Aquitaine, Thomson.

Avant l'entrée en vigueur des premières privatisations [8], quelle est donc la situation de l'industrie française ? D'emblée, une constatation s'impose : malgré la crise profonde qu'elle connaît depuis plusieurs années, la France demeure la quatrième puissance industrielle au sein de l'O.C.D.E., mais sa progression annuelle moyenne (0,9 % pour 1984 et 1985) est inférieure à celle de l'Allemagne, des États-Unis et du Japon. Certains secteurs d'activités traditionnelles sont dans une passe difficile (la sidérurgie) ou très critique (la construction navale), tandis que d'autres, hier plus ou moins gravement touchés par la crise (chimie et surtout textile) sont déjà largement restructurés. L'automobile, pendant longtemps atout majeur de notre industrie, éprouve à son tour de sérieuses difficultés (perte globale de 7,5 % de ses effectifs en 1985, déficit de 12,4 milliards de francs en 1984 et de près de 11 milliards en 1985 pour Renault). Pourtant, si l'on en croit l'enquête annuelle sur l'industrie publiée récemment par l'I.N.S.E.E., certains signes de reprise observés en 1985 et dans les neuf premiers mois de 1986 permettraient d'envisager le proche avenir avec un optimisme mesuré.
Point fort relevé dans cette enquête : le redémarrage des investissements ; point faible : les exportations. Ces deux tendances contradictoires devant être pondérées en fonction du secteur d'activité et de la taille des entreprises. Pour les experts de l'I.N.S.E.E., si les investissements sont une garantie pour l'avenir, tous les espoirs sont permis, car ils sont « en très forte hausse », notamment dans les activités de haute technologie et dans les entreprises

produisant des biens d'équipements professionnels et ménagers. Cet optimisme doit cependant être tempéré car la stagnation, sinon la régression, de nos exportations reste inquiétante. A l'heure où les performances de nos partenaires, en particulier l'Allemagne fédérale, s'améliorent, la part des entreprises industrielles françaises dans le marché mondial continue de diminuer. Seules les entreprises sous contrôle étranger augmentent le volume global de leurs exportations.

Deux tendances se dégagent de cette enquête : en premier lieu, après dix ans de crise, 1985 (et 1986 paraît apporter une confirmation) est la première année où les entreprises, à en juger par leurs performances et leurs budgets d'équipement, semblent repartir de l'avant. En second lieu, alors que le marché industriel se mondialise chaque jour davantage, seuls les grands groupes français tirent leur épingle du jeu (avec trois quarts du total des exportations), tandis que les petites et moyennes entreprises (P.M.E.) sont presque totalement absentes.

A ce bilan nuancé, on peut ajouter que les résultats obtenus par la France dans des secteurs comme l'aéronautique, l'industrie électro-nucléaire, l'espace, les télécommunications, l'armement, l'électronique, le matériel ferroviaire, etc., peuvent lui permettre de confirmer les progrès ainsi constatés.

Reste **le problème du chômage :** en onze ans, 1,1 million d'emplois industriels ont été perdus. L'industrie française ne sera véritablement sortie de la crise que lorsqu'elle pourra de nouveau créer des emplois.

---

(8) Elf-Aquitaine et Saint-Gobain.

L'enjeu des privatisations

Soixante-cinq grandes entreprises françaises devraient être privatisées d'ici 1991. Objectif : la fin du dirigisme et la libéralisation de l'économie. Le processus est en marche avec succès, semble-t-il. Sera-t-il mené à son terme ? Profitera-t-il à l'ensemble des Français ?

Le gouvernement issu des élections de mars 1986 a fait des privatisations un des deux axes majeurs – avec la déréglementation [1] – de son programme de « libéralisation » économique. L'objectif, défini par le Premier ministre, M. Jacques Chirac, au début de la nouvelle législature, était de mettre fin au « dirigisme étatique ».

Des industries, des banques, des assurances...

Pour atteindre cet objectif, le gouvernement a donc décidé de **privatiser soixante-cinq entreprises** dans les secteurs de l'industrie (9 sociétés) [2], de la banque (38), des assurances (13), de la publicité (agence Havas) et de l'audiovisuel (T.F. 1 [3]). Ce passage de la propriété collective du capital à la propriété privée doit s'étendre sur cinq ans, c'est-à-dire normalement jusqu'à la fin de l'actuelle législature. Il concerne des entreprises nationalisées en 1982 à l'initiative du gouvernement socialiste, ou antérieurement par le général de Gaulle.

Le but du gouvernement est de rendre les Français propriétaires des principales sociétés, notamment industrielles et bancaires, en renforçant la participation des salariés au capital de l'entreprise (idée chère au général de Gaulle), et donc de développer l'actionnariat populaire.

Naissance d'un actionnariat populaire ?

A la veille des premières privatisations, le secteur public français était, depuis les nationalisations de 1982, le plus important de la Communauté économique européenne (C.E.E.), avec 16 % des emplois, 19 % des ventes, 23 % des exportations, 28 % de la valeur ajoutée et 36 % des investissements.

L'enjeu est donc financièrement très important : 200 milliards en cinq ans, un chiffre nettement supérieur à ceux de pays comme le Canada, la République fédérale d'Allemagne et la Grande-Bretagne qui ont privatisé avant la France.

Au lendemain du 16 mars, le gouvernement, qui souhaitait mettre rapidement en œuvre son programme de privatisation, avait prévu de procéder par voie d'ordonnance [4].

Madame, Monsieur,
Pour la première fois depuis 115 ans,
cette porte s'ouvrira largement au grand public.

Prochainement, vous pourrez devenir actionnaire du Groupe Paribas.

GROUPE PARIBAS

Téléphonez au (1) 46.24.11.11 ou écrivez à Paribas-Actionnariat, 3 rue d'Antin - 75002 Paris.

(1) L'État cesse de contrôler ou de réglementer des secteurs comme l'énergie, les transports et les communications.
(2) Cf. « Industrie : sortir de la crise ? » p. 68.
(3) La première chaîne de télévision.
(4) Cf. note (9) p. 63.

Mais, le président de la République ayant refusé de signer cette ordonnance, qui ne lui paraissait pas présenter toutes les garanties nécessaires à la protection des intérêts nationaux [5], celle-ci a dû être transformée en texte de loi. Soumise au Parlement, la loi de privatisation a été votée en juillet-août. Elle est entrée en vigueur au début de l'automne 86, avec la mise en vente des actions de la Compagnie de verre Saint-Gobain.
Auparavant, le gouvernement avait cédé une partie du capital de la société pétrolière E.L.F.-Aquitaine (11 % sur les 66 % détenus jusque-là par l'État).
La privatisation du groupe Saint-Gobain a été considérée comme un succès par le ministre de l'Économie, des finances et de la privatisation, M. Edouard Balladur. Plus d'un million et demi de souscriptions ont été enregistrées, dont un grand nombre effectuées par des petits épargnants (ils pouvaient souscrire dix titres au maximum).
Mais la seconde privatisation, celle de la banque Paribas, réalisée en janvier 1987, a remporté un succès bien plus considérable encore, puisque ce sont trois millions d'actions qui ont été achetées, notamment par des petits porteurs. M. Balladur s'est vivement félicité de **l'éclosion de cet actionnariat populaire,** phénomène qui constitue à ses yeux une véritable « transformation de la société ».
Avant la privatisation de la première chaîne de télévision (T.F. 1) devrait intervenir celle des Assurances générales de France (A.G.F), le second groupe français d'assurances. Au-delà, l'identité des prochaines sociétés privatisables et le calendrier de leur transfert au secteur privé n'ont pas encore été définitivement arrêtés.

Un enjeu fondamental

Une chose est certaine : il s'agit d'un programme particulièrement ambitieux et nul ne peut assurer qu'il sera effectivement réalisé dans les délais impartis. Rien ne permet, en effet, d'affirmer que la législature en cours ira jusqu'à son terme normal en 1991. L'élection présidentielle de 1988 peut bouleverser l'échiquier politique et – pourquoi pas ? – remettre en cause les privatisations. L'avenir n'étant écrit nulle part, force est de se contenter des données actuelles. A l'évidence, le gouvernement de M. Chirac a mis en œuvre une politique de rupture non seulement avec le « dirigisme étatique » pratiqué par les socialistes de 1981 à 1983, mais aussi avec le système d'économie « mixte » qui prévalait en France depuis de nombreuses années. L'objectif est de donner aux entreprises la liberté de mener comme elles l'entendent leur politique industrielle, financière et sociale. Le retrait de l'État doit avoir pour corollaire **le développement du marché :** moins d'État = plus de marché. La question est alors de savoir si ce désengagement de l'État profitera véritablement aux entreprises, donc à l'économie nationale et, partant, à l'ensemble des Français. L'enjeu, économique et social, est de première importance.

(5) Finalement, le montant des titres cédés par l'État à des investisseurs étrangers « ne pourra excéder 29 % du capital de l'entreprise ». Cette limite sera susceptible d'être abaissée « lorsque la protection des intérêts nationaux l'exige ».

Une nouvelle race de paysans

Acteurs, naguère, d'une véritable « révolution silencieuse », les paysans ont été récemment les victimes, parfois durement touchées, de la crise du « pétrole vert ». Désormais minoritaires dans la société française, leur rôle n'en est pas moins primordial et devrait encore s'accroître dans les années à venir.

« On a trouvé, en bonne politique, le secret de faire mourir de faim ceux qui, en cultivant la terre, font vivre les autres. » On ne trouverait probablement plus aujourd'hui de « paysans (suffisamment) en colère » pour reprendre à leur compte cette sentence de Voltaire. Quelles que puissent être en effet leurs difficultés, les paysans français actuels ne sont nullement condamnés à mourir de faim. Il reste néanmoins vrai qu'ils « font vivre les autres », c'est-à-dire qu'ils procurent à leurs compatriotes toute l'alimentation dont ils ont besoin. De fait, ils produisent même beaucoup plus qu'il n'est nécessaire pour nourrir les Français, et un de leurs problèmes est justement de trouver **des débouchés pour le surplus de leur production,** autrement dit d'exporter.

Après la guerre, on considérait qu'un agriculteur français moyen survenait aux besoins alimentaires d'une dizaine de ses concitoyens ; aujourd'hui, les spécialistes estiment qu'il peut offrir une nourriture plus riche et plus variée à plus d'une quarantaine de personnes.

Pourtant, les paysans ne représentent plus désormais que **7 % de la population active** (soit 1,6 million de personnes), contre 31 % en 1954, 36 % en 1936 et plus de 40 % à la veille de la Première Guerre mondiale. Avec 3,8 millions de personnes, la population paysanne correspond également à 7 % de l'ensemble des Français, contre 44 % en 1954, 48 % en 1936 et plus de 55 % avant 1914. S'ils ont perdu plus des deux tiers de leurs effectifs au cours des quarante dernières années, les paysans français ont, durant cette période, acquis la parité avec l'ensemble de leurs compatriotes. « Parité économique, parité des revenus, parité sociale, parité des conditions de vie, parité de la dignité, (et enfin) parité de la considération », ainsi que le déclarait en 1977 M. Giscard d'Estaing, alors président de la République. Prenant acte de cette « révolution silencieuse » qui avait permis aux paysans de parvenir à un niveau de vie à peu près identique à celui du reste de la population, le chef de l'État affirma que l'agriculture « (devait) être notre pétrole ».

L'importance du « pétrole vert »

Dix ans plus tard, ce pétrole vert est-il aussi rentable que l'était l'or noir en 1977 ?
D'abord, un constat : depuis la fin de la guerre, la productivité de l'agriculture a plus rapidement augmenté que celle de l'industrie. Plus récemment, elle a contribué pour un quart à la croissance de la production nationale et a joué un rôle important dans la diminution de l'inflation. En 1984, avec les industries de transformation agricoles et alimentaires, elle a permis, grâce à un solde commercial positif d'une trentaine de milliards de francs, de régler la facture des importations françaises de pétrole.
Au cours des vingt-cinq dernières années, elle a progressé en volume de 2,7 % par an, mais ne représente plus, en raison de la baisse de 27 % de ses prix, que **4,5 % du produit national,** au lieu de 11,3 % au début des années soixante. Les industries agro-alimentaires, avec 5,3 % du P.I.B.[1] restent au niveau de 1960. Au total, l'ensemble du secteur agro-alimentaire correspond à environ 10 % de l'économie française.
Si les observateurs se plaisent à souligner la productivité de l'agriculture française, ils font également remarquer qu'elle bénéficie du **soutien constant de l'État.** Comparée aux autres nations industrialisées, et notamment à ses partenaires du Marché commun, la France est le pays qui accorde le plus de subventions à son agriculture. Certains n'hésitent d'ailleurs pas à parler d'« État-providence » agricole. Ainsi en 1986, sur un budget de 113 milliards de francs, 30 milliards ont servi à soutenir les prix et à organiser les marchés et 40 ont subventionné la Sécurité sociale de la population agricole.

La crise, et après... ?

Pourtant, le revenu des agriculteurs diminue depuis une douzaine d'années et a pris un important retard, en terme de pouvoir d'achat, par rapport au revenu moyen des salariés (– 25 %) et des artisans et petits commerçants (– 12 %). En 1985, il a subi une baisse de 4,7 %, la plus importante, avec 1980, depuis quinze ans. Certains experts estiment que les revenus agricoles seraient sous-évalués de 60 %. Ces revenus, toutefois, se caractérisent par de très fortes disparités : entre les agriculteurs disposant de moins de 5 hectares-« équivalent-blé » et ceux qui en possèdent plus de 100, on relève des écarts de 1 à 35. Cependant, si l'on prend également en compte les salaires et les retraites, la différence n'est plus que de 1 à 3,5, quelle que soit la surface cultivée.
Un fait est certain : la chute des revenus est un des signes les plus importants de la crise que traverse actuellement l'agriculture française. Parmi les autres symptômes, on observe **le vieillissement de la population agricole** (40 % des paysans ont plus de cinquante-cinq ans), la diminution des possibilités d'investissement, la surproduction chronique et surtout l'effondrement du marché foncier. En d'autres termes, les prix de la terre baissent : ils ont perdu 40 % depuis 1978. En 1985, avec une moyenne de 20 450 francs l'hectare, les terres agricoles (terres labourables et prairies naturelles) sont, en valeur réelle, au niveau des prix de 1961 ! Bien entendu, il existe d'énormes écarts selon les départements : dans ceux du nord de la Seine, de l'Est et du Sud-Est, les prix dépassent largement les 25 000 F l'hectare (72 100 F en Seine-Saint-Denis, par exemple) ; tandis que dans les départements du sud de la Bretagne,

(1) Produit intérieur brut.

S'ils ne représentent plus que 7 % de la population active contre 31 % en 1954, les paysans – devenus « exploitants agricoles » – n'en jouent pas moins un rôle primordial dans la société française d'aujourd'hui.
Désormais avertis des mécanismes économiques les plus complexes et utilisateurs de l'informatique, ils devraient faire partie demain des producteurs et des exportateurs les plus efficaces du pays.

du Centre-Est et de la Corse, ils sont inférieurs à 15 000 francs (7 300 F en Corse du sud). Pourquoi la terre perd-elle de sa valeur ? Parce que les paysans, ses traditionnels acquéreurs, l'achètent moins et que les épargnants investissent dans des placements plus rentables (les actions, l'or, la pierre...). Les paysans, en effet, ont dépensé beaucoup d'argent, ces dernières années, pour s'équiper : ils ont acquis des machines et des engrais, au détriment des terres. Quant aux épargnants, ils ont vendu, en vingt ans, 2,5 fois plus de terres qu'ils n'en ont acheté.

Durant ce même laps de temps, deux millions de personnes ont quitté l'agriculture et 640 000 exploitants ont disparu. Selon certaines prévisions, entre 1983 et 1993 plus de 40 % des exploitants (578 000 personnes) devraient cesser leur activité, « libérant » 4 millions d'hectares cultivables (l'équivalent de huit départements). On estime au maximum à 10 000 par an le nombre de jeunes susceptibles de s'installer à leur place. D'après le ministère de l'Agriculture, les jeunes paysans qui ont décidé de s'établir « cherchent de moins en moins à devenir propriétaires, sauf s'ils bénéficient d'une donation ou d'un héritage ». Ils n'achètent plus la terre, mais la louent. Si cette tendance se confirme, d'ici quelques années, les propriétaires terriens ne seront plus que des retraités, « anciens paysans », ou des « gens de la ville », héritiers ou acquéreurs de patrimoines fonciers.

Actuellement, les paysans ne possèdent (en plus de leur exploitation) que **33 000 francs de patrimoine foncier,** contre 87 000 aux cadres, et 55 000 aux industriels et gros commerçants. Cette situation se vérifie aujourd'hui sur le plateau limousin qui, avec une seule installation pour trois disparitions, se transforme peu à peu en un véritable désert agricole, avec – comme propriétaires – des médecins, des cafetiers, des postiers...

Actuellement, certaines terres de mauvaise qualité ne trouvent pas d'acquéreurs et sont donc à l'abandon. Des responsables agricoles n'hésitent pas à évoquer, pour certaines régions, le retour aux friches (qui représentent déjà 6 % du territoire) et la dévalorisation d'une partie importante du domaine foncier. C'est sans aucun doute pour mettre un terme à cette évolution que le ministre de l'Agriculture, M. François Guillaume, ancien dirigeant de la puissante Fédération nationale des syndicats d'exploitants agricoles (F.N.S.E.A.), déclarait récemment : « Il faut que les paysans puissent se remettre à investir ». De son côté, le directeur du Centre national pour l'aménagement des structures des exploitations agricoles affirmait devant les membres de la Société des agriculteurs de France : « Sur une longue période de dix à quinze ans, un rééquilibrage des productions est tout à fait possible. Il faut dans l'immédiat accepter que des centaines d'hectares de terres agricoles reçoivent une vocation autre. Même si cela peut choquer, des zones à faible densité de population passeront à l'état de réserves naturelles. »

A l'évidence, l'agriculture française vit **une mutation profonde.** Le paysan traditionnel (qu'on songe au « Papet » de *L'eau des collines,* le roman de Marcel Pagnol, magnifiquement incarné à l'écran par Yves Montand [(2)]) est désormais remplacé par l'exploitant agricole. Incollable sur les « montants compensatoires monétaires » de l'Europe verte, une « nouvelle race » de paysans programme sur ses micro-ordinateurs les quotas laitiers qui lui permettront de faire face à la concurrence internationale.

Les agriculteurs de demain ne représenteront plus que 4 % de la population active, ils ne posséderont plus que quelques dizaines de milliers d'exploitations ressemblant de plus en plus à d'immenses entreprises mécanisées, mais ils devraient faire partie des producteurs et des exportateurs les plus efficaces de ce pays. Peut-être alors ne constitueront-ils plus ce « peuple oublié » dont parlait Balzac ?

---

(2) Réalisés par Claude Berri, deux films, *Jean de Florette* et *Manon des sources,* ont été tirés de ce roman.

L'explosion du tourisme

Importante puissance touristique, la France reçoit des millions de visiteurs étrangers. Elle leur propose aujourd'hui des structures d'accueil profondément renouvelées. Élément essentiel de notre économie, le tourisme doit encore se développer. Mais à quel prix et dans quelle direction ?

Avec trente-cinq millions de touristes étrangers par an, la France représente 12 % du marché international du tourisme et encaisse 11 % des sommes mises en circulation. Elle est ainsi **la troisième puissance touristique du monde** derrière les États-Unis et l'Italie et devant l'Espagne et l'Allemagne. Mais ce rang flatteur est d'abord dû à un important marché intérieur. Si avant 1940, le nombre des Français qui partaient en vacances n'avait jamais dépassé 4 à 5 millions (c'est-à-dire environ 10 % de la population), dès le début des années cinquante, c'est une véritable explosion, avec 8 millions de vacanciers (20 % de la population). En 1965, on atteint le pourcentage de 44 % et actuellement on enregistre un taux de 58 %, soit 21,2 millions de personnes. En d'autres termes, un Français sur dix prenait des vacances il y a quarante ans, ils sont aujourd'hui six sur dix. Compte tenu de l'allongement des congés (trois, quatre, puis cinq semaines), nombre de Français partent plus d'une fois par an dont 30 millions l'été et 14 millions l'hiver. Ils dépensent 260 milliards de francs sur le territoire national et 38 milliards à l'étranger.

Des touristes étrangers par millions

Quant aux touristes étrangers, qui étaient environ 500 000 en 1946, ils sont dix fois plus nombreux dès 1950, voient leur nombre doubler en 1960, soit 10 millions, se retrouvent 14 millions en 1970, 30 en 1980, avant d'atteindre les 35 millions aujourd'hui. En 1984, ils ont ainsi dépensé 60 milliards de francs. Au troisième rang mondial pour ses recettes en devises, la France occupe également cette place, après l'Italie et l'Espagne, pour le solde de sa balance touristique (31,5 milliards de francs en 1985, correspondant à 37,6 milliards de dépenses des Français à l'étranger et 65,2 milliards de recettes du tourisme étranger en France). Il s'agit là encore d'un véritable « boom », car ce solde est resté stable, à un niveau très bas, pendant vingt ans

Troisième puissance touristique du monde, la France accueille 35 millions de visiteurs étrangers par an. Outre un grand nombre de lieux et de monuments historiques (ci-contre), elle leur propose une vaste gamme d'hôtels, parmi lesquels, de plus en plus, des chaînes d'établissements modernes, mais standardisés, se substituent aux hôtels traditionnels et familiaux.

(de 0,1 milliard de francs en 1955 à 1,7 milliard en 1975) avant de grimper à 9,3 milliards en 1980 et de bondir à 31,5 milliards en 1985. Les observateurs n'avancent aucune explication vraiment satisfaisante de ce phénomène. Force est simplement de constater la croissance régulière (5 % par an depuis vingt ans) du nombre de touristes étrangers venant en France, alors que le nombre de Français se rendant à l'étranger est beaucoup plus variable (ne serait-ce qu'en raison des restrictions que tel ou tel gouvernement, à telle ou telle époque, a pu apporter au montant des devises accordées aux Français pour leur séjour hors de France). Contrôle des changes, ajustements monétaires défavorables à notre pays, crise mondiale ? Et si cette « montée en puissance » de nos recettes n'était que la conséquence « des progrès accomplis par le tourisme français, dans ses infrastructures et chez ses professionnels, pour mettre en valeur un pays choyé par la nature, l'histoire et la géographie ? »[(1)].

Le « modèle américain »

De fait, le secteur touristique a connu, au cours des quarante dernières années, **de profondes transformations.** Sur le plan quantitatif d'abord, où le nombre des « hôtels de tourisme homologués » est passé de 4 800 en 1945 à 12 745 en 1965, puis 19 000 en 1985[(2)]. Sur le plan de sa nature ensuite, avec la naissance « d'entreprises de taille industrielle qui faisaient totalement défaut en France, et qui complètent désormais notre panoplie d'accueil et de traitement du tourisme »[(3)]. Ces entreprises ont notamment pour nom, pour la plus connue et la première d'entre elles, le Club Méditerranée qui revendique aujourd'hui 820 000 adhérents (dont 57 % d'étrangers), emploie 12 000 personnes, dont 2 000 permanents, gère près de 100 000 lits dans 173 villages et hôtels, dans lesquels ont été accueillis, en 1984, 1,2 million de vacanciers, et qui a réalisé 5,3 milliards de chiffre d'affaires et 257 millions de bénéfices. D'autres groupes ont adopté des formules analogues (« hôtels-clubs ») et ont reçu la même année de 150 000 à 500 000 personnes.

(1) Roger Alexandre, dans *L'Expansion*, numéro spécial « Demain la France », octobre-novembre 1985.
(2) Sur un total de 46 284 hôtels (soit près de 800 000 chambres) qui place la France au second rang mondial, derrière les États-Unis, pour le parc hôtelier.
(3) Cf. note (1).

Sur le plan strictement hôtelier, **le modèle américain** se substitue de plus en plus au modèle français de l'hôtellerie artisanale et familiale. Plusieurs centaines d'hôtels représentant des chaînes intégrées ont été construits, le plus souvent à la périphérie des grandes agglomérations, près des autoroutes. Il s'agit généralement de bâtiments à l'architecture moderne mais standardisée, au confort fonctionnel mais sans âme. Les premiers ont vu le jour à partir de 1967 (un Novotel près de Lille), mais c'est entre 1973 et 1976 que le plus grand nombre a surgi de terre, notamment près de Paris, avec par exemple le

Novotel Bagnolet, le P.L.M. Saint-Jacques, le Concorde Lafayette et le géant Méridien qui propose 1 056 chambres. D'autres grands hôtels seront ouverts au cours des années suivantes pour atteindre, fin 1984, le nombre de 550 établissements « deux, trois et quatre étoiles », appartenant ou affiliés à des chaînes françaises intégrées. Huit de ces chaînes sont représentées à l'étranger, dans une cinquantaine de pays, tandis qu'une douzaine de chaînes étrangères sont présentes en France, surtout à Paris et sur la côte d'Azur. Propriété d'importants actionnaires (banques, compagnies d'assurances ou de transports...), ces chaînes hôtelières connaissent de croissants phénomènes de concentration qui font désormais d'elles de puissants groupes financiers. Ainsi, la chaîne Accor (née de la fusion des groupes Jacques Borel international et Novotel), qui possède près de 500 hôtels, dont environ les deux tiers en France, et emploie 45 000 personnes, se situe au 10e rang mondial.

Tourisme populaire ou tourisme de luxe ?

Directement ou indirectement, plus de 1,8 million de personnes, c'est-à-dire environ 9 % de la population active, travaillent dans le secteur du tourisme. Celui-ci exporte 66 milliards de francs, soit davantage que l'électronique (51 milliards) ou l'industrie automobile (44 milliards). Il rapporte à la France plus que l'agriculture et l'industrie agro-alimentaire (31,5 milliards contre respectivement 14 et 12 milliards). Ces chiffres ne doivent cependant pas faire illusion. Le tourisme n'est pas une manne providentielle pour l'économie française : il représente actuellement **1,3 % du Produit intérieur brut** (P.I.B.), ce qui place la France loin derrière l'Autriche (8,3 %), la Suisse (4,1 %) ou

l'Italie (2,4 %) et ne lui confère qu'un rang moyen parmi les nations « touristiques ».
La France peut – et doit – recevoir encore davantage de touristes. Mais souhaite-t-elle accueillir des touristes aux moyens modestes, dans des hôtels ou des villages de vacances à prix modérés ? Ou envisage-t-elle de donner la préférence à des touristes « haut de gamme » qu'elle logera dans de luxueux « 4 étoiles » ? En d'autres termes, quelle **politique touristique** est-elle disposée à mettre en œuvre ?

• La France mise au jour...

(Jacques Lacarrière, la France buissonnière, dans *Guide France*, Hachette, 1984).

Au siècle dernier, les grands voyageurs, les grands découvreurs de la France étaient presque tous étrangers, anglais surtout. Les plus connus sont Arthur Young et Robert Louis Stevenson mais il y en eut beaucoup d'autres. Les Français demeurèrent très longtemps indifférents à leur propre pays, et ce jusqu'au siècle dernier, si l'on excepte George Sand et Flaubert. En France, on ne voyageait pas, on se déplaçait. (...) En plein XVIIIe *siècle, Restif de la Bretonne, seul écrivain authentiquement paysan de ce temps, disait que « les Français connaissent bien mieux les mœurs des Indiens iroquois que celles des paysans français ». Phrase prophétique car toujours valable aujourd'hui. Pendant des siècles, les Français ont ignoré la France, ou tout au moins sa province, puisque la France, c'était Paris. La province, c'était un désert, blanc, jaune ou vert sur des cartes, qui ne pouvait intéresser que des aventuriers, comme ces Anglais juchés sur des chevaux ou tirant des ânesses, bref, des excentriques.*
Nous n'en sommes plus tout à fait là, mais avons-nous pour autant véritablement progressé ? Depuis ces dernières années, en tout cas depuis l'après-guerre, les Français commencent à regarder de nouveau leur pays. Il paraît des livres sur lui... (...) L'essentiel c'est bien aujourd'hui de voyager, de regarder, de sentir, de détecter le monde avec une mémoire personnelle. En ces temps de self-service, *eh bien servons-nous aussi pour nous-mêmes du passé et du paysage, composons nos chemins à la carte – dans tous les sens du mot – inventons-les pour découvrir ou retrouver une France buissonnière.*

5

Questions sociales

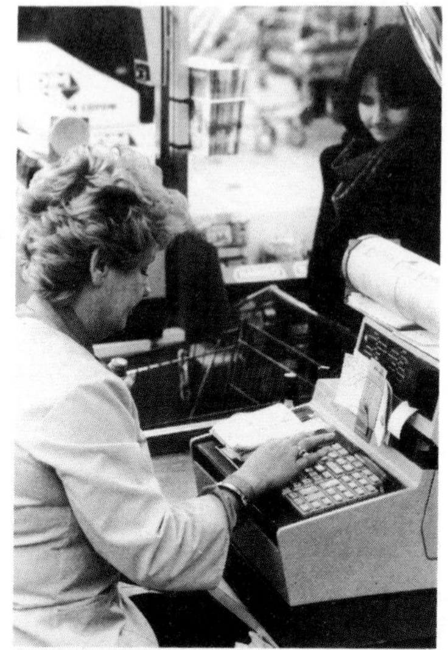

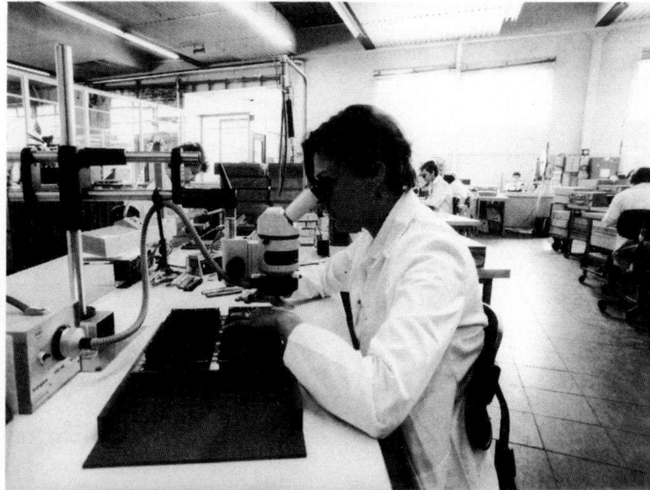

aerospatiale

Le travail des Français

Actuellement, à peine un Français sur deux exerce une activité professionnelle. Le travail, il est vrai, a beaucoup changé. Le secteur tertiaire continue de s'accroître, les salariés sont de plus en plus nombreux, les « cols blancs » supplantent peu à peu les « cols bleus ». Les Français travaillent moins et de manière plus souple. Mais il y a le chômage. Et l'informatique. Alors, quel travail pour demain ?

Qui travaille ?

La France comptait, en 1985, **23,7 millions d'actifs,** soit 43 % de la population totale [1].

Si l'on considère l'évolution de la population active depuis le début de ce siècle, on constate qu'entre 1900 et 1975, sa proportion par rapport à l'ensemble des Français a baissé de 10 %. Cette diminution s'explique par divers facteurs démographiques : allongement de la scolarité qui retarde l'entrée des jeunes dans la vie active, abaissement de l'âge de la retraite et augmentation de la durée de vie.

En revanche, depuis 1975, le pourcentage d'actifs remonte légèrement (de 41,9 % à 43 %), tout en restant fort éloigné des 52 % de 1921. Cette remontée est due essentiellement à l'arrivée, sur le marché du travail, des générations de l'après-guerre et de nombreux travailleurs immigrés, mais surtout à l'accroissement du travail féminin (10,1 millions de femmes travaillent, soit 42,6 % de la population active). Plus de 45 % des femmes de 16 ans et plus exercent une activité professionnelle (contre 35 % en 1954).

Les transformations du travail

Le travail a connu des transformations profondes depuis la fin de la Seconde Guerre mondiale (dans certains domaines, l'évolution s'était amorcée au XIXe siècle).

Les paysans, qui constituaient encore 31 % de la population active en 1954, n'en représentent plus désormais que 7 % (contre 75 % au début du XIXe siècle) [2]. Ce faible taux, dû à la mécanisation et à l'exode rural, reste cependant supérieur à celui de pays comme l'Allemagne (5,8 %), les États-Unis (3,6 %) ou la Grande-Bretagne (2,8 %).

---

(1) Les chômeurs et les jeunes à la recherche d'un premier emploi sont inclus dans la population active.

(2) Cf. « Une nouvelle race de paysans ? », p. 75.

Ce **déclin du monde rural,** voire cette « fin des paysans » diagnostiquée par certains sociologues, s'accompagne d'une **irrésistible ascension des salariés** qui représentent actuellement 83 % des actifs (72 % en 1962), soit environ 18 millions de personnes. Parmi elles, on compte un nombre croissant de fonctionnaires (2,5 millions [3]), d'agents des collectivités locales (900 000), de salariés des entreprises publiques nationalisées (2,2 millions), au total plus de 5,5 millions de personnes. Ce chiffre a doublé au cours des vingt dernières années.

Cols bleus, cols blancs

L'économie française est traditionnellement divisée en trois secteurs : primaire (l'agriculture), secondaire (l'industrie), tertiaire (les services). Chacun de ces secteurs correspond à une grande période, à un « âge » de l'économie. Après l'âge de l'agriculture et celui de l'industrie, la France vit actuellement le « troisième âge », celui des services, dans lesquels travaillent près de 60 % des actifs. Cette évolution a profondément modifié la nature des métiers et des emplois exercés par les Français. **Les « cols blancs »** (employés, techniciens, cadres) **remplacent peu à peu les « cols bleus »** (manœuvres, ouvriers spécialisés et qualifiés). Ces derniers ne représentent plus que 30 % de la population active, contre 36,6 % en 1968 (cf. tableau ci-après). Cette diminution du nombre des ouvriers (– 600 000 entre 1982 et 1986) est la conséquence de l'affaiblissement de l'industrie [4], mais aussi de la modernisation des entreprises et, bien sûr, de la montée du chômage au cours des dix dernières années [5]. De fait, ce sont essentiellement les emplois de manœuvres et d'ouvriers spécialisés (O.S.) qui diminuent (– 765 000 de 1975 à 1982), alors que ceux d'ouvriers qualifiés et de contremaîtres continuent d'augmenter.
Tandis que la part des ouvriers dans la population active diminuait, celle des cadres augmentait sensiblement (cf. tableau ci-après). En 30 ans, par exemple, le nombre des cadres a doublé, notamment les cadres supérieurs (cadres de la fonction publique, cadres administratifs et commerciaux, ingénieurs et cadres techniques d'entreprise, etc.). Au total, le secteur tertiaire a créé 1 500 000 emplois entre 1974 et 1985. Autre caractéristique de ce « troisième âge » de l'économie, la disparition en 20 ans de 2 millions d'emplois de commerçants. Phénomène dû essentiellement à la création et au développement des « grandes surfaces » (super, puis hypermarchés). Le premier hypermarché a été ouvert en 1963 dans la région parisienne, on en compte aujourd'hui plus de 500.

Répartition de la population active selon la catégorie socioprofessionnelle (en %)

Catégorie socioprofessionnelle	1985	*1968 (rappel)*
Agriculteurs exploitants	7,1	*11,5*
Artisans, commerçants, chefs d'entreprise	8,0	*10,7*
Cadres, professions intellectuelles supérieures (1)	9,1	*5,1*
Professions intermédiaires (2)	20,0	*10,4*
Employés (y compris personnels de services)	26,0	*21,2*
Ouvriers (y compris agricoles)	29,8	*36,6*

(1) *Cadres de la fonction publique, professeurs, professions scientifiques, professions de l'information, des arts et spectacles, cadres administratifs et commerciaux, ingénieurs et cadres techniques d'entreprise, professions libérales.*
(2) *Anciens techniciens et cadres moyens, contremaîtres, agents de maîtrise, clergé...*

La durée du travail

Depuis 1982, la durée hebdomadaire légale de travail est de **39 heures**[6]. En 15 ans, elle a diminué de 6 heures, avec des réductions particulièrement importantes dans certains secteurs, comme le bâtiment (près de 50 heures en 1968) ou l'industrie agro-alimentaire (46 heures). Il subsiste cependant **des écarts importants selon les professions :** 53,9 heures pour les agriculteurs, 46,5 pour les professions libérales, 36,4 pour les employés...
Au sein des pays industrialisés, les Français travaillent moins que les Britanniques (41,7 h), les Allemands (40,8 h) et les Japonais (41 h) mais plus que les Italiens (37,5 h) et les Belges (34,5 h). La France figure, par contre, dans le peloton de queue en ce qui concerne la durée annuelle de travail (1 650 heures), loin derrière le Japon (2 100), la Suisse (1 910) et les États-Unis (1 870), mais en détenant, il est vrai, le record de durée des congés payés.
Le travail à temps partiel[7], qui se développe régulièrement, intéresse aujourd'hui **2,3 millions** de personnes (dont 83 % de femmes) soit environ 9,5 % de la population active. La France est cependant encore loin des taux scandinaves (20 %) ou américains (16 %).
Le travail intérimaire, en revanche, est essentiellement un travail d'hommes (64 %). Après avoir connu, dans les années 60, une période de forte expansion, les entreprises de travail intérimaire ont subi très durement le contrecoup de la crise. Après la mise en place, en 1972, d'un dispositif légal de protection des salariés intérimaires (conditions et durée d'emploi, indemnités d'emploi précaire), la montée du chômage a incité les pouvoirs publics à prendre de nouvelles mesures. Afin de limiter le recours au travail temporaire, une ordonnance de 1982 a instauré un statut du travailleur temporaire proche de celui des autres salariés. Les conséquences ont été immédiates et brutales : en un an, on a observé une diminution de 30 % des effectifs et la disparition de 600 organismes spécialisés.
Malheureusement, cette chute des emplois intérimaires n'a pas entraîné la création d'un nombre équivalent d'emplois permanents.

Les horaires de travail

Les 39 heures hebdomadaires de travail se traduisent pour 14 millions de Français par environ **huit heures d'activité quotidienne pendant 5 jours.** La journée débute généralement entre 8 h et 9 h et se termine entre 17 h et 18 h. Les 9 autres millions d'actifs ont des horaires plus diversifiés ou plus souples, qu'ils soient « libres » (déterminés par l'employé en accord avec l'employeur) ou « à la carte » (heures d'arrivée et de départ variables en dehors d'une période fixe commune).
Près de 9 % commencent leur journée avant 7 heures du matin, essentiellement des ouvriers, employés et personnels de service ; 7,8 % la terminent entre 20 h et minuit. Des personnels de service et des ouvriers travaillent encore souvent la nuit, notamment en équipes.

---

(3) Cf. « Du côté des fonctionnaires », p. 112.
(4) Cf. « Industrie : sortir de la crise », p. 68.
(5) Cf. « Le choc du chômage », p. 90.
(6) Durée moyenne en 1985 : 39,6 heures.
(7) Un travail inférieur à 30 heures par semaine est considéré comme travail à temps partiel.

Fin décembre 1986, le Gouvernement a fait adopter par le Parlement un texte sur l'**aménagement du temps de travail**. L'objectif de ce texte est de donner plus de flexibilité aux horaires de travail. Il autorise également le travail des femmes la nuit (entre 22 h et 5 h) dans les secteurs « où les conditions économiques et sociales l'exigent », sous réserve d'accord entre les partenaires sociaux. Cette réforme devrait permettre aux chefs d'entreprise d'augmenter les horaires jusqu'à 44 heures par semaine, à condition que la durée annuelle moyenne du travail ne dépasse pas 39 heures. Dans ce cadre, il suffira d'un accord d'entreprise, et non plus de branche (c'est-à-dire un secteur d'activités) pour « aménager » les horaires de travail. Si un accord de branche est conclu, il sera possible d'aller au-delà des 44 heures hebdomadaires.

En cas de dépassement de la durée légale des 39 heures, en moyenne annuelle, des « contreparties » (8) devront être accordées aux salariés, en plus des heures supplémentaires avec 25 % de majoration et du repos « compensateur » (9).

Demain, quel travail ?

Avec la crise et son corollaire le chômage, le travail (un temps relégué au second plan, le « boulot » des années 70 coincé entre « métro » et « dodo ») (10) est redevenu **la préoccupation majeure des Français.** Chez les jeunes notamment qui, lors des manifestations de novembre-décembre 1986 contre le projet de réforme de l'enseignement supérieur (la « loi Devaquet ») (11) exprimaient davantage leur inquiétude sur leur avenir professionnel (55 %) que leur mécontentement à l'égard de la réforme (35 %) (12).

Outre leur angoisse face à un avenir professionnel plus qu'incertain, les jeunes formulent une autre inquiétude : le travail qu'ils réussiront à trouver sera-t-il intéressant, voire épanouissant ? Ce qu'ils veulent, c'est un métier dans lequel ils se sentent bien, auquel ils prennent plaisir, avec des responsabilités mais aussi du temps libre.

Ce travail, ces métiers, les trouveront-ils dans une société qui s'informatise chaque jour davantage ?

A l'heure où la micro-informatique entre non seulement dans les bureaux, mais aussi dans des millions de foyers (13), une chose est certaine : pour que les Français puissent concilier leurs aspirations à un nouveau type de travail (plus agréable, laissant davantage de loisirs, intellectuellement plus enrichissant...) et les impératifs économiques du pays, il faut trouver des solutions originales. Jusqu'à présent, les expériences mises en œuvre (réduction du temps de travail, développement du travail à temps partiel, flexibilité de

(8) Réduction du temps de travail, avantages financiers, repos compensateur ou temps de formation indemnisé.

(9) Les députés de l'opposition ayant déposé un recours auprès du Conseil constitutionnel, celui-ci a décidé que le texte ne pourrait entrer en vigueur sous sa forme actuelle. Le gouvernement présentera un texte aménagé à la session de printemps du Parlement.

(10) Allusion au slogan post « soixante-huitard » contestant, par la dérision, une existence quotidienne rythmée par les trois temps « métro-boulot-dodo ».

(11) Du nom du ministre d'alors de l'Enseignement supérieur, Alain Devaquet, auteur du projet de réforme.

(12) Cf. sondage S.O.F.R.E.S. – *Le Nouvel Observateur* – T.F.1, dans *Le Nouvel Observateur* (5-11 décembre 1986).

(13) 2,5 millions de Minitel (serveurs télématiques) sont installés en France.

l'emploi...) n'ont pas donné de résultats vraiment satisfaisants. D'autres formules restent à trouver. Certaines, comme le « télétravail » (un salarié travaille chez lui et communique avec son entreprise par l'intermédiaire d'un ordinateur) sont actuellement expérimentées.
Gadget ou panacée ? L'avenir le dira, mais il faut choisir et agir vite, car, à la différence des précédentes mutations qui se sont étalées sur plusieurs décennies, celle que nous vivons aujourd'hui se fera en quelques années. Le troisième millénaire commence demain.

• ***Au travail, en souplesse***
(Vincent Hugeux, dans *La Croix*)

L'année 1992 ? Autant dire demain matin. Trop proche pour le statu quo. Trop loin pour le raz de marée. Bureaucratique, productique... Chatouillée par toutes ces « tiques » et toutes ces « puces », notre galaxie travail – à Paris-sur-tertiaire comme ailleurs – suit son étoile : elle bouge, glisse, mais n'explose pas. Quoi ? Quand ? Jusqu'où ? Jeu fascinant. Jouons...

Cap sur l'abstrait ; en route pour l'uniformité. Quoi de commun entre le banquier, le chimiste et l'ouvrier textile ? Hier, rien. Demain, tous trois manieront des données. Clavier-écran et carte magnétique masquent la matière, laissée à la machine.

N'en déplaise aux futuristes forcenés, bureaux et ateliers n'abriteront pas dans six ans des myriades d'innovations, insoupçonnées à ce jour. Sur quatre objets promis au décor du ménage de l'an 2000, dit-on, trois restent à inventer. Soit. Mais les outils du futur existent déjà. Tout juste gagneront-ils d'ici 1992 en capacité ou en cohérence. (...) Ainsi, mon terminal me permettra tout à la fois de dialoguer par la voix et l'image ou d'accéder à une banque de données. Parions donc sur l'essor du stockage informatisé de documents, du visiophone ou des réunions par téléphone. Le « S.O.S. Devoirs » cher au cancre, l'aide au diagnostic à distance, la commande d'une tarte aux pommes par minitel, autant de signes avant-coureurs...

(...) Quarante heures hier, trente-neuf aujourd'hui. Combien en 1992 : trente-cinq, trente, moins encore ? Ne rêvons pas. Les fantasmes de la « société ludique » ont vécu. Quand le chômage frappe, on pense boulot avant de songer temps libre. Or, tous les scénarios recencés par le Commissariat général du plan, prédisent un accroissement du nombre des sans-emploi. Soyons francs : la réduction de l'horaire légal bute sur la crainte d'une perte de pouvoir d'achat.

En revanche – toutes les enquêtes le démontrent –, l'aménagement du temps de travail recueille un réel écho, avant tout chez les femmes et les jeunes. L'intérim, certes plus souvent subi que choisi au demeurant ; la gestion souple d'un total annuel, avec vacances fractionnées, de même que l'horaire hebdomadaire concentré sur trois jours, fût-ce en week-end, voire le poste de travail partagé... Il existe, comme l'écrit si joliment Michel Drancourt dans La Fin du travail, *36 façons de faire 39 heures. Ou un peu moins.*

« Dans six ans, avoue Philippe, directeur adjoint d'une agence bancaire, je me vois sans peine bosser le samedi et le dimanche ou sur trois jours, à raison de douze heures quotidiennes. » Vive la souplesse. « On raisonnera de plus en plus en termes de dossier à traiter à telle date, renchérit Annie Perrochon, directeur général de Bureautique S.A. Peu importe qu'il le soit à 16 h, 3 h du matin, au bureau ou à la maison. »

Le travail à domicile ? Beaucoup lui promettent une destinée marginale. Car si l'informatique s'y prête, les réticences abondent. Côté salarié, la peur d'un « dessèchement » de la vie sociale. Côté employeur, celle d'un déclin de l'esprit boutique, sinon d'une perte de contrôle au détriment de la hiérarchie.

(...) « Nous vivons la fin du « tais-toi et visse », résume Gilbert Raveleau, délégué général de l'Association française des cercles de qualité (A.f.c.e.r.q.). Hier, on troquait une force de travail contre un salaire. Désormais, on échangera en plus de la créativité contre de l'intéressement. »

Aussi passionnante soit-elle, l'émergence de cette « nouvelle culture d'entreprise » ne suffit pas à écarter le danger de la société duale tant redouté. Ici, les salariés « dans le coup », maîtres de leur temps et friands de loisirs. Là, une minorité de laissés-pour-compte. Comment trouver du boulot ? s'interrogent ceux-ci. Que faire de mon non-travail ? soupirent ceux-là en écho...

Le choc du chômage

Qu'il touche les jeunes ou les plus de 25 ans, le chômage constitue un véritable fléau social. Le gouvernement actuel, comme les précédents gouvernements, met en œuvre diverses mesures. Seront-elles suffisantes pour juguler le mal ?

A l'issue de l'année 1986, le bilan en matière d'emploi s'est avéré une fois encore négatif. Fin décembre, le ministère des Affaires sociales et de l'Emploi recensait **2 547 100 chômeurs inscrits à l'A.N.P.E.** [1], soit 133 000 de plus (+ 5,5 %) que fin 1985, ce qui représente **10,7 % de la population active.**

(1) Agence nationale pour l'emploi : organisme où doivent s'inscrire les chômeurs pour être indemnisés, s'ils remplissent les conditions requises, et se voir éventuellement proposer des emplois.

Comme l'a rappelé M. Edmond Malinvaud, directeur général de l'I.N.S.E.E.[2], le chômage était « resté inférieur à 2 % durant toute la période de l'après-guerre jusqu'en 1967, il s'est accru, comme poussé par un mouvement irrésistible, jusqu'à atteindre 2,7 % en 1972, 4,1 % en 1975, 5,2 % en 1978, 7,3 % en 1981 et 9,7 % en 1984 ». 10,7 % constitue donc le taux de chômage le plus élevé jamais atteint.
De 1973, année où la crise pétrolière fait sentir ses premiers effets, et où l'on enregistre 500 000 demandeurs d'emploi, à 1986 où le seuil des 2 500 000 chômeurs est franchi, la progression a été rapide et régulière.

Demandeurs d'emploi et chômeurs

Si le langage courant ne fait pas toujours la distinction, la terminologie officielle distingue généralement les « demandeurs d'emploi » et les « chômeurs ».
Les premiers sont des jeunes (de 16 à 25 ans) à la recherche d'un premier emploi. Les seconds ont perdu leur emploi, à la suite d'un licenciement, d'un départ volontaire, de la fin d'un contrat ou encore de la cessation d'activité de l'entreprise qui les employait.

L'emploi des jeunes

Fin 1986, les jeunes demandeurs d'emploi étaient 975 738, soit **36,3 % de l'ensemble des chômeurs** et plus du quart des moins de 25 ans. Aussi élevé soit-il (trois fois supérieur à la moyenne nationale), ce chiffre est cependant inférieur aux 39,4 % de 1985. Cette amélioration relative est due aux différentes mesures d'« incitation à l'emploi » prises par le gouvernement. Entre le 1er mai et le 31 décembre 1986, environ 840 000 moins de 25 ans ont été embauchés ou accueillis en entreprise.
Après les formules d'« ouverture vers l'emploi » mises en œuvre au cours des années précédentes (contrats d'apprentissage, de formation à la vie professionnelle, ou de qualification, travaux d'utilité collective...), les pouvoirs publics ont adopté, après les élections de mars 1986, un « plan d'emploi des jeunes ». Selon ce plan, les entreprises qui engageaient des moins de 25 ans bénéficiaient d'exonération des charges sociales de 25 %, 50 % et 100 %.
En 1987, les entreprises ne pourront plus embaucher avec 25 % d'exonération. En revanche, l'exonération de 50 % est maintenue pour le recrutement d'un jeune en fin de formation en alternance ; elle passe de 100 % à 50 % pour un contrat d'adaptation et demeure à 100 % pour un contrat de formation alternée.
Les entreprises qui proposeront des contrats d'apprentissage avant le 1er juillet 87 seront également exonérées à 100 %. Enfin, les travaux d'utilité collective (T.U.C.)[3], choisis par 240 000 jeunes entre mai et décembre 1986, seront prolongés – jusqu'alors d'une durée maximale d'un an, ils pourront désormais s'étendre sur deux années.
Parmi les 840 000 jeunes qui ont bénéficié de ces mesures, **50 % ont été définitivement embauchés.** Pour l'autre moitié, il faut, selon le ministre des Affaires sociales et de l'Emploi, M. Philippe Seguin, « attendre la fin de la

(2) Institut national de la statistique et des études économiques.
(3) 20 heures de travail hebdomadaire pour un salaire mensuel de 1 200 F versé par l'État, auquel s'ajoutent environ 500 F payés par l'employeur.

période de formation pour connaître le taux d'insertion définitive ». D'après M. Seguin, ce taux « est proche de 60 % » et devrait « encore s'améliorer ».
En dépit de ces bons résultats obtenus dans la lutte contre le chômage des jeunes, la situation reste très préoccupante, car aux 975 000 demandeurs d'emploi actuellement recensés s'ajoutent 700 000 nouveaux jeunes qui arrivent chaque année sur le marché du travail.

Des chômeurs plus âgés, un chômage plus long

Parmi les conséquences des mesures prises en faveur des jeunes, on constate l'accroissement continu du chômage des autres catégories d'âge. Le pourcentage des chômeurs de 25 à 49 ans a augmenté de 13,7 % en un an, passant de 46,1 % de l'ensemble des sans-emploi en 1985, à 50 % en 1986 (parmi eux, les plus touchés ont été les cadres et les agents de maîtrise, avec une augmentation de 11,5 %). Progression également de 3,2 % en un an du chômage des plus de 50 ans.
Ces phénomènes sont aggravés par **l'allongement de la durée du chômage :** 333 jours en moyenne en 1986 contre 318 l'année précédente. 30,2 % des chômeurs sont inscrits à l'A.N.P.E. depuis plus d'un an et plus de 20 % dépassent deux ans d'ancienneté.
Si les jeunes sont trois fois plus atteints par le chômage que la moyenne des Français, les femmes le sont une fois et demie plus que les hommes. Les travailleurs immigrés, pour leur part, comptent près de deux fois plus de chômeurs parmi eux que les Français, leur nombre ayant triplé de 1975 à 1982.
En faveur des chômeurs de longue durée de plus de 25 ans, le gouvernement envisage de mettre en place cette année, sur le modèle des T.U.C., un nouveau dispositif : les programmes d'insertion locale (P.I.L.). Ces P.I.L. devraient, dans un premier temps, permettre aux chômeurs indemnisés par

l'État d'obtenir un emploi à mi-temps d'une durée de six mois, renouvelable une fois. Dans un second temps, cette mesure serait étendue aux chômeurs qui perçoivent l'assurance-chômage [4]. Enfin, un programme pour la réinsertion de ces chômeurs « longue durée » est également à l'étude.

Quelles perspectives ?

Piège pour les uns, cancer pour les autres, avec ses conséquences psychologiques et sociales souvent dramatiques [5], le chômage est à l'évidence **un des problèmes majeurs de la société française actuelle.** Celui en tout cas qui angoisse le plus les Français, et que tous les gouvernements de ces dernières années ont inscrit en tête de leurs préoccupations. Malheureusement, la volonté de trouver un remède à ce fléau ne suffit pas, et les prévisions des experts, notamment ceux de l'O.C.D.E. [6], ne laissent guère présager d'amélioration pour les prochaines années.

En France, après les seuils atteints puis dépassés de deux millions et deux millions et demi de chômeurs, certains observateurs n'hésitent pas à évoquer le chiffre de trois millions. D'autres, en revanche, prévoient un ralentissement, sinon un recul.

Si la prudence s'impose en matière de prévisions, il faut souhaiter que, faisant mentir l'adage, les faits ne soient pas têtus et donnent raison aux optimistes.

Taux de chômage par catégories socioprofessionnelles en 1985 (%) *Source : I.N.S.E.E.*

Catégorie	%
– Agriculteurs exploitants	0,4
– Artisans, commerçants, chefs d'entreprise	2,6
– Cadres et professions intellectuelles supérieures	2,3
– Professions intermédiaires	4,0
– Employés (dont 17,4 pour les employés de commerce)	9,9
– Ouvriers (dont 16,7 pour les ouvriers non qualifiés)	12,9

Taux de chômage par région en 1986 (%) [*]

Région	%	Région	%
Languedoc-Roussillon	14,1	Bretagne	10,8
Nord/Pas-de-Calais	13,2	Lorraine	10,7
Haute Normandie	12,2	Bourgogne	9,9
Provence/Alpes/Côte d'Azur	12,2	Auvergne	9,8
Champagne/Ardennes	11,6	Midi-Pyrénées	9,5
Pays de la Loire	11,5	Franche-Comté	9,4
Poitou-Charentes	11,4	Centre	9,2
Basse Normandie	11,3	Limousin	8,9
Corse	11,2	Rhône-Alpes	8,6
Aquitaine	11,1	Alsace	8,6
		Ile-de-france	8,1

(*) En mars 1987, l'I.N.S.E.E. a publié des chiffres parfois légèrement différents. Ainsi, l'Alsace serait la région la moins touchée, avec 7,9 % de chômeurs, l'Ile-de-France en comptant 8,7 % (Rhône-Alpes toujours 8,6 %). Le Languedoc-Roussillon reste la région la plus atteinte avec 13,9 % devant le Nord/Pas-de-Calais (13,6 %) et la Haute Normandie (12,7 %).

Source : Panorama de l'économie française *par Rémy Arnaud* (Science et Vie Économie – *Dunod, 1986)*

(4) Cf. document p. 96.
(5) Au cours de l'hiver 84, qui fut particulièrement rigoureux, un nombre important de personnes se sont retrouvées dans une situation très difficile (logement, nourriture, etc.). La prise de conscience de ce phénomène a incité les médias à parler de « nouvelle pauvreté » et les pouvoirs publics à prendre des mesures (indemnités de solidarité pour les plus démunis).
(6) Organisation de coopération et de développement économique.

« NOUVELLE PAUVRETÉ »

Le chômage est la principale cause de la « nouvelle pauvreté », phénomène qui a fait la « une » des médias il y a quatre ans, à l'occasion d'un hiver particulièrement rigoureux.
Si l'on met de côté l'aspect « spectaculaire » du phénomène (des milliers de sans-abri faisant la queue, par un froid glacial, devant des foyers d'accueil ou des « soupes populaires »), un fait incontestable demeure : il existe des pauvres. Combien sont-ils ? 2,5 millions, affirme l'association Aide à toute détresse (A.D.T.)-quart monde. Quelques centaines de milliers au maximum, estime le ministère des Affaires sociales.
Plus précises, les données statistiques de l'I.N.S.E.E. révèlent que 400 000 personnes sont dépourvues de toute protection sociale, et que 370 000 assurés sociaux ont recours à l'aide médicale gratuite.
Au-delà d'une stricte vérité statistique impossible à établir, l'existence de plusieurs centaines de milliers de « nouveaux pauvres », des clochards traditionnels aux chômeurs en fin de droits, est une réalité à laquelle sont confrontés les organisations de charité et les pouvoirs publics.
Les premières (A.D.T.-quart monde, Secours catholique, Armée du Salut...) réclament l'instauration d'un revenu minimal garanti pour au moins un million de personnes.
Les seconds reprennent cette idée à leur compte dans le cadre d'un plan de lutte contre la pauvreté, mais avec des objectifs beaucoup plus modestes. Selon le ministère des Affaires sociales, 20 000 personnes devraient bénéficier en 1987 d'une allocation mensuelle de 2 000 F par personne et de 3 000 F pour un ménage.

• *Dix-neuf mois en marge*

(Extraits d'une lettre adressée au journal *Le Monde* et publiée le 13 février 1985.)

Moi qui aurais pu rester employée de bureau et atteindre tranquillement le statut correspondant à dix-neuf ans d'ancienneté, mais qui, portant d'autres rêves, ai pris le risque de vivre, de suivre des études et d'exercer des fonctions sociales, par alternance...

Moi qui, à trente-six ans, propose sur le marché les richesses de douze ans d'expérience professionnelle (statut d'employée puis de cadre, deux employeurs) et de six ans d'études supérieures (trois diplômes)...

Moi encore, qui, après quatorze mois de chômage, ai commencé à avoir quelques difficultés pour présenter tous les symptômes d'un optimisme, d'un dynamisme et d'une motivation sans faille, pour le énième éventuel emploi, devant le énième recruteur...

Moi, suis-je responsable de mon chômage ? Après dix-huit ans de vie de salariée et assimilée, suis-je responsable de ma marginalisation ?

Après l'expédition de quatre cent treize lettres, après avoir satisfait à toutes les démarches repérées de documentation et de réflexion, à toutes les opérations proposées de recrutement – tests et examens sur table compris –, à tous les rendez-vous, suis-je responsable de mon chômage, de mon maintien en chômage ?

Sinon moi, qui ?

(...) Chacun des signataires des cent quatre-vingt-treize lettres reçues ? Chacun des deux cents qui n'ont pas répondu à mon courrier ?

Cette directrice d'école de travail social qui proposait un poste m'intéressant bougrement – et elle le savait – mais qui, hier soir, a décidé d'embaucher un candidat ayant « le même profil exactement » que moi, parce qu'un homme lui a semblé, à elle, femme, être capable de faire preuve de plus d'autorité ?

Chacun de ces conseillers et de ces donneurs de leçons qui, affirmant que je pourrais peut-être m'y prendre autrement, a été incapable de me dire comment ?

(...) Sinon eux, qui ?

(...) Les logiques économiques ? Les structures sociales ? Les lourdeurs administratives, qui demandent trois mois pour conclure à l'inadéquation de mon C.V. [7] *au profil recherché ? Les mentalités ?*

Sinon ?

(...) D'où il résulte que, de toute façon, la répartition des richesses, le partage du travail et de l'argent, sont affaire d'hommes et de femmes.

A ce tarif-là, actuellement, je reçois 41,40 F par jour. Toute solidarité officielle mise en jeu. Je suis célibataire et – encore – locataire.

Qui est responsable de mon chômage ? Qui, entendant la question, se sentira concerné ? Qui aidera à bousculer cette tristesse ? Moi ? D'autres ? Un jeu de circonstances favorables ? La providence ? Mais d'ici là ?

(...) Qui est responsable de ma marginalisation ?

Qui est responsable de mes dix-neuf mois de chômage ?

Annie RATOUIS
(Cergy)

(7) Curriculum vitae : ensemble des indications relatives à l'état civil, aux capacités, aux diplômes et aux activités passées d'une personne (dictionnaire *Petit Robert*).

TRAVAILLEURS PRIVÉS D'EMPLOI

CE QUE VOUS DEVEZ SAVOIR

ÉDITION AVRIL 1986

ALLOCATION DE SOLIDARITÉ

BÉNÉFICIAIRES

- Peuvent bénéficier de l'allocation de solidarité :

1 - Les travailleurs privés d'emploi qui ont épuisé les durées maximales d'indemnisation du régime d'assurance.

2 - Les travailleurs privés d'emploi qui, n'ayant pas bénéficié des durées maximales d'indemnisation, cessent d'être indemnisés par le régime d'assurance.

3 - Les travailleurs qui, âgés de 50 ans ou plus indemnisés par le régime d'assurance, optent volontairement pour l'allocation de solidarité.

Ces allocataires, visés aux points 1, 2 et 3, doivent remplir les conditions suivantes :

– justifier de 5 ans d'activité salariée dans les 10 ans qui précèdent la rupture du contrat de travail. Cette durée peut être réduite d'un an par enfant élevé, dans la limite de 3 ans, si l'intéressé a interrompu son activité pour élever un enfant.

– justifier de ressources mensuelles inférieures à 90 fois le montant journalier de l'allocation (soit 3 933 francs par mois au 1er janvier 1986) pour les personnes seules, ou 180 fois le montant journalier de l'allocation (soit 7 866 francs par mois au 1er janvier 1986) pour les couples.

MONTANT DE L'ALLOCATION DE SOLIDARITÉ

Le montant journalier de l'allocation de solidarité est de 64,50 F par jour (valeur au 1er juillet 1985).

Toutefois, ce montant peut être porté à 86 F par jour (valeur au 1er juillet 1985) :

– pour les allocataires âgés de 55 ans ou plus justifiant de 20 années d'activité salariée,

– pour les allocataires âgés de 57 ans et six mois ou plus justifiant de 10 années d'activité salariée.

Pour les femmes, ces durées d'activité sont réduites de 2 ans par enfant, dans les limites :

– de 12 ans lors de la recherche des 20 ans d'activité, et

– de 6 ans lors de la recherche des 10 ans d'activité.

DURÉE DE VERSEMENT DE L'ALLOCATION DE SOLIDARITÉ

L'allocation de solidarité est attribuée pour 6 mois renouvelables.

Elle est versée pour une durée indéterminée aux allocataires de plus de 55 ans qui ont demandé à bénéficier de la dispense de recherche d'emploi.

QUELLE AL

une allocation de base calculé

SON MONTANT est fonction de la durée de votre travail. Il est déterminé à partir des rémunérations et primes SOUMISES AUX CONTRIBUTIONS de l'ASSEDIC et qui ont la nature de SALAIRES. Ne sont pas prises en compte les indemnités liées à la rupture du contrat telles les indemnités de licenciement, les indemnités compensatrices de congés payés...

vous justifiez de 6 mois de travail ou plus

VOUS AVEZ DROIT A UNE ALLOCATION DE BASE JOURNALIERE (1) EGALE :

1. **soit à 40%** de votre ancien salaire journalier **brut plus** une partie fixe égale à **43,87 F***.
2. **soit à 57%** de votre ancien salaire journalier **brut** si ce montant est plus avantageux que le précédent.
3. **soit** à une allocation de base minimale : **105,50 F*** si cette dernière allocation est plus avantageuse que celle indiquée au 1

Exemples

- Salaire journalier moyen : 200 F
  Montant de l'AB : 80 F + 43,87 F = 123,87 F
- Salaire journalier moyen : 330 F
  Montant de l'AB : 57% de 330 F = 188,10 F
- Salaire journalier moyen : 150 F
  40% de 150 F + 43,87 F = 103,87 F
  Ce montant étant inférieur à l'allocation minimale : 105,50 F, c'est cette dernière qui sera versée.

Toutefois, le montant servi par l'ASSEDIC ne peut jamais dépasser 75% du salaire journalier de référence ; si vous êtes âgé de 50 ans ou plus et si le montant servi est inférieur à 64,50 F* : renseignez-vous à l'ASSEDIC.

CALCULEE SUR LES BASES SUIVANTES :

1. Vous avez travaillé 12 mois ou plus :
   - ce seront les salaires des 12 mois **civils précédant le dernier jour travaillé payé** qui seront retenus. En outre, un coefficient de revalorisation égal à 50% de la dernière revalorisation décidée par le Conseil d'Administration de l'UNEDIC sera appliqué.
2. La durée de votre travail est comprise entre 6 et 12 mois :
   - ce seront les salaires des 6 mois **civils précédant le dernier jour travaillé payé** qui seront retenus.
   - pas de revalorisation.

- Licenciement : 30/04/86
  Préavis non effectué du 01/04 au 30/04/86
- Salaires pris en compte : ceux afférents à la période s'étendant du 01/04/85 au 31/03/86.
  Coefficient appliqué : 1,25% : 50% du montant de la dernière revalorisation intervenue.
- Salaires pris en compte : ceux afférents à la période s'étendant du 01/10/85 au 31/03/86.

vous justifiez de périodes de travail comprises entre 3 et 6 mois

VOUS AVEZ DROIT A UNE ALLOCATION DE BASE EXCEPTIONNELLE JOURNALIERE
Si vous n'avez pas déjà été indemnisé à ce titre depuis 2 ans ; SON MONTANT :

1. soit **30%** de votre ancien salaire journalier **brut** plus une partie fixe égale à **32,90 F***.
2. **soit** à une allocation de base minimale : **79,00 F*** si cette allocation est plus avantageuse que la précédente.

Exemples

- Salaire journalier : 200 F
  Montant de l'ABE : 60 + 32,90 F = 92,90 F.
- Salaire journalier : 150 F
  30% de 150 F + 32,90 F = 77,90 F
  Ce montant étant inférieur à l'allocation minimale : 79,00 F, c'est cette allocation qui sera versée.

Toutefois, le montant servi par l'ASSEDIC ne peut jamais dépasser 56,25% du salaire journalier. Si vous êtes âgé de 50 ans ou plus et si le montant servi est inférieur à 64,50 F* : renseignez-vous.

CALCULEE SUR LA BASE DES SALAIRES des 3 mois **civils précédant le dernier jour travaillé payé.**

- Licenciement : 30/06/1986
  Préavis non effectué du 01/06 au 30/06/86.
  Salaires pris en compte : ceux afférents à la période s'étendant du 01/03 au 31/05/86.

(1) si le montant de l'allocation de base est supérieur au SMIC : une cotisation sociale de **1%** sera prélevée.

*VALEUR AU 01/04/1986

.OCATION ?

'après vos anciens salaires bruts

- SA DUREE de versement dépend de la durée de votre activité salariée et de votre âge à la fin du contrat de travail.

- Lorsque vous aurez épuisé vos droits réglementaires, la Commission Paritaire de l'ASSEDIC pourra, si elle estime vos efforts de reclassement suffisants, autoriser que vos droits soient prolongés. Ces prolongations sont accordées dans la limite de 3 mois renouvelables sous réserve que le nombre de prolongations fixé par le règlement ne soit pas atteint.

Vous êtes âgé de moins de 50 ans à la fin de votre contrat de travail

Vous avez travaillé durant / **VOS DROITS :**	**12 mois dans les 24 derniers mois** ou **6 mois dans les 12 derniers mois et 10 ans* dans les 15 dernières années**	**6 mois dans les 12 derniers mois**	**3 mois dans les 12 derniers mois**
Allocations de base durant :	**14 mois** (426 jours)	**8 mois** (243 jours)	** **3 mois** (91 jours)
Prolongations : - limite	**5 mois** (152 jours)	**2 mois** (61 jours)	**PAS DE PROLONGATION**

- montant :
si la Commission Paritaire vous accorde des allocations de base dans le cadre des prolongations, sachez que le montant sera diminué de 15% si vous avez moins de 50 ans lors de la décision de prolongation, de 10% si vous avez atteint 50 ans à cette date.

Votre âge se situe entre 50 et 55 ans à la fin de votre contrat de travail

Vous avez travaillé durant / **VOS DROITS :**	**24 mois et plus dans les 36 derniers mois** (3 ans)	**12 mois dans les 24 derniers mois** ou **6 mois dans les 12 derniers mois et 10 ans* dans les 15 dernières années**	**6 mois dans les 12 derniers mois**	**3 mois dans les 12 derniers mois**
Allocations de base durant :	**21 mois** (639 jours)	**18 mois** (548 jours)	**9 mois** (274 jours)	** **3 mois** (91 jours)
Prolongations : - limite	**12 mois** (365 jours)	**15 mois** (456 jours)	**6 mois** (182 jours)	**PAS DE PROLONGATION**

- montant :
si la Commission Paritaire vous accorde des allocations de base dans la cadre des prolongations, sachez que si vous n'avez pas atteint 55 ans lors de la décision de prolongation, le montant sera diminué de 10% durant les 9 premiers mois. Si vous obtenez des prolongations ultérieures, celles-ci seront à nouveau diminuées de 10%.

Si vous êtes en cours d'indemnisation à 57 ans et 6 mois, consultez la notice destinée aux personnes âgées de 55 ans et plus.

*PEUVENT ETRE PRISES EN COMPTE POUR LA RECHERCHE DES 10 ANS :

- SANS LIMITE : CERTAINES PERIODES D'EMPLOI EFFECTUEES A L'ETRANGER ; LES PERIODES D'ACTIVITE ACCOMPLIES DANS DES BRANCHES D'ACTIVITE AVANT QUE CELLES-CI NE SOIENT RATTACHEES AU REGIME ; LES PERIODES D'ACTIVITE EXERCEES DANS LE DOMAINE DU SECTEUR PUBLIC, EXCEPTE EN QUALITE DE STATUTAIRE OU DE FONCTIONNAIRE ; LES PERIODES DE CHOMAGE INDEMNISEES PAR L'ASSEDIC ; LES PERIODES DE MALADIE INDEMNISEES PAR LA SECURITE SOCIALE.
- DANS LA LIMITE DE 5 ANS : CERTAINES PERIODES VALIDEES PAR LA CAISSE D'ASSURANCE VIEILLESSE NOTAMMENT AU PROFIT DES FEMMES AYANT ELEVE DES ENFANTS.

**SI VOUS N'AVEZ PAS DEJA ETE INDEMNISE A CE TITRE DEPUIS 2 ANS

QUELLE ALLOCATION ?

A l'expiration de vos droits aux allocations de base une allocation de fin de droits, qui elle, est forfaitaire

SON MONTANT EST FIXE A 64 F AU 01/04/1986. Toutefois, le montant de l'allocation de fin de droits ne peut être supérieur au montant de la dernière allocation de base versée.

SA DUREE est fonction de la durée de votre activité salariée et de votre âge.
Des prolongations de droits peuvent être accordées dans les mêmes conditions que celles prévues pour les allocations de base.

LIMITE : les allocations de fin de droits vous seront versées dans la mesure où vous n'aurez pas atteint la durée maximale d'indemnisation, **toutes prestations confondues.**

Vous êtes âgé de moins de 50 ans à la fin de votre contrat de travail

Vous avez travaillé durant / **VOS DROITS :**	**12 mois dans les 24 derniers mois** ou **6 mois dans les 12 derniers mois et 10 ans dans les 15 dernières années**	**6 mois dans les 12 derniers mois**	**3 mois dans les 12 derniers mois**
Allocations de fin de droits	**12 mois** (365 jours)	**6 mois** (182 jours)	PAS D'ALLOCATION
Prolongations : limite	**4 mois** (121 jours)	**1 mois** (31 jours)	
DUREE MAXIMALE D'INDEMNISATION	**30 mois** (912 jours)	**15 mois** (456 jours)	

Votre âge se situe entre 50 et 55 ans à la fin de votre contrat de travail

Vous avez travaillé durant / **VOS DROITS :**	**24 mois et plus dans les 36 derniers mois** (3 ans)	**12 mois dans les 24 derniers mois** ou **6 mois dans les 12 derniers mois et 10 ans dans les 15 dernières années**	**6 mois dans les 12 derniers mois**	**3 mois dans les 12 derniers mois**
Allocations de fin de droits	**15 mois** (456 jours)	**15 mois** (456 jours)	**9 mois** (274 jours)	PAS D'ALLOCATION
Prolongations : - limite	**9 mois** (274 jours)	**9 mois** (274 jours)	**3 mois** (91 jours)	
DUREE MAXIMALE D'INDEMNISATION	**45 mois** (1369 jours)	**45 mois** (1369 jours)	**21 mois** (639 jours)	

MESURES PARTICULIERES :

- Si vous remplissez les conditions d'attribution de l'allocation de solidarité spécifique (voir notice), vous pouvez demander cette allocation.
- Si vous êtes toujours en cours d'allocations de fin de droits à 55 ans, consultez la notice destinée aux personnes âgées de 55 ans ou plus.

Le syndicalisme en question

Les syndicats n'ont pas déclenché les grèves de l'hiver 86 dans le secteur public. Affaiblis et contestés, ils n'ont pu que prendre « le train en marche ». Dans un paysage économique et social en profonde transformation, ils sont à un tournant difficile. S'ils venaient à le manquer, c'est leur survie qui serait en cause.

D'importants mouvements sociaux ont éclaté à la fin de l'année 1986, entraînant des grèves à la S.N.C.F. [1], la R.A.T.P. [2] et E.D.F. [3]. Ces grèves furent longues et assez largement suivies, notamment à la S.N.C.F. où une majorité de conducteurs de trains cessa le travail pendant plus de trois semaines.

Mais, dans cette entreprise du service public où le taux de syndicalisation est sensiblement plus élevé que la moyenne nationale (25 à 30 % contre environ 18 %), les syndicats n'ont pas été à l'origine du déclenchement de la grève. Lancée par d'autres sur « les rails », elle a échappé à leur contrôle et ils n'ont pu – ou su – la maîtriser. Partie de la « base », c'est-à-dire de cheminots syndiqués et non syndiqués, elle s'est étendue sans que les états-majors syndicaux puissent la canaliser. Des « coordinations nationales intercatégories de cheminots » se sont créées et ont même demandé à participer aux négociations avec la direction de la S.N.C.F. Au grand dam des syndicats, désarmés par ce « spontanéisme social » [4] qui souligne leur déclin actuel.

Des syndicats affaiblis et contestés

De fait, ce déclin s'est amorcé il y a quelques années déjà, tant au plan de la syndicalisation qu'à celui de l'image des syndicats dans l'opinion publique.

Traditionnellement inférieurs à ceux des autres pays occidentaux (États-Unis, Allemagne fédérale, Grande-Bretagne, Italie...), les effectifs des syndicats français ont diminué d'environ 800 000 personnes lors de la décennie écoulée, avec une forte accélération ces dernières années. On estime à environ

(1) Société nationale des chemins de fer français.
(2) Régie autonome des transports parisiens (métro et autobus).
(3) Électricité de France.
(4) Michel Noblecourt, dans *Le Monde*, 6 janvier 1987.

3,5 millions le nombre de syndiqués en France (4,9 millions selon les syndicats eux-mêmes, mais la plupart des observateurs considèrent ce chiffre comme très « gonflé »), soit **entre 15 % et 20 % de la population active.** Ils étaient 7 millions au lendemain de la Seconde Guerre mondiale (plus de 35 % des actifs). De même plusieurs enquêtes, réalisées au cours des cinq dernières années, ont fait apparaître une dégradation sensible de l'image du syndicalisme auprès des Français.

Ainsi, en novembre 1982, un sondage de la S.O.F.R.E.S. révélait que 45 % de la population ne faisaient plus confiance aux syndicats pour défendre leurs intérêts (contre 40 %). 42 % estimaient que les syndicats exerçaient une influence trop importante (20 % pas assez et 27 % « juste ce qu'il faut ») et 48 % qu'ils recouraient trop souvent à la grève (11 % « pas assez » et 27 % « comme il faut »). Enfin, 56 % déclaraient que les syndicats prenaient leur décision en tenant compte davantage de préoccupations politiques que de l'intérêt des travailleurs (contre 22 %).

En 1984, selon l'A.E.S.O.P. [5], seulement 44,9 % des Français considéraient les syndicats comme « indispensables » (ils étaient 64 % en 1981). L'année suivante, une enquête auprès de ses lecteurs du magazine *L'Expansion* [6] montrait que pour 80,8 % d'entre eux, les organisations syndicales « ne s'intéressent qu'à la défense des droits acquis ».

Plus récemment, un sondage effectué par la S.O.F.R.E.S. pour la revue *Liaisons sociales* [7] faisait apparaître **un certain regain de sympathie de l'opinion :** 45 % des Français (contre 42 %) feraient confiance aux syndicats pour défendre leurs intérêts. En revanche, l'image des syndicats demeure médiocre : près de 50 % affirment qu'ils ne traduisent pas bien les aspirations et les revendications des travailleurs (contre 47 % en 1983).

A la croisée des chemins

En dépit de ce (discret) retournement de l'opinion en faveur du syndicalisme, celui-ci se trouve à l'évidence à la croisée des chemins.

Il doit d'abord enrayer le processus de déclin dans lequel il est engagé depuis plusieurs années. La crise, les mutations technologiques, les restructurations industrielles, la politique de rigueur mise en œuvre à partir de 1983 ont affaibli l'ensemble des organisations syndicales. Elles doivent désormais s'adapter à un monde du travail dans lequel les « cols blancs » remplacent progressivement les « cols bleus » [8]. Il est également indispensable, pour leur avenir, qu'elles ne se contentent plus de leur bonne implantation dans le secteur public, mais s'efforcent de progresser dans le secteur privé, notamment dans les petites et moyennes entreprises (P.M.E.). Il leur faut en outre accroître leur audience auprès des employés et surtout des cadres. Comme cela fut souligné à Tokyo, en juin 1985, lors du congrès de la Fédération internationale des ouvriers de la métallurgie dont sont membres les syndicats français F.O. et C.F.D.T. : « Les syndicats et leur influence future dépendront dans une mesure toujours croissante de leur succès en matière de syndicalisation des travailleurs non manuels. »

(5) Association pour l'étude de structures de l'opinion publique.
(6) « Demain la France », numéro spécial de *L'Expansion* (octobre-novembre 1985), ou Livre de Poche, collection « Pluriel » (1986).
(7) Dans « La lettre sociale » de *Liaisons sociales* (19 décembre 1986).
(8) Cf. « Le travail des Français », p. 86.

S'adapter ou disparaître

Confrontés aux transformations économiques et sociales de la société actuelle, les syndicats ont impérativement à **s'interroger sur eux-mêmes, sur leur identité, sur leur pratique...**

Souvent perçus comme « conservateurs » ou défenseurs d'intérêts purement corporatifs, accusés de politisation excessive, divisés entre eux, incapables de s'opposer à l'adoption de mesures gouvernementales qu'ils contestaient ou condamnaient (aménagement du temps de travail, suppression de l'autorisation administrative de licenciement [9]), débordés par le « spontanéisme social » apparu ces derniers mois, les syndicats français doivent choisir. Ou ils s'adaptent aux changements du monde du travail (automatisation, qualification accrue de la main d'œuvre, réduction du temps de travail, flexibilité...), et peuvent repartir sur de nouvelles bases, en imaginant un syndicalisme pour le XXIe siècle ; ou ils refusent la « modernité », se crispent et se replient sur leur acquis, et c'est alors non seulement leur déclin qui s'affirme, mais leur existence même qui est en question.

(9) Loi du 25 juin 1986 qui permet désormais à un employeur de licencier un employé sans avoir obtenu au préalable l'autorisation de l'inspection du travail.

C.G.T. : Confédération générale du travail
C.F.D.T. : Confédération française démocratique du travail
F.O. : Force ouvrière
C.F.T.C. : Confédération française des travailleurs chrétiens
C.G.C. : Confédération générale des cadres

LES SYNDICATS ET LEUR AUDIENCE

Syndicats	**1984**	*1979 (rappel)*
C.G.T.	29,3 %	*38,6 %*
C.F.D..T.	21 %	*20,4 %*
F.O.	13,9 %	*10 %*
C.F.T.C.	3,8 %	*2,7 %*
C.G.C.	7,1 %	*6,6 %*
Autres syndicats	4,8 %	*9,7 %*
Non syndiqués	16,3 %	*9,7 %*

Chiffres publiés en 1984 par le ministère du Travail après les dernières élections des comités d'entreprises.

La protection sociale en danger ?

La Sécurité sociale est de nouveau en crise. Entre la menace de la faillite et celle de la concurrence privée, n'y a-t-il pas une autre voie pour la protection sociale des Français ?

En 1986, la Sécurité sociale a connu un déficit de 20 milliards de francs, malgré l'augmentation de 0,7 % de la cotisation vieillesse intervenue au mois d'août. Rude retour en arrière ! Après trois années excédentaires, la Sécurité sociale replonge dans une crise plus grave encore que celle traversée il y a quelques années. Crise due aux problèmes de financement résultant d'une progression des dépenses supérieures à celle des recettes, mais aussi, sans doute, à un refus des citoyens de voir « socialiser » une part croissante de leurs besoins.

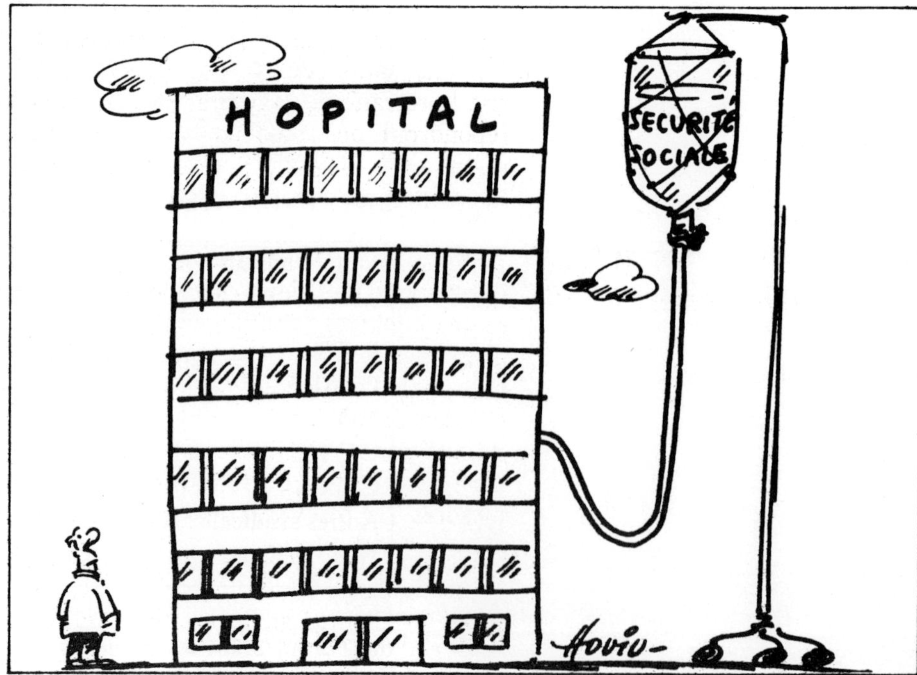

Un système à « deux vitesses » ?

Avant les élections de mars 1986, les partis de droite et les économistes libéraux affirmaient que notre système de protection sociale était voué à la faillite, car il coûtait plus d'argent qu'il n'en rapportait. Ils préconisaient donc la rupture avec ce système et, par delà divers projets inspirés notamment du « modèle américain », ils insistaient sur la nécessité de **mettre en œuvre un système libéral** (de libre choix) à côté de la Sécurité sociale traditionnelle. Certains suggéraient même d'organiser la concurrence entre les caisses de Sécurité sociale, les mutuelles et les compagnies d'assurance, notamment privées. Objectifs : obtenir le désengagement financier de l'État et susciter la création d'un véritable « *consumérisme*[1] de la santé ».
L'« État-providence » était dénoncé, le monopole public condamné et le système de protection sociale accusé de mauvaise gestion et d'irresponsabilité !
Face à cette offensive libérale, la gauche mettait en garde les Français contre l'instauration d'une Sécurité sociale « à deux vitesses » qui avantagerait les assurés aisés au détriment des plus modestes.

Un libéralisme tempéré

Bien qu'ils jugent excessif le poids des cotisations sociales (tout comme celui de la fiscalité), nos compatriotes dans leur majorité paraissent attachés à ce système de protection qu'ils considèrent comme faisant partie des principaux acquis sociaux. Interrogés lors de sondages pré-électoraux, ils firent connaître ce sentiment. La droite entendit le message et, revenue au pouvoir, décida, semble-t-il, de faire preuve de modération. Certes, le gouvernement de M. Chirac s'est efforcé de ne pas accroître les charges des entreprises, mais la gauche n'avait guère agi autrement. De même, lorsque M. Seguin, ministre des Affaires sociales et de l'Emploi, relève la cotisation vieillesse de 0,7 % et instaure un prélèvement sur les revenus de 0,4 %, diffère-t-il beaucoup de M. Beregovoy qui, en 1983, ministre des Affaires sociales du gouvernement de M. Mauroy, avait également augmenté la cotisation vieillesse (de 1 %) et établi un prélèvement sur les revenus (de 1 % aussi) ?
Les plus sourcilleux feront observer que le gouvernement de droite a revalorisé la retraite des agriculteurs sans augmenter leurs cotisations. Les réalistes répondront que tout pouvoir a des clientèles électorales privilégiées... Le libéralisme « sauvage » prôné par certains se révéla à l'usage un libéralisme bien tempéré.

Il faut « é-co-no-mi-ser » ! [2]

Au-delà des polémiques ou des rapprochements, une chose est sûre : **les dépenses de la Sécurité sociale ont été très supérieures aux prévisions** dans les secteurs maladie, famille, vieillesse.
L'assurance-maladie a augmenté de 10,1 % (4,2 % avaient été prévus), l'assurance-famille de 6,3 % (prévision : 5,8 %) et l'assurance-vieillesse de 9,2 % (au lieu de 8,3 %).
Afin d'essayer de limiter ces dépenses, le gouvernement a mis en œuvre en novembre 1986 un **plan de rationalisation** de l'assurance-maladie. Diverses mesures ont été prises, notamment la suppression de l'exonération du ticket

(1) Protection des intérêts du consommateur par des associations (définition du dictionnaire *Petit Robert*).
(2) Allusion au slogan « Il faut é-li-mi-ner ! » (les déchets de l'organisme) que proclame la publicité pour l'eau de Vittel...

modérateur [3] pour les médicaments remboursés ordinairement à 40 %, et le maintien de cette exonération aux seuls soins liés à une maladie longue et coûteuse. L'ensemble de ces mesures devraient permettre une économie d'environ 9 milliards de francs.
Compte tenu des 20 milliards de déficit enregistrés en 1986, d'autres sources d'économie devront être trouvées.
M. Seguin envisage d'aligner le mode de revalorisation des retraites sur l'évolution des prix. Les syndicats, en particulier F.O. et la C.F.D.T., préféreraient, quant à eux, que soient obtenues de nouvelles recettes.

Entre l'implosion et l'éclatement

A l'évidence, nul ne possède le remède miracle au mal dont souffre notre système de protection sociale. Il est possible de réaliser certaines économies, peut-être même de dégager de nouvelles recettes, en réduisant les dépenses de fonctionnement, en améliorant la gestion des caisses, et en révisant les modalités d'attribution de certaines prestations. Mais, au-delà de ces aménagements « techniques », le problème du **déficit endémique de la Sécurité sociale** reste posé, et avec lui la question de l'intervention de l'État dans la vie sociale du pays. Les défenseurs de l'État « interventionniste » font ressortir que, dans la période de crise que vient de connaître la France, les revenus de transfert distribués par la Sécurité sociale ont permis aux ménages de maintenir leur pouvoir d'achat. Ils soulignent, d'autre part, que les mécanismes de protection sociale garantissent **une certaine justice sociale.** Ils assurent, en effet, une redistribution « horizontale » (des bien portants aux malades, de ceux qui ont un emploi aux chômeurs, des actifs aux retraités, des célibataires et des couples sans enfants aux familles nombreuses), et aussi, dans une moindre mesure, une redistribution « verticale » (des hauts revenus vers les bas revenus). Les détracteurs de l'«État-providence » mettent en cause toute la logique du système de protection sociale qui, à leurs yeux, réunit tous les défauts des monopoles publics. Pour eux, on ne sauvera pas la Sécurité sociale en augmentant les cotisations et en réduisant les remboursements, mais en l'ouvrant aux bienfaits de la concurrence.
De fait, il apparaît qu'une double menace pèse sur la protection sociale. D'une part, l'accroissement continu de son déficit, jusqu'à l'implosion finale. D'autre part, la concurrence sauvage, jusqu'à l'éclatement.
Entre ces deux impasses, existe-t-il une troisième voie ? Les États généraux de la Sécurité sociale qui doivent se tenir avant l'été 87 permettront peut-être de définir cette autre voie.

ORGANISATION ET FONCTIONNEMENT DE LA PROTECTION SOCIALE

LA SÉCURITÉ SOCIALE

Une mosaïque de régimes

La totalité de la population française bénéficie de la couverture sociale mais le système qui s'est progressivement mis en place est d'une extrême complexité : il n'est pas unifié et divers régimes spécifiques ont été maintenus.
On distingue ainsi :
– le régime général auquel sont affiliés les salariés de l'industrie et des services, les salariés agricoles, les fonctionnaires civils, les ouvriers de l'État ainsi que les étudiants ;
– les régimes spéciaux qui concernent les travailleurs des mines, de la R.A.T.P., de la S.N.C.F., les marins, les agents d'E.D.F.-G.D.F. ;
– les régimes agricoles ;
– les régimes des travailleurs non salariés des professions non agricoles (artisans, commerçants, professions libérales).

Le régime général

a) Les prestations

Pour percevoir les prestations sociales il faut être affilié à une caisse de Sécurité sociale. Cette affiliation est obligatoire et automatique pour tous les salariés et leur conjoint, les enfants ou personnes à charge, dès lors que l'employeur déclare, comme la loi l'y oblige, les travailleurs qu'il embauche. Les prestations sont dues en échange du versement d'une cotisation (principe de l'assurance) ; cependant en étendant les bénéfices de la protection sociale à des catégories qui n'ont pas de revenus (étudiants), le régime général verse aussi des prestations sans qu'il y ait eu paiement de cotisations (le principe de la solidarité se substitue alors à celui de l'assurance).

b) Les cotisations

Les cotisations sont prélevées sur les salaires, une partie est à la charge du salarié, une partie à la charge de l'employeur. Pour les risques « accidents du travail » et les allocations familiales, la totalité des cotisations est due par l'employeur. Les cotisations sont calculées en prenant pour base les salaires versés. Sauf dans le cas de la cotisation versée à la Caisse d'assurance maladie, les cotisations ne sont prélevées que sur la partie du salaire inférieure à un plafond (environ 8 000 F).

LES AUTRES FORMES DE PROTECTION SOCIALE

Les régimes complémentaires

D'abord institué (1947) pour les salariés cadres, le système de retraite complémentaire s'est généralisé à l'ensemble des salariés et a un caractère obligatoire depuis 1972. Pour bénéficier de ce complément de retraite, qui s'ajoute à l'assurance vieillesse versée par le régime général, il suffit d'être salarié et de bénéficier de cette assurance. L'affiliation à un régime de retraite complémentaire est obligatoire, mais le choix de la Caisse est laissé aux employeurs et salariés.

Les mutuelles

Organismes fondés sur le principe de la libre adhésion, les mutuelles regroupent des personnes qui ont des affinités communes, professionnelles ou autres. Elles peuvent verser les prestations du régime général et assurent en partie le remboursement des frais non couverts par la Sécurité sociale (ticket modérateur) ; elles gèrent par ailleurs des centres de soins, des œuvres sociales, des centres de loisirs. Elles comptent environ 26 millions d'adhérents.

L'assurance chômage

Lors de sa création en 1958, l'assurance chômage n'a pas été rattachée au régime général. Une caisse spéciale a été créée au niveau national : l'Union nationale pour l'emploi dans l'industrie et le commerce (U.N.E.D.I.C.), ainsi que des associations pour l'emploi dans l'industrie et le commerce (A.S.S.E.D.I.C.) au niveau local ou professionnel. Depuis 1979, ce sont les A.S.S.E.D.I.C. qui prennent en charge l'intégralité des assurances chômage. Ces caisses sont gérées paritairement par des représentants du patronat et des salariés [4].

L'aide sociale

A côté de ces mécanismes de protection sociale qui fonctionnent essentiellement sur le principe de l'assurance, il subsiste une aide sans contrepartie versée par les pouvoirs publics. Il s'agit d'une assistance portée aux plus démunis. Ce sont les bureaux d'aide sociale des mairies qui assurent la distribution de ces subsides.

---

(3) Part des dépenses qui reste à la charge de l'assuré malade.
(4) Cf. p. 96.

LES DIFFÉRENTS RISQUES COUVERTS ET LEUR FINANCEMENT

Les principaux risques couverts par la protection sociale sont, par ordre d'importance dans le total des prestations, la vieillesse, la santé, la famille/maternité, l'emploi et la formation professionnelle.

Qui en bénéficie ?

Pour pouvoir bénéficier des prestations sociales, il faut être immatriculé (c'est-à-dire inscrit sur la liste des assurés sociaux avec un numéro d'immatriculation) et affilié à un régime d'assurance (c'est-à-dire rattaché à un centre de Sécurité sociale, généralement celui de sa résidence habituelle).
Le bénéfice des prestations est accordé à l'assuré social et à son conjoint, ses enfants à charge et éventuellement d'autres membres de la famille.

Qui cotise ?

La plus grande partie du financement du régime général est assuré par des cotisations : celles-ci sont donc à la charge de l'employeur et du salarié. La part qui incombe aux salariés est prélevée par l'employeur sur le montant brut des rémunérations.
La part de l'employeur correspond à environ 35 % et celle du salarié à 15 %.

LES PRESTATIONS REÇUES

• *Prestations santé*

Elles concernent les risques de maladie, invalidité/décès/veuvage, accident du travail, maladie professionnelle.

Maladie

Deux principaux types de prestations sont fournis :

– *Les prestations en nature :* elles consistent en un remboursement partiel ou intégral des services médicaux (consultations, visites, prescription de traitements paramédicaux, analyses, soins dentaires...) et des biens médicaux (médicaments, prothèses...), en la prise en charge des frais d'hospitalisation dans des établissements publics ou privés, conventionnés [5] ou non.
Les taux de remboursement varient entre 40 % (pour les médicaments ordinaires ou « de confort ») et 100 % (pour les médicaments spécialisés et très coûteux), avec une moyenne de 70 % pour les médicaments courants. Les honoraires des médecins, dentistes, infirmiers sont remboursés à 75 % et les frais d'hospitalisation et de chirurgie à 80 % (ou 100 % au-delà d'un mois et en cas d'opération grave), avec paiement d'un forfait journalier de 25 F.

– *Les prestations en espèces :* elles sont accordées pour compenser en partie la perte de salaire et ont ainsi un caractère de revenu de remplacement.

Ce système respecte les principes de la médecine libérale :
• l'assuré est libre de choisir son médecin, son pharmacien, son établissement de soins ;
• le praticien est libre de prescrire la thérapie de son choix, mais doit cependant s'efforcer à la plus stricte économie compatible avec l'efficacité du traitement ;
• le malade paie en général directement l'acte médical ou les médicaments prescrits, et se fait ensuite rembourser par la Sécurité sociale, sauf le montant du ticket modérateur. La prise en charge par la Sécurité sociale est parfois totale (maladie grave, personnes économiquement faibles).

Invalidité, décès, veuvage

En cas d'invalidité, une pension peut être versée à l'assuré en fonction du degré d'invalidité (qui doit être d'au moins 2/3 de sa capacité de travail).
En cas de décès, un capital décès peut être versé aux personnes qui étaient à charge de l'assuré.
Enfin, une allocation veuvage peut être versée au conjoint de l'assuré si celui-ci a cotisé à l'assurance veuvage (0,1 % du salaire).

Accidents du travail

Les personnes victimes d'un accident du travail, d'un accident sur le trajet de leur travail ou d'une maladie professionnelle sont prises en charge par la Sécurité sociale au titre d'une assurance spécifique.
Aucune condition de durée d'activité ou d'immatriculation à la Sécurité sociale n'est exigée pour bénéficier de ces prestations.
La victime n'a pas à faire l'avance des frais de soins. L'indemnisation est faite à 100 %. En cas d'hospitalisation, l'assuré n'a pas à acquitter le montant du forfait journalier.
Seuls les chefs d'entreprises paient la cotisation pour les accidents du travail. Elle varie suivant l'importance du risque dans chaque entreprise.

(5) C'est-à-dire ayant passé un accord avec la Sécurité sociale pour la détermination de leurs tarifs.
(6) De 23,5/1 000 à 8,5/1 000.

• *Prestations famille*

Les prestations familiales constituent un revenu de complément versé aux familles, en compensation des charges occasionnées par l'éducation des enfants. Toutes les familles à condition de résider en France y ont droit, quelle que soit leur activité professionnelle. On distingue parmi les prestations celles qui sont soumises à conditions de ressources et celles qui ne le sont pas.

Les prestations non soumises à conditions de ressources

Ce sont celles auxquelles toute famille peut prétendre quel que soit le montant de son revenu ; elles ont été instituées dans une optique de :
– politique familiale : aider les familles, assurer une solidarité entre ménages sans enfants et ménages avec enfants ;
– politique démographique : inciter les couples à procréer en leur assurant des revenus, afin d'augmenter la fécondité et éviter le vieillissement de la population ;
– politique de la santé : assortir les prestations de contrôles obligatoires avant et après la naissance afin de dépister précocement les maladies et malformations. La baisse spectaculaire des taux de mortalité infantile au cours des vingt dernières années [(6)] peut être en partie attribuée à cet effort important de prévention.

Les allocations prénatales : la grossesse doit être déclarée dans les 15 premières semaines à un organisme de Sécurité sociale. La femme enceinte doit se soumettre à 4 examens médicaux au cours de la grossesse pour avoir droit au versement de l'allocation. Elle s'élève actuellement à environ 350 francs par mois.

L'assurance maternité : tous les frais médicaux, pharmaceutiques et hospitaliers nécessités par l'accouchement sont remboursés à 100 %. Une indemnité journalière est versée pendant la durée de cessation d'activité. La période de congé est de 14 semaines (6 avant la date présumée de l'accouchement et 8 après) ; à partir du troisième enfant cette interruption est portée à 26 semaines.

L'allocation post-natale : toute femme résidant en France a droit à cette allocation, à condition de se soumettre elle-même et de soumettre l'enfant à 3 examens post-nataux. Son montant correspond à environ 600 francs par mois. Cette allocation est fortement majorée dans les cas de naissances multiples et à la naissance du troisième enfant ou d'un enfant de rang supérieur. Cette majoration est bien sûr destinée à encourager les couples à donner naissance à un troisième enfant.

Les allocations proprement dites : ces allocations sont versées à toutes les familles ayant au moins deux enfants à charge. Les prestations sont dues tant que l'enfant est soumis à l'obligation scolaire (16 ans). Cette limite peut être prolongée jusqu'à 20 ans lorsque l'enfant :
– est placé en apprentissage, en stage de préformation professionnelle,
– poursuit ses études,
– est dans l'incapacité totale d'exercer une activité professionnelle,
– est une jeune fille, et se consacre exclusivement aux travaux ménagers et à l'éducation d'enfants de moins de 14 ans.

Le montant des allocations familiales est d'environ 520 francs par mois pour deux enfants. On ajoute environ 600 francs par enfant supplémentaire.

Une majoration par enfant (à l'exclusion des aînés dans les familles de seulement 2 enfants) intervient à raison d'environ 150 francs pour les enfants de plus de 10 ans et d'environ 250 francs pour ceux de plus de 15 ans.

Autres allocations : peuvent également être versées des allocations spécifiques (allocation pour enfant orphelin, handicapé ou gravement malade).

Les allocations soumises à conditions de ressources

Ce sont les prestations versées seulement aux familles percevant de faibles revenus :
– **le complément familial** versé aux familles qui élèvent au moins trois enfants, ou un enfant de moins de 3 ans.
– **l'allocation parentale d'éducation.**
– **l'allocation de rentrée scolaire.**
– **les aides au logement.**

• *Prestations vieillesse*

Depuis le 1er avril 1983, tout assuré du régime général ayant 60 ans et 37,5 années de cotisation peut accéder à la retraite à taux plein. Néanmoins la retraite à 60 ans est un droit, non une obligation. Le salarié peut donc continuer à travailler jusqu'à 65 ans.

D'autre part, les problèmes actuels d'emploi ont amené les pouvoirs publics à mettre en place certaines dispositions visant à permettre une cessation anticipée d'activité ou pré-retraite.

Les prestations comprennent la retraite proprement dite et le minimum vieillesse.

La retraite à laquelle peuvent prétendre les salariés qui relèvent du régime général se compose de deux éléments :
– une retraite de base, servie par le régime général de la Sécurité sociale,
– une ou plusieurs retraites complémentaires.

Ils sont versés à l'assuré ou, partiellement, à son conjoint survivant.

La retraite de base

On peut donc en bénéficier à partir de 60 ans :
– à taux plein si on a cotisé 37,5 années,
– à taux réduit si l'on n'a pas cotisé pendant 37,5 années.
Le taux plein correspond à 50 % du salaire moyen des 10 meilleures années.

Les retraites complémentaires

Elles sont déterminées par des « points de retraite » dont la valeur résulte d'une division entre le total des cotisations versées chaque année et le nombre total de points à verser.
Pour ceux qui ne disposent pas de retraite suffisante ou n'en ont aucune, il est prévu un « minimum vieillesse » attribué sans condition de versement de cotisation préalable mais sous condition de ressources.
Le minimum de ressources, pour une personne seule, doit correspondre à environ 60 % du S.M.I.C., soit 2 700 francs par mois.

• ***Assurance chômage***

Le régime d'assurance chômage entré en vigueur au 1er avril 1984 fonctionne selon un double système d'indemnisation : d'une part un système d'assurance géré par les seuls partenaires sociaux et financé par les cotisations sur les salaires, d'autre part un système de solidarité pris en charge par l'État.

Les prestations

Elles sont fournies soit au titre de l'assurance chômage, soit au titre de la solidarité.

Le régime d'assurance chômage

Pour en bénéficier, il faut :
– avoir été licencié,
– avoir été affilié au régime de l'assurance chômage pendant un minimum de temps,
– être à la recherche d'un emploi, être apte à en exercer un, ne pas avoir atteint l'âge du départ à la retraite.

La durée d'indemnisation

Elle varie suivant :
– le type d'allocation : allocation de base (7) ou allocation de fin de droits (8)
– la durée d'affiliation au régime avant la rupture du contrat de travail
– l'âge à la rupture du contrat de travail.

Le montant des indemnisations

Il se compose comme suit :
– l'allocation de base est constituée d'une partie proportionnelle au salaire d'activité et d'une partie fixe.
Cette allocation ne peut être inférieure à 95 francs par jour, ni supérieure à 75 % du salaire de la période de référence qui porte généralement sur les 12 derniers mois. En cas de prolongation, l'allocation de base est réduite à 85 ou 95 % de ce montant.
– l'allocation de fin de droits s'élève à 63 francs ou 88,15 francs par jour. Elle est majorée pour certains travailleurs âgés.
Lorsqu'un travailleur ne peut pas bénéficier de l'assurance chômage ou a épuisé les prolongations possibles de ses droits au titre de cette assurance, il peut être pris en charge, sous certaines conditions, par le régime de solidarité nationale.

Le régime de solidarité nationale

Deux principaux types d'allocations peuvent être versés au titre de la solidarité nationale :
– les allocations d'insertion : elles concernent essentiellement les jeunes et certaines femmes n'ayant pas encore travaillé. Elles varient entre 43,87 francs et 83,74 francs.
– les allocations de solidarité : elles concernent essentiellement les chômeurs qui ne sont plus pris en charge par le régime d'assurance parce qu'ils ont épuisé les durées maximales d'indemnisation. Pour pouvoir en bénéficier, les chômeurs doivent remplir certaines conditions d'activités salariales antérieures et une condition de ressources maximales. Elles vont de 64,50 francs à 88,15 francs. Quel que soit le régime (assurance chômage ou solidarité), la revalorisation des indemnités intervient deux fois par an.

(7) Allocation de base : revenu de remplacement du salarié licencié privé d'emploi. Elle est payée pendant une période initiale et peut être renouvelée de 3 mois en 3 mois.
(8) Allocation de fin de droits : indemnité versée lorsque les possibilités de prolongation de l'allocation de base ne sont pas ou plus accordées. Ces indemnités sont accordées pendant une période initiale qui peut également donner lieu à prolongation.

Y a-t-il encore une « classe ouvrière » ?

Au cours des dix dernières années, un million d'emplois ouvriers ont été supprimés. Les plus touchés ont été les O.S. Pourtant, de nouvelles catégories d'ouvriers sont apparues récemment. A l'évidence, la « classe ouvrière » change. Mais peut-on encore parler de « classe ouvrière » ?

Selon certains observateurs, la « classe ouvrière » a « éclaté » ou, comme le dit l'historienne Annie Kriegel, s'est « évaporée ». Explication : la crise générale de l'industrie et la disparition de secteurs industriels devenus obsolètes. Depuis 1975, l'industrie a perdu 1 250 000 emplois, dont un million d'emplois ouvriers, et, si l'on en croit les prévisions des experts, elle devrait en perdre encore un million au cours des dix prochaines années. Responsable de cette situation ? La révolution informatique qui remplace l'homme par la machine, l'ouvrier par le robot. Dans le même temps, « l'emploi tertiaire » (cadres, agents de maîtrise, contremaîtres, employés) ne cesse de s'accroître : 20 % des effectifs en 1962, 37 % en 1985 ; 270 000 ingénieurs et techniciens en 1954, 1 300 000 en 1982.

De nouveaux ouvriers

Parmi les emplois ouvriers perdus, ceux d'**O.S.** [1] et de **manœuvres** sont les plus nombreux : 765 000 de moins entre 1975 et 1982. Ces travailleurs non qualifiés comptent dans leurs rangs un pourcentage de chômeurs nettement supérieur à la moyenne nationale : 17 % contre 10,7 %.

C'est également dans la catégorie des O.S. qu'ont été supprimés le plus d'emplois : 22 % dans l'industrie automobile (contre 6 % de l'ensemble des salariés), 34 % (contre 26 %) dans le textile, 29 % (contre 5 %) dans la construction électrique et 34 % (contre 13 %) dans le bâtiment et les travaux publics.

Outre le remplacement d'ouvriers non qualifiés, celui d'anciens ouvriers qualifiés (tourneurs, fraiseurs, etc.) par des techniciens en informatique modifie progressivement l'identité de la « classe ouvrière ». Ainsi, l'I.N.S.E.E. distingue-t-elle dans sa nouvelle nomenclature socioprofessionnelle les ouvriers qualifiés et non qualifiés, de type industriel et artisanal.

(1) Ouvriers spécialisés, non qualifiés.

Les ouvriers de type industriel travaillent dans des entreprises de dimension importante où ils effectuent des tâches répétitives. Ils étaient 3 200 000 en 1985.
Ceux de type artisanal sont environ 2 millions, dont 44 % dans le secteur tertiaire (mécaniciens automobiles, réparateurs radio-télévision ou électro-ménager...) et 40 % dans le bâtiment et les travaux publics. Les ouvriers de type artisanal travaillent généralement dans les grandes villes et – pour ceux d'entre eux qui sont qualifiés – possèdent un emploi stable. Chargés d'une tâche individuelle, ils ont une « conscience individualiste » là où leurs « camarades » du secteur industriel ont (ou avaient ?) une « conscience de classe ». Ils souhaitent avant tout réussir dans leur métier et, pour certains, s'établir à leur compte.
A ces millions d'ouvriers qui travaillent dans le secteur privé, il faut en ajouter 512 000 pour l'État ou les collectivités locales, 498 000 appartenant au secteur public et 519 000 chauffeurs routiers qui sont désormais inclus dans la catégorie des ouvriers.
Au total, **un « groupe ouvrier » de plus en plus hétérogène** et répondant de moins en moins à l'image traditionnelle du « prolétariat ». Aujourd'hui, près d'un ménage ouvrier sur deux est propriétaire de son logement (contre un sur trois il y a trente ans), soit plus que les employés et presque autant que les cadres. « La tendance de l'évolution économique, note le sociologue Jacques Capdevielle, est à la diffusion croissante des petits patrimoines à travers des mesures d'aide à l'accession à la propriété. »
En 1985, le patrimoine d'un foyer ouvrier était estimé à 240 000 francs (2), soit environ 100 000 francs de plus qu'en 1980.

Les transformations de la « classe ouvrière »

En observant l'origine familiale des ouvriers, on constate que **58 % d'entre eux sont enfants d'ouvriers,** comme le sont aussi 25 % des instituteurs, 26 % des membres des professions médico-sociales, 27 % de ceux des professions intermédiaires administratives de la fonction publique et 29 % de celles des entreprises, 40 % des techniciens et 30 % des artisans. Parmi les chefs d'entreprise, on compte 14 % de fils et 26 % de filles d'ouvriers.
Le pourcentage d'ouvriers dans la population active est passé de 39,3 % en

1968 à **29,8** % en 1985. Par ailleurs, le sentiment d'appartenance des Français à la « classe ouvrière » n'est plus éprouvé, en 1982, que par 22 % des Français contre 26 % en 1975 (selon une enquête de la S.O.F.R.E.S.).

Les conséquences de ces phénomènes n'ont pas tardé à se faire sentir sur le plan politique. En 1978, 70 % des ouvriers qualifiés apportaient leurs suffrages aux partis de gauche (dont 37 % au P.C.) et 20 % à ceux de droite. En 1986, l'ensemble des ouvriers ne votait plus qu'à 56 % pour la gauche (37 % pour le P.S. et 19 % pour le P.C.), 29 % votaient pour la droite traditionnelle R.P.R.-U.D.F. et 11 % pour l'extrême droite (Front national) (3).

C'est le Parti communiste qui a le plus souffert de cette désaffection des « voix ouvrières ». Pendant longtemps considéré comme le « parti des ouvriers », il ne peut revendiquer aujourd'hui qu'à peine un cinquième du « vote ouvrier », contre près de la moitié dans les années cinquante, époque durant laquelle il soutenait la thèse de la « paupérisation absolue de la classe ouvrière ». Au sein du Parti communiste lui-même, on ne comptait plus, parmi les délégués à son XXVe congrès de février 1985, que 37 % d'ouvriers contre 54 % en 1961.

Démographiquement, professionnellement, sociologiquement et politiquement, les ouvriers changent.

Ils sont de moins en moins nombreux, de plus en plus qualifiés, connaissent une certaine ascension sociale et votent de manière pluraliste.

Devant cette **profonde transformation** de ce qu'il est convenu d'appeler la « classe ouvrière », une question se pose : les ouvriers ont-ils encore le sentiment d'appartenir à une « classe », avec ses traditions, ses rites, sa « conscience » ? Ce qui, en dernière instance, revient à se demander si, dans la France d'aujourd'hui, il existe encore une « classe ouvrière ».

(2) Cf. « Les Français et l'argent » (le patrimoine des Français), p. 32.
(3) Cf. « Qui a voté pour qui ? », p. 47.

Les agréments de l'emploi, ou les mœurs administratives. « Quatre heures. Départ des employés, oubli jusqu'au lendemain de toute affaire bureaucratique. » Caricature par Henri Monnier, « ex-employé au ministère de la Justice », 1828.

Du côté des fonctionnaires

Des « ronds-de-cuir » de Courteline aux énarques de la Vᵉ République, les fonctionnaires sont souvent mal aimés des Français. Boucs émissaires ou privilégiés, ils font en tout cas des envieux en période de chômage. Alors, des fonctionnaires, pour quoi faire ?

Selon le dictionnaire *(Petit Robert),* un fonctionnaire est une « personne qui remplit une fonction publique » ou « occupe, en qualité de titulaire, un emploi permanent dans les cadres d'une administration publique ». Dans son acception familière et péjorative, le fonctionnaire est défini comme « bureaucrate, rond-de-cuir ou budgétivore »... Suit cette définition de Balzac : « Où finit l'employé commence le fonctionnaire, où finit le fonctionnaire commence l'homme d'État ». Enfin quelques exemples d'emploi du mot sont donnés : « Révoquer, casser un fonctionnaire (...) grève de fonctionnaires (...) crimes et délits de fonctionnaires (exemple : forfaiture, concussion, détournement, exaction, prévarication, soustraction) (...) corruption de fonctionnaires ».
A l'évidence, **le fonctionnaire n'a pas bonne presse,** au moins chez les rédacteurs du *Petit Robert* ! Ils auraient d'ailleurs pu citer Jules Romains qui, dans son roman *Les Copains,* en donne ce peu flatteur portrait : « un peu d'embonpoint, un certain avachissement de la chair et de l'esprit, je ne sais quelle descente de la cervelle dans les fesses »...

Des mal aimés ?

Selon des sondages (I.P.S.O.S. et S.O.F.R.E.S.) de 1983, les Français considèrent les fonctionnaires comme « lents (50 %), peu aimables (34 %), tatillons (30 %)... ils ne facilitent pas la vie des gens (56 %), sont trop nombreux (54 %), pas ambitieux (57 %), pas imaginatifs (58 %), pas courageux (46 %)... » (1).
De Courteline, qui les dépeint avec verve et truculence dans *Messieurs les Ronds-de-Cuir,* aux idéologues purs et durs du libéralisme qui voudraient

(1) Un sondage plus récent (I.F.O.P.-*Le Nouvel Observateur,* 10 au 16 octobre 1986) fait apparaître que les trois qualificatifs qui d'après les Français s'appliquent le mieux aux fonctionnaires sont dans l'ordre : la lenteur, le manque de souplesse et, à égalité, le refus des responsabilités et l'indifférence. Ce sondage a été publié dans le cadre d'un dossier intitulé : « Fonctionnaires : la vérité ».

sinon les supprimer, du moins en diminuer sensiblement le nombre [2], les fonctionnaires semblent faire l'unanimité contre eux. Sont-ils réellement ces « pelés », ces « galeux » d'où vient tout le mal ? Méritent-ils cet « excès d'indignité » ?

Des privilégiés ?

De fait, maints reproches qui leur sont adressés peuvent paraître justifiés. Leur manque de rapidité dans le travail, leur absence de courtoisie, voire leur incompétence, leur sont souvent reprochés. Mais aucune statistique ne permet d'affirmer que ces défauts sont plus répandus chez les fonctionnaires que parmi les autres catégories socioprofessionnelles. Quoi qu'ait pu en dire Courteline, c'est seulement après la Seconde Guerre mondiale que les fonctionnaires ont acquis, avec le statut élaboré en 1946 par Maurice Thorez, ministre communiste du gouvernement du général de Gaulle, les garanties désormais offertes aux agents de l'État. Ce statut de la fonction publique établit des règles uniformes pour le recrutement et l'avancement des fonctionnaires, il assure leur égalité de traitement, leur indépendance politique, garantit leur emploi, fixe une grille des salaires. Système si parfaitement agencé qu'il se rigidifie et secrète **une multitude de statuts particuliers :** 1382 sont actuellement dénombrés... Des salaires « hors indice » permettent d'échapper à la grille, des primes (officiellement « rémunérations annexes ») complètent avantageusement les salaires, l'embauche de personnels non titulaires « gonflent » les effectifs...

Le statut unique pour tous les fonctionnaires n'est donc plus qu'un mythe, la réminiscence d'une époque révolue ; il est désormais multiple, comme le sont les catégories de fonctionnaires.

Qui sont-ils ? Que gagnent-ils ?

Globalement, on compte aujourd'hui **cinq millions de Français travaillant dans le service public** (ils étaient environ un demi-million au début du siècle). Ils se répartissent en trois grandes catégories : agents de l'État (plus de 50 %) [3], agents des collectivités locales (environ 18 %), salariés des entreprises publiques et de la Sécurité sociale (plus de 30 %). Ce spectaculaire accroissement du nombre des salariés du service public s'explique par le développement du rôle de l'État, notamment dans le domaine économique.

Les fonctionnaires *stricto sensu* sont regroupés dans quatre catégories hiérarchiques : 27 % dans la catégorie A (personnel de conception recruté au niveau licence), 34 % dans la catégorie B (application, niveau baccalauréat), 33 % dans la catégorie C (exécution spécialisée, niveau Brevet des collèges ou Certificat d'aptitude professionnelle), 6 % dans la catégorie D (exécution, « sans diplôme »).

Ils appartiennent à l'un des **900 corps de la fonction publique** (corps des professeurs, des agents des impôts...), eux-mêmes subdivisés en plusieurs grades. Tous les corps avec leurs différents grades sont classés dans une grille indiciaire (de l'indice 217 à l'indice 810) qui détermine l'éventail des

---

(2) Dans un numéro des *Cahiers de 89*, publication d'un club de réflexion proche du R.P.R., on pouvait lire à la veille des élections de mars 1986 que la France « évolue vers une administration de pays sous-développé avec une armée de fonctionnaires inutiles ». Le gouvernement prévoit en 1987 la suppression de 10 000 postes d'agents de l'État (un départ en retraite sur deux non remplacé).

(3) Dont 39,8 % à l'Éducation nationale.

« traitements, soldes et indemnités » des fonctionnaires. 98 % d'entre eux sont rémunérés selon une grille dont l'éventail va de 1 à 3,7. Dans la catégorie D, ils débutent à l'indice 217, soit 4 400 F nets par mois et terminent à l'indice 264, soit 5 300 F. Les fonctionnaires en fin de carrière de la catégorie A peuvent atteindre l'indice 810, soit 16 000 F mensuels. Aux membres de la fonction publique regroupés sur « l'échelle indiciaire » entre les indices 217 et 810, il faut ajouter les fonctionnaires « hors échelle » répartis en sept groupes. Au sommet de la hiérarchie administrative, dans le groupe G, on compte vingt et une personnes, dont le secrétaire général du Gouvernement, le recteur de l'Université de Paris et le premier président de la Cour des comptes. Leur salaire s'élève à environ 35 000 F.
Dans l'enseignement, les salaires moyens s'échelonnent entre 7 700 F pour un instituteur et 19 200 F pour un professeur d'université.
Cependant, à tous les salaires des fonctionnaires, il faut ajouter les « rémunérations annexes », plus connues sous le nom de **primes** ou **indemnités.** « Secret d'État », « mystère épais » ou « maquis inextricable », les « rémunérations annexes » représentaient en 1983, selon un rapport parlementaire, environ **10 % des rémunérations** des agents de l'État. En décembre 1984, M. Jean Le Garrec, secrétaire d'État chargé de la fonction publique, faisait diffuser un document qui distinguait trois types de primes : celles des enseignants (33 %) qui sont « relativement peu développées », celles des fonctionnaires civils autres qu'enseignants (48 %), qui représentent en moyenne une majoration d'un sixième de la rémunération principale, celles enfin des agents du ministère de la Défense qui équivalent au quart des rémunérations principales. Par nature, ces indemnités se répartissent en primes de rendement liées à la qualité du travail, en primes pour travaux supplémentaires et indemnités diverses. Le rapport parlementaire de 1983 précisait que le pourcentage moyen des primes et indemnités représentait 18 % du traitement de base pour un instituteur, 25 % pour un commissaire de police, 47 % pour un auditeur à la Cour des comptes, 62 % pour un administrateur civil à la Direction générale des douanes, 84 % pour un ingénieur des ponts et chaussées ! En chiffres arrondis, le même rapport faisait état d'un montant moyen mensuel de prime allant de 2 300 F pour un commissaire de police à 23 000 F pour un trésorier payeur général.
Outre ces « rémunérations annexes », les hauts fonctionnaires de l'État bénéficient d'avantages en nature : logement de fonction, voiture avec chauffeur, employé de maison, etc.
Si beaucoup de progrès ont été faits depuis 1924 où l'on comptait 483 échelles de traitements regroupant 1 776 catégories de personnels, avec des écarts de salaire d'environ 1 à 10 (1 à 3,7 aujourd'hui), il subsiste néanmoins **d'importantes disparités,** en raison notamment du système des primes. Depuis une vingtaine d'années, l'État s'est engagé dans un processus de négociations avec les partenaires sociaux qui, semble-t-il, a empêché que n'éclatent des conflits trop sévères. Il n'en reste pas moins que les traitements des fonctionnaires constituent une lourde charge pour le budget de l'État, mais en même temps qu'ils sont, pour les cadres supérieurs, inférieurs de 58 % à ceux de leurs homologues du secteur privé ou semi-public (– 23 % et – 21 % pour les cadres moyens et les contremaîtres, par contre + 6 % pour les ouvriers).

35000
16000
810
A
27%
FONCTION PUBLIQUE
9300
B
34%
C
33%
5300
264
FERMÉ
D
6%
F. BROSSE/86

Des fonctionnaires, pour quoi faire ?

Un constat s'impose : les privilèges dont, selon certains, jouiraient les fonctionnaires ne résident pas dans le haut niveau de leurs traitements. Mais, dans la période actuelle de crise économique et de chômage, la fonction publique et, plus généralement, le secteur public qui assurent la garantie de l'emploi, sont très recherchés. Selon le dernier sondage connu [4], 50 % des Français souhaitaient que leurs enfants deviennent fonctionnaires et, si l'on comptait six candidats pour un poste aux concours administratifs de 1974, la proportion était de 25 pour 1 en 1981 ! En outre, les candidats sont de plus en plus diplômés et même « surdiplômés » (des licenciés se présentent à des concours où seul le baccalauréat est requis, notamment aux P.T.T. ou à la Banque de France).

Le choix du secteur public est à l'évidence essentiellement **lié au problème de l'emploi,** mais il peut être également motivé par la tradition familiale : 40 % des membres des catégories A et B ont un parent dans l'administration. Enfin la fonction publique offre des possibilités de formation interne. Comme l'a observé Jean-François Kessler dans sa *Sociologie des fonctionnaires* [5], l'entrée dans la fonction publique est synonyme de promotion sociale pour des jeunes issus de milieux modestes (exemple : le fils de paysan devenant instituteur), tandis que les fonctionnaires de rang subalterne peuvent accéder au rang supérieur, et que leurs enfants pourront devenir, après des études à l'École nationale d'administration (E.N.A.), de grands commis de l'État.

En février 1985, *Le Monde de l'Éducation* proposait à ses lecteurs un dossier sous le titre (ironique ?) « Fonctionnaire : le beau métier ». Plus récemment, l'hebdomadaire *L'Événement du Jeudi* [6] publiait à son tour un « grand dossier » intitulé « Fonctionnaires, je vous aime... » et sous-titré : « Pourquoi il ne faut pas les fusiller » (allusion probable à la question posée naguère par *Le Figaro-Magazine :* « Faut-il fusiller les instituteurs ? »).

S'il ne paraît pas souhaitable en effet de recourir à ces extrémités, on peut néanmoins méditer ces propos : « Plus les fonctionnaires se mettent à la place du peuple, moins il y a de démocratie » (Saint-Just) et « La France est un pays d'une incroyable fécondité. On y plante des fonctionnaires, il y pousse des impôts » (Edmond et Jules de Goncourt).

---

(4) I.F.O.P.-*Le Nouvel Observateur (op. cit).*
(5) P.U.F., collection « Que sais-je ? », 1980.
(6) N° 85, 19-25 juin 1986.

6

Faits de société

Avoir vingt ans aujourd'hui

Les jeunes sont pessimistes : le chômage, la violence, la pollution les inquiètent. Pour résoudre ces problèmes, seraient-ils prêts à intégrer de nouveau la politique à leur culture médiatique ? Et si la jeunesse n'était qu'un piège se refermant sur les jeunes ?

Enquêtes et témoignages l'attestent : la préoccupation majeure des jeunes d'aujourd'hui (la génération des 16-25 ans) est et demeure l'emploi. Quels que soient la tranche d'âge (les 16-18 ans, les 18-21, etc.), l'origine sociale, le niveau d'instruction, tous, à des degrés divers, expriment en priorité leur espoir de « trouver du travail » ou leur crainte d'« être au chômage ». Crainte hélas justifiée lorsqu'on sait qu'environ **un million de jeunes de moins de 25 ans sont actuellement « demandeurs d'emploi »,** soit plus de 40 % des chômeurs inscrits à l'Agence nationale pour l'emploi (A.N.P.E.). Et si l'on a pu observer, au cours des derniers mois de l'année 86, une légère amélioration, elle est loin de compenser l'augmentation du nombre des chômeurs (+ 250 000) survenue depuis cinq ans. En outre, la durée du chômage s'est accrue : en 1981, 12,4 % des inscrits à l'A.N.P.E. l'étaient depuis un an et plus, 17,5 % depuis six mois et plus. Début 1986, ces taux étaient respectivement de 18,7 % et de 21,5 %.

L'obsession du chômage

Pourtant, depuis 1976, les différents gouvernements se sont efforcés de trouver des remèdes à ce mal qui ronge notre société et obsède les jeunes générations. Des pactes pour l'emploi institués par le gouvernement de M. Raymond Barre aux « stages Rigout »[1] créés par celui de M. Pierre Mauroy, des contrats « emploi-formation, emploi-orientation, emploi-adaptation » et des travaux d'utilité collective (T.U.C.) proposés par M. Laurent Fabius, jusqu'au dispositif pour « l'insertion professionnelle et sociale des jeunes » mis en place par Mme Nicole Catala, secrétaire d'État chargé de la Formation professionnelle, les mesures gouvernementales n'ont pas manqué. Force est de constater que celles mises en œuvre jusqu'à présent n'ont pas été véritablement couronnées de succès.

Un an et demi après la création des « stages Rigout » pour les 16-18 ans, le Centre d'études et de recherches sur les qualifications (C.E.R.E.Q.) soulignait qu'« un jeune sur cinq (était) encore en stage, (que) 20,8 % (avaient) un

emploi, 44,5 % (étaient) au chômage et 9,3 % classés comme inactifs ». En mars 1983, l'Institut national de la statistique et des études économiques (I.N.S.E.E.) constatait que sur les quelque trois millions et demi d'actifs de moins de 25 ans, 21 % étaient chômeurs et environ 25 % occupaient un emploi précaire.
Enfin, l'O.C.D.E. a prévu qu'en 1986 près d'un quart des jeunes seraient encore au chômage en Allemagne fédérale, Grande-Bretagne, Italie et France (dont plus de 35 % et 30 % pour ces derniers pays) [(2)].

Et la politique ?

Les divers gouvernements, tant européens que français, de droite comme de gauche, n'étant pas parvenus à résoudre ce problème majeur, on comprend que les jeunes manifestent un désintérêt certain, sinon une vive défiance, à l'égard de la politique. Interrogés plusieurs fois, lors des deux dernières années (enquêtes S.O.F.R.E.S.-*Figaro-Magazine* en avril 1984, S.O.F.R.E.S.-*Le Nouvel Observateur* - Radio France en octobre de la même année, Infométrie-*Le Point* en janvier 1985, Gallup-*L'Express* en juin, S.O.F.R.E.S.-*Madame Figaro* en mars 1986...), deux tiers d'entre eux en moyenne se sont déclarés « peu intéressés » par la politique (16 % disent même qu'elle les « dégoûte » !), près de 50 % n'ont de préférence pour « aucun homme politique » [(3)] et 83 % ne sont pas tentés de militer dans un parti politique.
A l'évidence, **la dépolitisation a gagné du terrain :** les années soixante-dix semblent à des années-lumière, mai 68 est déjà entré dans l'Histoire. Bien entendu, il s'agit de l'ensemble des jeunes, c'est-à-dire de ceux qui sont encore dans le système éducatif et de ceux qui n'y sont plus. Si l'on s'en tient aux seuls étudiants, et selon un sondage I.P.S.O.S.-*Le Monde* - France Culture, réalisé à la veille des élections de mars 1986, on observerait un certain regain d'intérêt pour la politique. Les manifestations de l'automne 1986 des lycéens et étudiants opposés au projet de réforme de l'enseignement supérieur [(4)] auront peut-être constitué les signes avant-coureurs d'un « retour du politique ».

Globalement pessimistes

Qu'ils soient étudiants, lycéens ou élèves d'écoles professionnelles, près de 50 % des jeunes (soit deux fois plus qu'en 1978) considèrent que les études qu'ils font ne préparent pas bien au métier qu'ils aimeraient exercer. Amère constatation qui en dit long sur les griefs qu'ils peuvent formuler à l'encontre de notre système éducatif, et qui condamne sans appel la « réformite » aiguë dont semblent souffrir tous les ministres de l'Éducation nationale de ces dernières décennies, toutes « sensibilités » politiques confondues. Lorsqu'il est question, non plus d'exercer une profession, mais de se « débrouiller dans la vie », les chiffres sont souvent plus négatifs encore.
Envisagé sous cet angle, l'avenir n'apparaît donc pas des plus roses : dans l'enquête S.O.F.R.E.S-*Figaro-Magazine* d'avril 1984 portant sur les 16-22 ans, 37 % (contre 31 %) d'entre eux estimaient que leur vie serait « moins heureuse » que celle de leurs parents. Toutefois, à la même question,

(1) Du nom de Marcel Rigout, ministre de l'Emploi et de la Formation professionnelle dans le gouvernement Mauroy.
(2) Une récente enquête de l'I.N.S.E.E. vient de confirmer ces prévisions, en particulier pour la catégorie des 18-21 ans, actuellement les plus touchés par le chômage.
(3) Les personnalités les plus citées n'obtiennent pas 20 % des « suffrages ».
(4) Cf. « Lycéens-étudiants : la révolte de l'automne 86 », p. 122.

46 % (contre 19 %) des 19-23 ans, interrogés en octobre de cette même année, répondaient « plus heureuse » (enquête S.O.F.R.E.S.-*Le Nouvel Observateur*-Radio France). Au-delà de cette apparente contradiction, un fait est certain : les jeunes craignent que les lendemains ne chantent pas. Outre le chômage, ils redoutent une guerre mondiale, ou un conflit nucléaire, le terrorisme et la violence, ils sont inquiets devant des phénomènes comme la faim dans le monde, la crise économique, les atteintes à l'environnement ; pour eux-mêmes, ils appréhendent le manque d'argent, les accidents, la mésentente familiale et la solitude...

Une culture audiovisuelle

Pour conjurer ces craintes ou ces angoisses, ils s'appuient sur un certain nombre de valeurs qui sont (dans l'ordre ou le désordre selon les enquêtes, mais toujours classées dans les premiers rangs) : l'amitié, l'amour, la famille, la liberté, le travail... Palmarès on ne peut plus traditionnel, mais qui remet en cause certains clichés sur la jeunesse contestataire, voire révoltée. Aux « rebelles sans cause » (5) des années cinquante, « graines de violence » (6) que leur « fureur de vivre » (7) jetait dans des « équipées sauvages » (8), ont succédé les non-violents aux cheveux longs et aux guitares fleuries des *« sixties »*, avant que les « enragés » soixante-huitards, révolutionnaires floués d'un joli mois de mai, ne précèdent la « Bof génération » des années Giscard. Aujourd'hui, les « egocentrés » – selon la terminologie des sociologues du Centre de communication avancée (C.C.A.) – remplacent les « décalés », qui avaient eux-mêmes supplanté les « recentrés » et les « aventuriers » ! Le « moi » n'est plus haïssable, l'individualisme bat son plein, les nouveaux Narcisse se mirent dans l'écran plat de leur téléviseur japonais. Lovés dans les replis de leur micro-sphère privée, les jeunes « branchés » (9) ou « câblés » (10) écoutent Dire Straits, The Cure ou Indochine sur leur platine-laser, fredonnent les « tubes » (11) de Stéphanie (« la petite princesse de Monaco ») ou de Jeanne Mas, vont voir les films de Jean-Jacques Beinex et sont amoureux d'Isabelle Adjani ou de Christophe Lambert.

Ils aiment sortir avec des copains, danser dans les « boums », manger dans les *« fast-food » ;* ils pleurent la mort de Coluche (12) après avoir bien « rigolé » à ses histoires, mais continuent de verser leur obole pour ses « restaurants du cœur ». Parmi leurs « héros » (ils disent « stars ») préférés, outre Isabelle Adjani et Coluche, ils comptent pêle-mêle les acteurs Jean-Paul Belmondo et Romy Schneider (la nostalgie...), le chanteur Renaud, les sportifs Michel Platini et Yannick Noah, l'industriel Bernard Tapie, et, loin derrière, Lech Walesa, Jean-Paul II et le Général de Gaulle...

Essentiellement audiovisuelle et médiatique (rock, cinéma, publicité...), leur culture néglige la littérature classique, les romans et les essais auxquels ils préfèrent les journaux, les magazines et les bandes dessinées.

Bernard Tapie, qui symbolise, pour certains jeunes, la réussite professionnelle et personnelle.

(5) D'après le titre du film *Rebel without a cause* interprété notamment par James Dean.
(6) Titre français du film *Blackboard jungle.*
(7) Titre français de *Rebel without a cause.*
(8) Titre français du film *The wild ones* qui a pour principal acteur Marlon Brando.
(9) (10) Qui suivent toutes les modes.
(11) Chansons à succès.
(12) Amuseur public, acteur, animateur de radio et de télévision, contesté et contestable, mais qui a fait presque l'unanimité sur son nom en organisant l'opération charitable des « restaurants du cœur », Michel Colucci, dit « Coluche », s'est tué en moto en 1986.

Avoir vingt ans aujourd'hui

La jeunesse : un piège ?

La vie familiale compte beaucoup pour les jeunes d'aujourd'hui, qu'elle se déroule chez les parents, en couple marié ou non (la majorité d'entre eux estime désormais que la meilleure formule pour un couple est « vivre ensemble sans se marier »), ou même seul(e) avec un ou plusieurs enfants. La famille n'est plus ce qu'elle était, mais les « nouvelles familles » de jeunes souhaitent avoir deux enfants et s'entendent bien avec leurs parents. Sur le plan religieux, environ deux tiers des 16-25 ans se disent catholiques (dont 75 % de non-pratiquants), mais le nombre de non-croyants continue d'augmenter.
Sur le plan professionnel, ils souhaitent travailler en priorité dans le secteur du commerce, puis dans les professions libérales (notamment médecin, vétérinaire, avocat), la fonction publique, l'industrie, avec, pour une assez forte minorité, une vive attirance pour le monde artistique, celui des médias et de la publicité. Enfin, si le plus grand nombre de garçons s'avouent peu décidés à « mourir pour la patrie », ils pensent cependant qu'il faut maintenir le service militaire dans son état actuel et se déclarent prêts à l'accomplir.
Dans un rapport sur les « tendances de la jeunesse dans les années quatre-vingts », présenté à la XXIe session de l'U.N.E.S.C.O., on pouvait lire : « Les mots-clés de la vie des jeunes au cours de la prochaine décennie seront : pénurie, chômage, surqualification, anxiété, attitude défensive, pragmatisme. Au lieu d'être une période d'expérimentation, de développement, de préparation, la jeunesse pourrait bien devenir un piège, sans possibilité apparente d'accéder au statut d'adulte ».
Le pronostic était d'une grande clairvoyance, mais que dire de la perspective envisagée ? La jeunesse est-elle devenue un piège se refermant sur les jeunes et les empêchant de parvenir au stade adulte ? La réponse à cette question n'est pas aisée, mais une évidence s'impose : s'ils paraissent désormais culturellement intégrés, les jeunes sont pour beaucoup économiquement, voire socialement marginalisés. Peu assurés du lendemain, inquiets face à l'avenir, ils semblent se replier dans le cocon du scepticisme et du conformisme.
Dans une société qui a décidé d'être jeune et de le rester (on s'habille, on parle comme les jeunes, on adopte leurs comportements, leurs goûts...), la jeunesse n'est-elle pas condamnée à ne devenir adulte que « par procuration », venant ainsi s'inscrire dans cette « ère du simulacre » qu'évoque le sociologue Jean Baudrillard ?

Lycéens-étudiants : la révolte de l'automne 86

Le mouvement des lycéens et des étudiants, à l'automne 86, fut-il apolitique ou politique ? Signifia-t-il le retour de la solidarité ou demeura-t-il marqué par l'individualisme ? Une chose est sûre : ces nouveaux contestataires ont exprimé leur angoisse de l'avenir, en même temps que leur exigence d'égalité et de liberté. S'agit-il d'une « nouvelle vague » politique ou d'une « génération morale » ?

Selon l'association « Plus jamais ça »[1], créée en janvier 1987 pour former un « Conseil national de la gauche dans la jeunesse » et « battre la droite en 1988 », les grèves et manifestations lycéennes et étudiantes de novembre-décembre 1986 furent dirigées « contre la politique libérale du gouvernement, l'inégalitarisme et l'injustice ».

Cette revendication politique a posteriori paraît s'inscrire en faux contre la plupart des déclarations et analyses faites lors des manifestations et au cours des semaines qui les ont suivies. En effet, tant de la part des principaux acteurs que de la majorité des observateurs, **le mouvement des lycéens et des étudiants fut défini comme essentiellement apolitique.** C'est ce que déclaraient les porte-parole des jeunes contestataires et ce que constataient, avec des nuances, des sociologues comme Gilles Lipovetsky[2], Michel Maffesoli[3] et Edgar Morin[4].

Apolitique ou politique ?

Pour G. Lipovetsky, l'apolitisme est une des caractéristiques majeures de la révolte de l'automne, tandis que M. Maffesoli y décèle des « expressions manifestes d'une saturation du politique ». E. Morin, de son côté, a d'abord été frappé par le refus de la politisation et de la violence. Toutefois, il estime

(1) Slogan des étudiants lors du défilé en hommage au jeune Malik Oussekine, mort des suites de violences policières. Cf. p. 125.

(2) Auteur de *L'ère du vide, essais sur l'individualisme contemporain* (Gallimard, 1983).

(3) Auteur notamment de *La violence fondatrice* (P.U.F., 1978), *La conquête du présent* (P.U.F., 1979), *La connaissance ordinaire* (Librairie des Méridiens, 1985).

(4) E. Morin a publié de nombreux ouvrages parmi lesquels *L'esprit du temps* (Grasset, 1962), *Pour sortir du XXe siècle* (Nathan, 1980) et *La Méthode* (3 vol. Seuil).

que ce mouvement n'est à proprement parler ni politique ni apolitique. « Son originalité, affirme-t-il, est de faire la navette entre la politique et l'infrapolitique, et de se situer dans un entre-deux qui fait communiquer ces deux sphères »[(5)]. L'« infrapolitique », selon lui, c'est, outre le rejet de la « politisation officielle », l'affirmation d'une « dimension éthique » et d'une « dimension culturelle ». La première réside dans la rencontre entre un « fraternalisme juvénile » et « l'adhésion aux droits de l'homme ». La seconde correspond au refus « d'entrer dans un processus qui conduit soit au chômage, soit à un univers où l'on est intégré dans un monde bureaucratisé, disciplinarisé, sans joie... »[(6)].

Cependant, les lycéens et étudiants ayant manifesté pour le retrait d'un projet de loi[(7)] et ayant obtenu satisfaction, puis contre la répression policière et réclamant, sans l'obtenir, la démission du ministre de l'Intérieur, force est de constater que leur révolte a débouché sur la scène politique.

Solidarité ou individualisme ?

Après des années de « dépolitisation » (c'est-à-dire de défiance à l'égard de la politique « politicienne » et des hommes politiques), cette « repolitisation » des jeunes a surtout été l'occasion d'**une importante mobilisation sur les valeurs d'égalité, de générosité, de solidarité.** Ce qu'E. Morin appelle un « ressourcement » dans la tradition de 1789. Cet « investissement collectif » signifie-t-il également la fin de l'individualisme, voire de l'égoïsme qui, selon nombre d'observateurs, aurait caractérisé la jeunesse de ces dernières années ? Les réponses à cette question sont diverses.

Pour certains, le mouvement de novembre-décembre 86 a donné aux jeunes un « lieu de sociabilité »[(8)], il leur a permis d'entrer dans une « communauté en fusion »[(9)]. Là, ils ont éprouvé le plaisir d'être ensemble, au coude à coude avec des semblables ou des proches, ils ont partagé des enthousiasmes ou des colères, des joies ou des peines. Ils ont vécu l'expérience d'une certaine fraternité. Celle qu'ils ressentent dans les rassemblements de S.O.S. Racisme[(10)] ou dans les concerts des chanteurs pour l'Éthiopie.

Mais, en même temps, pour d'autres, ce mouvement est resté profondément individualiste, reflétant des valeurs d'abord subjectives ou privées.

L'expression d'une angoisse

Comme l'a montré une enquête réalisée « à chaud », bien plus qu'un mécontentement à l'égard d'une loi réformant l'enseignement supérieur (raison invoquée par 35 % des jeunes de 16 à 22 ans interrogés), **les manifestations traduisaient l'inquiétude des lycéens et des étudiants sur leur avenir professionnel** (pour 55 %)[(11)]. Il s'agissait bien, par-delà cette loi qu'ils estimaient inégalitaire et donc injuste, d'exprimer leur angoisse du lendemain, celle de l'obtention d'un diplôme, de la recherche d'un emploi. Leur revendication,

(5) Entretien, dans *Le Monde sans visa* (13 décembre 1986).
(6) *Ibid.*
(7) La loi Devaquet, cf. note (14) p. 124.
(8) Jacques Julliard, dans *Le Nouvel Observateur* (12-18 décembre 1986).
(9) *Ibid.*
(10) Cf. notre article « L'immigration en question » dans *Le Français dans le monde* (n° 198, janvier 1986).
(11) Sondage S.O.F.R.E.S. effectué pour *Le Nouvel Observateur* et T.F.1 du 29 novembre au 1er décembre 1986. Cf. *Le Nouvel Observateur* (5-11 décembre 1986).

limitée mais déterminée, ne s'accompagnait d'aucune véritable contestation idéologique (à la différence de mai 68 où les drapeaux rouges et les drapeaux noirs fleurissaient sur le pavé parisien, tandis que les portraits de Marx, Mao et Che Guevara ornaient les murs de la Sorbonne), encore moins d'un projet de société.

Égalité, liberté...

Ces journées d'automne 86 n'étaient pas des journées révolutionnaires. Elles ont été marquées par l'irruption soudaine, apparemment spontanée, d'une génération réclamant « le prolongement dans la société des valeurs d'égalité qu'elle (avait) vécues à l'intérieur du système scolaire » [12]. Le déclenchement de cette fronde étudiante a surpris tout le monde : sociologues, journalistes, hommes politiques... Personne n'avait prévu ni même imaginé un mouvement d'une telle ampleur.

Comme l'a souligné Edgar Morin, « une digue s'est brisée dans la société » [13]. De fait, la loi Devaquet [14] a été surtout un prétexte : si une courte majorité de jeunes s'opposent à la sélection à l'Université (51 % contre 40 % [15]), c'est surtout sa traduction concrète qu'ils contestent, à savoir une société hiérarchisée, et c'est le maintien – autant qu'il est possible – de l'égalité des chances et des droits qu'ils exigent.

A cette exigence d'égalité s'est ajoutée la défense d'une liberté jugée menacée : celle de pouvoir s'inscrire à l'université de son choix, tous les étudiants payant les mêmes droits d'inscription. Liberté individuelle, liberté de comportement, comme celle d'aller dans une école privée, de choisir son médecin ou d'écouter une radio « libre ». Ils refusent donc toute remise en cause de leur(s) liberté(s) de choix. Après « touche pas à mon pote » [16], ils ont en quelque sorte clamé « touche pas à mon Université » !

---

(12) Marcel Gauchet (philosophe, responsable de la rédaction de la revue *Le débat*, a publié récemment *Le désenchantement du monde*, Gallimard, 1985), dans *Le Quotidien de Paris* (11 décembre 1986).
(13) Dans *Le Monde sans visa*, *op. cit.*
(14) Du nom du ministre de l'Enseignement supérieur, Alain Devaquet. Les trois points les plus contestés de son projet de loi étaient : les conditions d'entrée à l'Université (différenciation de 1 à 2 des droits d'inscription), la sélection en cours d'études et la diversification des diplômes (qui restaient cependant des diplômes nationaux).
(15) Enquête S.O.F.R.E.S.-*Le Nouvel Observateur* – T.F. 1, cf. note (11).
(16) Slogan des militants et sympathisants de l'association S.O.S. Racisme.

C'était, en un sens, se prononcer pour le statu quo dans l'enseignement supérieur (ce qui ne saurait être satisfaisant, car l'ensemble des problèmes posés depuis plusieurs années restent à résoudre).

De la fête au drame

Autres traits marquants du mouvement de l'automne 86 : d'abord, au moment où il éclate, son caractère de fête. Les manifestations des premiers jours sont bon enfant, fraîches et joyeuses. Les slogans sont drôles (le plus souvent « empruntés » à la publicité), impertinents sans être agressifs, la musique rock est de rigueur.

Puis, soudain, tout bascule dans le tragique ; le 6 décembre, c'est le drame : un étudiant de 22 ans, Malik Oussekine, est tué. Aussitôt après, le ministre de l'Enseignement supérieur démissionne. Le 8 décembre, le Premier ministre, Jacques Chirac, annonce le retrait du projet de loi. Le 10, plusieurs centaines de milliers de jeunes défilent à Paris et en province « en hommage à Malik », avec un seul mot d'ordre : « Plus jamais ça ! ». Commencé dans la bonne humeur, le mouvement s'achève dans le sang.

« Nouvelle vague » politique ou génération morale ?

Certes, les lycéens et les étudiants contestataires ont gagné. Le projet de loi dont ils ne voulaient pas a été retiré. Mais le prix à payer a été lourd et rien n'est réglé dans l'Université. Il est plus facile de s'opposer que de proposer ; comme le fait observer l'écrivain Jean-Marie Domenach, contrairement à ce qu'affirment certains démagogues, la jeunesse n'a pas toujours raison.

Il reste que ces journées de l'automne 86 ont été pour beaucoup de jeunes **une initiation à l'action collective.** Ils y ont affirmé – probablement sans en avoir clairement conscience – les valeurs de liberté, d'égalité... et de fraternité, unis qu'ils furent dans la revendication, puis dans la révolte. Celle-ci fut d'ailleurs sans doute « plus éthique que véritablement politique » (17).

Enfants de Renaud et de Bernard Tapie (18), admirateurs de Balavoine et de Goldman (19), ne constituent-ils pas, plutôt qu'une « nouvelle vague » politique, une « génération morale » (20) ? Dans cette révolte de l'automne 86, les lycéens et les étudiants n'ont-ils pas en effet aussi exprimé leur solidarité avec ceux qui chantent pour l'Ethiopie ou, comme Coluche (21), créent des « restos du cœur » ?

---

(17) Serge July, « La nouvelle vague » dans *Libération,* n° hors série, janvier 1987.

(18) Le chanteur et l'industriel sont les deux personnalités qui incarnent le mieux les aspirations personnelles des jeunes de 16 à 22 ans. Cf. note (11) p. 124.

(19) Daniel Balavoine – qui s'est tué en 1986, lors du rallye Paris-Dakar – et Jean-Jacques Goldman sont deux chanteurs de la « différence » et de l'antiracisme.

(20) L. Joffrin, dans *Libération* (25 novembre 1986). Cette thèse est développée dans son livre *Un coup de cœur* (Ed. Arléa), paru en janvier 1987.

(21) Cf. note 12 p. 120.

Dans les mois qui ont suivi le mouvement des lycéens et étudiants de l'automne 86, commentaires, sondages, livres ayant pour thème les jeunes se sont multipliés. Neuf ans après avoir dressé le portrait de la « bof-génération », celle de l'« à-quoi-bon » (22), la S.O.F.R.E.S. et *Le Nouvel Observateur* présentent la « S.O.S.-génération », celle de la crise (23). Les 13-17 ans de 1987, ceux qui ont assisté ou participé aux manifestations de novembre-décembre 1986, souhaitent avant tout « trouver un métier intéressant » (« ce qui compte le plus » pour 53 % d'entre eux, devant la liberté – 50 % – et le bonheur familial – 39 % –) ; ils ont peur du chômage (56 % contre 42 % en 1978), mais paradoxalement pensent qu'ils auront une « vie plus heureuse que celle de leurs parents » (57 %, contre 10 % qui estiment qu'elle sera moins heureuse, les plus optimistes étant les enfants d'ouvriers). Leurs aînés, lycéens et étudiants des deux premières années d'enseignement supérieur, mettent également le chômage au premier rang de leurs préoccupations (24).
Comme l'observe le sociologue Alain Touraine (25), les jeunes de 1987 dissocient vie publique et vie privée, ils sont pessimistes sur le plan collectif et optimistes sur le plan personnel. Toutefois, leur pessimisme ne s'accompagne pas d'un désir de réforme ou de transformation radicale de la société (56 % contre 37 %), encore moins d'une volonté d'engagement politique (6 % pour les 13-17 ans, tandis que 1 % seulement des 18-21 ans déclarent que la politique est « ce qui compte le plus » pour eux).
Ces jeunes, note encore A. Touraine, ont des « attitudes sociales défensives », ils sont individualistes, mais en même temps souhaitent militer dans une association luttant pour la défense des droits de l'homme. S'ils « ne veulent pas changer la société, ils veulent que personne n'en soit exclu », notamment les jeunes de « la galère » (26), c'est-à-dire ceux, français ou immigrés, qui vivent dans des conditions difficiles, banlieusards sans-emploi, marginalisés, frustrés, aux frontières de la délinquance.
Être politisés pour eux signifie vouloir substituer à une société conflictuelle et impitoyable une société ouverte et tolérante.

(22) Sondage S.O.F.R.E.S.-*Le Nouvel Observateur*, septembre 1978.
(23) *Le Nouvel Observateur*, 13-19 mars 1987.
(24) Sondage Louis Harris-*L'Express*, dans *L'Express*, 27 mars 1987.
(25) *Le Nouvel Observateur*, *op. cit.*
(26) Cf. François Dubet, *La Galère : jeunes en survie*, Fayard « Mouvements », 1987.

Immigrés : être ou ne pas être Français

Depuis plusieurs années, la question de l'immigration est l'objet d'un important débat idéologique, souvent empreint de vives polémiques. La présence sur le territoire national de nombreuses communautés étrangères notamment non européennes, pose le problème de leur intégration ou non au sein de la société française.

Après les premiers succès électoraux du Front national de Jean-Marie Le Pen [1], les dispositions officielles de 1984 limitant l'entrée en France de nouveaux immigrants, les marches des « Beurs » [2], les rassemblements de S.O.S. Racisme [3] et le projet de réforme du code de la nationalité proposé par le gouvernement de M. Chirac, la question de l'immigration n'a guère quitté la « une » de l'actualité.

Anti-racisme et « préférence nationale »

En 1984 paraissent plusieurs ouvrages sur ce thème, parmi lesquels *Hospitalité française,* de Tahar Ben Jelloun, *La fin des immigrés : le choc,* d'Alain Griotteray et *L'immigration, une chance pour la France,* de Bernard Stasi. Écrits par des membres de l'actuelle majorité, ces deux derniers livres sont révélateurs des clivages qui peuvent exister, sur cette question, entre représentants d'une même sensibilité politique. En effet, si A. Griotteray et B. Stasi appartiennent tous deux à l'U.D.F., le premier affirme que la France subit une véritable « colonisation de peuplement » et se prononce pour l'assimilation des immigrés ou – à défaut – pour leur départ, tandis que le second voit dans leur insertion « une chance pour la France ».

Dans le même temps, **la montée d'un courant hostile à l'immigration** entraîne

(1) A l'occasion des élections municipales de mars 1983.

(2) Nom familier que se sont donné les jeunes immigrés d'origine maghrébine de la « deuxième génération », nés en France de parents algériens, par exemple, et donc français (Cf. p. 128).

(3) Cf. p. 131-132.

la création d'une association antiraciste qui prend pour nom « **S.O.S.-Racisme** ». Ce mouvement, animé par Harlem Désir, un jeune homme de 26 ans né de père antillais et de mère alsacienne, devient rapidement célèbre grâce à un badge en forme de main ouverte qui porte le slogan « Touche pas à mon pote ». Le 15 juin 1985, il organise place de la Concorde une grande fête sur le thème « Viens prendre ton pied [(4)] avec mon pote ». Cette manifestation – essentiellement un concert gratuit de musique pop, organisé avec le soutien du ministère de la Culture – rassemble plus de 300 000 personnes pour ce que le journal *Libération* appellera « la nuit blanche du grand remue-mélange ». Presque simultanément paraît un nouveau livre intitulé *La préférence nationale, réponse à l'immigration,* qui va bientôt devenir la bible de tous ceux qui sont hostiles à la présence en France d'un nombre important d'immigrés. Son auteur, Jean-Yves le Gallou, est alors secrétaire général du club de l'Horloge, un groupe de réflexion de droite (il a, depuis, rejoint les sphères dirigeantes du Front national).
Opposé à la société multiraciale, au nom de l'identité française, J.-Y. Le Gallou affirme la nécessité d'inverser le flux migratoire incontrôlé et d'assurer le retour des immigrés dans leurs pays d'origine. Il estime que deux millions d'étrangers non européens sont nés ou arrivés sur le territoire français depuis 1974, date à laquelle pourtant l'immigration a été officiellement suspendue. A ses yeux, cet accroissement de « personnes sans qualification et d'origine culturelle et religieuse [(5)] radicalement différente (...) risque de signifier la fin de la France ». En outre, l'octroi des droits politiques aux étrangers – comme certains le demandent – « bouleversera les institutions françaises (...), menacera la concorde et la paix civile et minera la souveraineté nationale ». Dans ce « scénario catastrophe », l'enseignement sera l'un des secteurs les plus touchés, prophétise J.-Y. Le Gallou. Ce à quoi le ministre de l'Éducation nationale, Jean-Pierre Chevènement, répondra : « Oui, les enfants de l'immigration peuvent réussir à l'école ; pourquoi pas des lycées franco-maghrébins ? Un jour ces enfants seront diplomates, généraux, ingénieurs ou techniciens » [(6)].
Préférence nationale/antiracisme... en cette veille de l'été 1985, le combat idéologique est engagé. Mais ce n'est qu'un début avant le paroxysme de l'automne.

Des millions d'étrangers ?

Fin octobre, *Le Figaro-Magazine* publie un « dossier sur l'immigration » sous le titre-choc « Serons-nous encore français dans 30 ans ? » [(7)], avec en couverture la photo d'une Marianne voilée comme une musulmane. Les lecteurs de cet hebdomadaire sont invités à découvrir « les chiffres secrets qui, dans les trente années à venir, mettront en péril les identités nationales et détermineront le sort de notre civilisation ». Ces chiffres sont extraits d'une série de statistiques prospectives établies par Gérard-François Dumont, président de l'Association pour la recherche et l'information démographique, et Jean Raspail,

(4) Expression argotique, devenue familière, pour « viens passer un bon moment... ».
(5) L'Islam est désormais la deuxième religion en France. En d'autres termes, il y a davantage de musulmans que de protestants.
(6) Dans *Libération* (7 mai 1985).
(7) N° du 26 octobre 1985.

romancier, auteur notamment du *Camp des saints,* récit apocalyptique de « l'invasion de la France par les masses affamées du Tiers-Monde ». Selon cette enquête, réalisée « à partir de l'état actuel des populations étrangères sur le sol français, populations à majorité d'origine méditerranéenne et africaine et à 90 % de culture et de religion islamiques, compte tenu en outre de leurs taux de fécondité », la France comptera, en 2015, 12 780 000 étrangers non européens pour 46 200 000 nationaux. Suivent une série de chiffres sur les naissances au sein de ces deux groupes, les enfants d'âge scolaire, les jeunes de dix-huit ans, les plus de soixante ans, etc.

La parution de ce dossier provoque immédiatement une très vive réaction gouvernementale. Le ministre des Affaires sociales, Georgina Dufoix, accuse dans un communiqué *Le Figaro-Magazine* d'avoir publié « des chiffres mensongers, les plus gros possibles, pour tenter d'établir une théorie de la pire espèce et inciter à la haine raciale ». Le Premier ministre, Laurent Fabius, adresse de son côté « une très sévère mise en garde contre ceux qui, parlant prétendument au nom de valeurs françaises, prônent aujourd'hui l'exclusion, l'égoïsme, le racisme et finalement la haine ».

La polémique est vigoureusement lancée, aussi la réplique ne tarde-t-elle pas.

L'un de ceux par qui le scandale est arrivé, Jean Raspail, répond à ses accusateurs : « Je dis que vouloir rester Français, en France, et que vouloir se

garder Français dans l'avenir – parce que j'ai la fierté de croire que c'est à cette condition-là que nous pourrons être utile à l'Autre – sont actes d'honneur et de courage »[8]. Pour sa part, l'historien Pierre Chaunu affirme qu'« une société peut vivre sans difficulté avec 10 % d'étrangers. Au-delà, on entre dans une zone dangereuse »[9].

Plus nuancé, le journaliste Alain Duhamel souligne que le problème soulevé par le dossier du *Figaro-Magazine* est « un vrai et grand sujet de débat (...) devant lequel hésitent les uns après les autres les principaux partis de droite, puis de gauche ». Avant de poursuivre : « Il serait hypocrite, pharisien même, de feindre d'ignorer que dans les quartiers les plus déshérités et les faubourgs les plus insalubres de nos villes, la coexistence de communautés d'origines, de mœurs, de traditions différentes comporte des risques d'affrontement et des certitudes d'incompréhension »[10].

Quelques jours plus tard, *Paris-Match* et Europe 1 organisent un « grand débat », mettant en présence l'ancien ministre Alain Peyrefitte et Harlem Désir, sur le thème « Immigration et identité nationale ». L'auteur du *Mal français* et celui de *Touche pas à mon pote* tiennent deux discours rigoureusement opposés. Le premier estime que « le racisme est la conséquence d'une immigration incontrôlée », tandis que le second pense que « le problème n'est pas l'immigration, mais le racisme ».

Le 9 novembre, *Le Figaro-Magazine* relance la controverse en répondant « point par point » au gouvernement. Son éditorialiste, A. Griotteray, observe qu'« il y a désormais une question immigrée comme il y avait une question sociale au XIXe siècle ».

Tandis que paraissent deux nouveaux livres, *Les Immigrés, pour ou contre la France ?* de Didier Bariani et *Enquête sur la France multiraciale* de Jean-Pierre Moulin, le ministère de l'Intérieur publie ses statistiques pour 1984. Au 31 décembre de cette année, la population étrangère est estimée à 4 485 715 personnes, auxquelles s'ajouteraient environ 300 000 immigrés clandestins. Ces chiffres, précise le ministère, seraient à peu près stables depuis trois ans. Ce que contestent certains, notamment à la Mairie de Paris où l'on évalue le nombre des clandestins à 280 000 pour la seule capitale, tandis que d'autres font observer que le nombre d'étrangers « actifs » a continué d'augmenter, passant de 1 574 000 en mars 1983 à 1 658 000 en mars 1984. Passant outre ces querelles de chiffres, les représentants de toutes les familles spirituelles et religieuses du pays se sont associées à des organisations humanitaires pour lancer, à la mi-novembre, « un appel commun à la fraternité ».

Pour ou contre le code de la nationalité ?

Mais, quelques mois plus tard, la polémique rebondit, après que le nouveau Premier ministre, M. Jacques Chirac, eut annoncé, dans sa déclaration de politique générale, une série de mesures jugées par certains comme hostiles aux étrangers. Outre des dispositions techniques telles que la mise en place d'une procédure administrative pour reconduire à la frontière les étrangers

(8) Dans *Le Figaro-Magazine* (2 novembre 1985).
(9) *Ibid.*
(10) *Le Quotidien de Paris* (1er novembre 1985).

en situation irrégulière, ou le rétablissement des visas pour l'entrée et le séjour des étrangers non originaires de la C.E.E.[11] (décisions qui seront prises dans le cadre de négociations avec les pays concernés), le projet qui soulève le plus de passions est **la modification du code de la nationalité.**
Le code actuel stipule que tout enfant né en France de parents étrangers dont l'un est lui-même né en France[12], est français à la naissance. Quant à l'enfant né en France de parents étrangers, nés à l'étranger, il devient automatiquement français à dix-huit ans, s'il réside alors en France et y a résidé les cinq années précédant sa majorité.
L'époux ou l'épouse d'un ressortissant français peut également acquérir la nationalité française sur simple déclaration, six mois après son mariage.
Enfin, la nationalité française est accordée à toute personne étrangère qui en fait la demande et remplit certaines conditions (moralité, assimilation, résidence). Ce dernier point n'est ni contesté ni remis en question. Pour les instigateurs du projet de réforme de ce code de la nationalité, il s'agit de « soumettre l'acquisition de la nationalité française à un acte de volonté préalable ».
L'auteur de ce projet, M. Albin Chalandon, ministre de la Justice, justifie ainsi son propos : « Nous demandons à l'étranger qui devient français du fait qu'il est né sur le sol français de le manifester de façon volontaire, et non pas de se satisfaire de l'automaticité »[13]. Réponse de M. Farid Aïchoune, responsable de la rédaction de *Baraka,* le journal des « Beurs » : « Telle qu'elle est posée, la réforme est un acte d'allégeance humiliante »[14].
Outre les associations d'immigrés, ce point de vue est partagé, avec des nuances, par la majorité des hommes politiques de l'actuelle opposition, mais aussi par certains représentants de la majorité, par des mouvements de défense des droits de l'homme et par des responsables religieux.

Être Français ou non ?

Et les Français ? Malgré les sondages, il est difficile de se faire une opinion précise sur leurs sentiments réels. Lorsqu'on leur demande : « D'après vous, peut-on être un vrai Français si l'on n'est pas né en France ? », 73 % répondent affirmativement. Mais, en même temps, à la question : « Trouveriez-vous normal ou pas normal qu'avant d'être naturalisé français un étranger soit obligé « de prêter serment à la Constitution ? »[15], 62 % estiment que ce serait « normal »[16].
Des sentiments mêlés donc, qui correspondent peut-être au « manque de logique » du projet de loi gouvernemental, dénoncé par J.-Y. Le Gallou, porte-parole des partisans de la « préférence nationale », dans un article publié par *Le Monde*[17].
Selon lui, en effet, ce texte législatif, qui propose l'abrogation de l'attribution automatique à dix-huit ans de la nationalité française aux enfants d'étrangers nés en France, mais la maintient pour les enfants d'étrangers

(11) Communauté économique européenne ou Europe des douze.
(12) Cela s'applique aux enfants de parents nés en Algérie, lorsque celle-ci était « française ».
(13) Entretien dans *L'Événement du jeudi* (20 au 26 novembre 1986).
(14) Dans *L'Événement du jeudi (op. cit.).*
(15) Disposition primitivement prévue dans le projet de loi, mais qui a été retirée.
(16) Sondage Louis-Harris-*L'Événement du jeudi,* dans *L'Événement du jeudi (op. cit.).*
(17) « Encore un effort, monsieur Chalandon ! » dans *Le Monde* (5 décembre 1986).

nés en France de parents eux-mêmes nés en France, n'est pas cohérent. Il regrette en outre que le projet « conserve un certain nombre d'automatismes dans l'attribution de la nationalité française » ; celle-ci, à ses yeux, « doit être une faveur qui non seulement se demande, mais aussi se mérite ». Il déplore enfin que le gouvernement « ait renoncé à la procédure du serment ».
Un tout autre son de cloche est exprimé par quatre députés socialistes dans les colonnes voisines de la page « Débats » du *Monde :* « Inspiré par l'idéologie la plus réactionnaire », ce projet, estiment-ils, est « humainement scandaleux » et « politiquement grave ». Il « tente de substituer au droit du sol [18] (...) un droit d'entrée dans la cité accordé de façon discrétionnaire en fonction de la pigmentation de la peau, de l'origine religieuse ou encore d'autres critères (...) qui permettent de « trier » entre les candidats à la nationalité française... »

Vers des solutions ?

Après sa présentation au Conseil des ministres en novembre 1986, le projet de loi devait être discuté devant le Parlement à la session de printemps. Mais, le mouvement des lycéens et étudiants de novembre-décembre [19] ayant affirmé qu'il s'opposerait à ce projet comme il s'était opposé à celui sur l'enseignement supérieur, il semble que le gouvernement ait décidé sur ce point, comme sur d'autres « problèmes de société », de faire une « pause ». En d'autres termes, le projet est « mis de côté », provisoirement déclarent certains, définitivement pensent (espèrent ?) d'autres. Quoi qu'il advienne, les positions demeurent tranchées, si elles sont moins passionnées. Le directeur du *Figaro-Magazine,* Louis Pauwels, pourtant très favorable au projet gouvernemental, n'écrit-il pas : « Derrière cette question de réforme d'un code, il y a d'autres questions qu'on ne peut résoudre par « la France aux Français » [20] ou par « touche pas à mon pote » (...) par les heurts de pulsions primaires, mais par l'examen des idées, par la confrontation des morales et des philosophies » ? [21]. Cette confrontation était inaugurée dans les colonnes de l'hebdomadaire par un débat entre le journaliste Georges Suffert, partisan de la révision du code de la nationalité, et l'écrivain Marek Halter qui lui est hostile.
Argument du premier : « (ce code) n'est pas un processus d'exclusion (...) ; il est simplement une mesure qui donne à chaque individu le droit de choisir le pays dont il veut être citoyen. Où est le scandale ? »
Ce à quoi le second rétorque : « (ce projet) ne répond ni aux aspirations matérielles ni aux exigences éthiques de demain ».
Le débat sur cette question fondamentale est donc loin d'être clos, mais, ici et là des voix s'élèvent pour le dépassionner et proposer **des approches « raisonnables »** [22]. Qu'il ne soit plus empoisonné par un continuel échange de slogans et d'anathèmes est déjà une première étape. La seconde – trouver des solutions acceptables par tous – reste à accomplir.

---

(18) Accès à la nationalité française par naissance sur le sol de France.
(19) Cf. « Lycéens-étudiants : la révolte de l'automne 86 », p. 122.
(20) Slogan des partisans du Front national.
(21) Dans *Le Figaro-Magazine* (7 février 1987).
(22) Cf. notamment *L'Immigration en France, faits et problèmes,* de Pierre George (Armand Colin, coll. « Actualités », 1986), *La question immigrée en France,* de Jacques Voisard et Christiane Ducastèle (Fondation Saint-Simon).

Habiter en France

Les années d'après-guerre ont connu une spectaculaire augmentation de la construction immobilière. Depuis quelques années, elle marque le pas, tandis que se transforme l'espace urbain. Les Français sont de plus en plus sédentaires, mais rêvent toujours de posséder une résidence secondaire. L'habitat se diversifie, mais est-ce sans risque ?

Après la Seconde Guerre mondiale, le paysage français, jusqu'alors essentiellement rural et agricole, s'est industrialisé et urbanisé. Ce phénomène a eu pour conséquence une transformation profonde des conditions de vie et de logement des Français.

De 1950 à 1968 se sont produits **d'importants flux migratoires en direction des grandes métropoles,** notamment Paris et sa périphérie, et des régions industrielles de l'Est. A cet exode massif de populations venues des zones rurales de l'Ouest et du Sud-Ouest, s'est ajoutée l'arrivée d'un million et demi de Français d'Algérie et celle de centaines de milliers de travailleurs immigrés. Il s'en est suivi, durant ces quelque vingt ans, une très forte croissance urbaine qui a modifié considérablement les habitudes des Français en matière de logement.

Construction immobilière : des hauts et des bas

Dès 1950, la construction immobilière **s'industrialise :** de « grands ensembles » sortent de terre dans la banlieue parisienne, près de Lyon et de Rouen.

Au début des années soixante est envisagée la création de cinq villes nouvelles dans la région parisienne [1]. Dans le même temps, de nombreux logements sont construits dans les agglomérations des grandes capitales régionales (Lille, Nancy, Grenoble, Marseille, Bordeaux...). De 210 000 logements neufs en 1955, on passe à 316 000 en 1960, 412 000 en 1965 et 456 000 en 1970. C'est de cette période que datent les **« banlieues-dortoirs »** uniformisées avec leurs tours de béton aux logements sans âme ni originalité.

A partir de 1970, des immeubles de taille plus modeste et de meilleure qualité succèdent aux grands ensembles, tandis que se développe la construction de **maisons individuelles** et de « villages pavillonnaires ».

Ce mouvement de croissance immobilière diversifiée va se poursuivre jusqu'à

(1) Ce sont aujourd'hui Cergy-Pontoise, Evry, Marne-la-Vallée, Melun-Sénart et Saint-Quentin-en-Yvelines.

l'aube des années quatre-vingts. Sous l'effet de la crise, il se ralentit alors très nettement, avec seulement 378 000 nouveaux logements en 1980 (contre 500 000 en 1975), 314 000 en 1983 et 295 000 en 1985.

Diversification de l'habitat et des espaces urbains

Ces deux tendances opposées – très forte augmentation de la construction jusqu'en 1975, baisse sensible depuis – s'accompagnent d'une différenciation de plus en plus marquée entre les locataires d'immeubles modestes (de type H.L.M. (2), par exemple) et les propriétaires d'appartements « de standing » ou de maisons individuelles. **50,7 % des ménages français sont actuellement propriétaires de leur résidence** (ils étaient 41,6 % il y a vingt ans).
Dans le même temps, le développement de l'habitat individuel se poursuit : il représentait 68 % de la construction en 1984, contre 48,4 % en 1962.
Le mode d'habitat des Français et le visage des villes ont été progressivement transformés par les différentes phases de l'urbanisation.

(2) Habitations à loyer modéré. Mille organismes gèrent 3 millions de logements locatifs de ce type, dans lesquels habitent 12,7 millions de personnes.

- **Le centre-ville**

De plus en plus consacré aux affaires et aux commerces, il conserve quelques quartiers « bourgeois » que côtoient des quartiers anciens, assez pauvres, dans lesquels vivent souvent des personnes âgées, des ménages à faibles ressources ou des chômeurs...

- **La banlieue**

D'anciens bourgs ou villages ont laissé la place aux grands ensembles anonymes de béton et de bitume où se retrouvent « petits » salariés, travailleurs immigrés et leurs familles, jeunes sans emploi, etc.

- **L'espace « péri-urbain »**

C'est celui que décrivait l'humoriste Alphonse Allais lorsqu'il imaginait l'installation des villes à la campagne. Aux concentrations verticales d'immeubles (les tours) succèdent désormais des concentrations horizontales de villages pavillonnaires et des groupes de maisons individuelles chères au cœur des Français.

Cette division en trois espaces géographiques, mais aussi sociaux, doit, à l'évidence, être relativisée. Au sein de chacun de ces espaces coexistent divers modes d'habitat, tout comme différentes catégories sociales.

Une population sédentaire

La « **mobilité résidentielle** » (c'est-à-dire les changements de logement), qui était en augmentation constante depuis le XIXe siècle, a commencé à diminuer à partir de 1975. Elle est actuellement d'environ **10 % par an,** un taux sensiblement inférieur à celui des États-Unis et du Canada (19 %), mais proche de l'Angleterre et du Japon (12 %).

Comme pour la chute de la construction immobilière, cette baisse de la mobilité est probablement due à la crise économique.

Les démographes distinguent deux types de mobilité : **la mobilité locale,** c'est-à-dire celle des personnes qui changent de logement, mais pas de région ; **l'attraction lointaine,** c'est-à-dire le changement de région. De 1975 à 1982, la mobilité locale a baissé de 2 % et l'attraction lointaine de 10 %. La première concerne plutôt les personnes âgées, et la seconde essentiellement les jeunes et les actifs.

Géographiquement, on constate une importante mobilité locale en Normandie, dans la moitié Nord du pays et dans la région Rhône-Alpes. A l'inverse, l'attraction lointaine est forte dans le Centre, la moitié Sud et le Sud-Ouest. L'Ile-de-France qui était, entre 1975 et 1982, la sixième région d'attraction est tombée au quinzième rang entre 1975 et 1982. Elle demeure cependant la région qui attire le plus la génération des 20-29 ans.

Ceux qui bougent

Lorsqu'ils déménagent, les Français le font pour trois raisons :

L'amélioration du logement

Le confort et l'équipement des logements se sont considérablement améliorés au cours des dernières années. 85 % des résidences principales possèdent désormais douche ou baignoire, 67,5 % ont le chauffage central et 90 % le téléphone [3].

---

(3) En 1985.

Elles comptent en moyenne près de 4 pièces contre 3 il y a vingt ans (l'I.N.S.E.E. considère qu'un logement « normalement peuplé » doit compter une pièce de plus qu'il y a d'occupants).

Les événements de la vie familiale

Mariage, divorce, naissance influent de manière importante sur la mobilité des Français : par exemple, un mariage sur deux et un divorce sur trois entraînent un déménagement.
Ces chiffres varient bien sûr selon les catégories socioprofessionnelles : ainsi les cadres supérieurs, déjà « grandement » logés, ne sont pas contraints de déménager « lorsque l'enfant paraît ». Toutes catégories confondues, on a observé que, sur une période de cinq ans, 50 % des ménages ayant eu un enfant avaient changé de logement. En moyenne, les familles les plus mobiles sont celles de deux enfants.

Les changements dans la vie professionnelle

Qu'il s'agisse de changements d'emploi ou d'employeur, ils impliquent dans 60 % des cas un déménagement. Cela est particulièrement vrai pour les jeunes actifs et pour les cadres supérieurs, alors que pour les employés ou les ouvriers, la mobilité résidentielle ne dépend que faiblement de la mobilité professionnelle.

Résidences secondaires : toujours plus

Sur les 25 millions de logements actuellement dénombrés en France, on compte 20 millions de résidences principales et **2,5 millions de résidences secondaires** (les 2,5 millions restant sont des logements vacants).
Achetée ou héritée mais toujours souhaitée, la résidence secondaire est l'endroit où l'on passe ses « week-ends » ou ses vacances. 80 % sont des maisons, le plus souvent avec jardin, 9 % des terrains avec « résidence mobile » (caravane ou « camping-car »).
La majorité (56 %) des résidences secondaires se trouvent à la campagne, 32 % à la mer et 9 % à la montagne. Leurs propriétaires sont surtout des cadres supérieurs et des membres des professions libérales.

Diversifier l'habitat : oui, mais...

Trois points caractérisent la situation actuelle de l'habitat :
1) la crise du logement, souvent observée et dénoncée, n'est qu'un des aspects de la crise économique que connaît la France depuis une douzaine d'années ;
2) la situation des ménages se diversifiant de plus en plus, il paraît indispensable de prévoir également une large diversification du parc immobilier, avec notamment différents types de localisation, de logement, de coût, etc. ;
3) cette différenciation de l'habitat, souhaitable si elle débouche sur un véritable brassage humain, peut cependant entraîner une séparation sinon une ségrégation entre générations, catégories sociales ou groupes ethniques. Le risque ne serait-il pas alors de voir se multiplier, après les quartiers pauvres de naguère, des quartiers minoritaires, avec leur cortège de marginalité, de délinquance et de violence ?

La passion automobile des Français

L'automobile fascine toujours. Lente à démarrer au début de ce siècle, elle a ensuite rapidement conquis tous les Français. Ils lui vouent une véritable passion, malgré son coût et ses dangers. C'est avec elle qu'ils entreront dans le XXIe siècle.

« Je crois que l'automobile est aujourd'hui l'équivalent assez exact des grandes cathédrales gothiques. Je veux dire une grande création d'époque, conçue passionnément par des artistes inconnus, consommée dans son image, sinon dans son usage, par un peuple entier qui s'approprie en elle un objet parfaitement magique [1]. » Cette « croyance » de Roland Barthes en l'automobile comme équivalent des grandes cathédrales, peut aujourd'hui paraître très excessive ; en revanche, on peut estimer qu'elle est encore, pour beaucoup de nos contemporains, un « objet parfaitement magique ». Cette magie, toutefois, n'est pas de l'ordre du mystère – la voiture est un objet ordinaire, connu, de sa conception initiale au produit fini – mais de l'ordre de la fascination. Hommes et femmes, jeunes et moins jeunes, à revenus élevés ou modestes, demeurent fascinés par cette « création », comme en témoigne le nombre toujours croissant de visiteurs qui se pressent à chaque Salon de l'auto [2].

Un lent démarrage

Pour Barthes, la voiture est le symbole même de la « promotion petite-bourgeoise ». De fait, jusqu'à la veille de la Seconde Guerre mondiale, elle reste l'apanage des milieux aisés, et « sa possession conserve une haute valeur de différenciation sociale » [3].

En 1895, dans une France qui est au premier rang des pays où cette invention a vu le jour, on dénombre 350 automobiles. Aux États-Unis, les premières voitures – une douzaine – sont construites en 1896. Le comte Albert de Dion, fondateur de l'Automobile Club de France, est alors le premier constructeur

(1) Roland Barthes, *Mythologies,* Le Seuil, 1957, 1970.
(2) Le premier Salon organisé à Paris, aux Tuileries, en 1898, a reçu 140 000 visiteurs. Celui de 1987, qui était le 73e, a accueilli 900 000 personnes.
(3) Paul Yonnet, dans *Le Débat,* n° 31, septembre 1984.

mondial de voitures à essence. Cependant, lorsqu'éclate le conflit de 1914, les États-Unis produisent déjà dix fois plus de véhicules que la France – pourtant toujours en tête en Europe – et comptent une voiture pour 77 habitants contre une pour 318 dans notre pays. En 1927, la population américaine est déjà très largement motorisée, avec une voiture pour 5,3 habitants, quand la France n'en possède qu'une pour 44. Le prix d'une automobile correspond alors à 400 journées de travail d'un ouvrier français, contre 25 d'un ouvrier américain.

Réalité incontestable aux États-Unis, dès les lendemains de la Première Guerre mondiale, la démocratisation de la voiture ne s'accomplira en France que beaucoup plus tard.

En 1949, 2 % seulement des acheteurs de voitures sont des ouvriers ; ils seront 7 % en 1955. A la même époque, il n'y a guère plus d'un ménage sur cinq qui possède une voiture ; on en compte aujourd'hui environ quatre sur cinq.

Une brusque accélération

Au cours des vingt dernières années, les taux d'équipement automobile des catégories socioprofessionnelles les plus modestes (salariés agricoles, ouvriers, employés) se sont très sensiblement rapprochés de ceux des couches plus aisées (cadres moyens, cadres supérieurs et professions libérales) : un peu moins de 90 % pour le premier groupe, un peu plus de 95 % pour le second. Ce processus de « banalisation du bien automobile »[4] s'est même étendu à la multi-possession (deux voitures ou plus par ménage) qui, pendant longtemps, était apparue comme l'un des critères les plus déterminants de la différenciation sociale. Depuis 1973, le taux de multi-équipement des ménages ouvriers a triplé et celui des agriculteurs et employés a doublé, augmentations très supérieures à celles observées chez les cadres et professions libérales. Ces derniers restent cependant les plus nombreux « multi-possesseurs », avec environ 50 % des ménages propriétaires de deux voitures.

Sur l'ensemble de la population, toutes catégories sociales confondues, on constate qu'il n'existe pour ainsi dire plus de ménages sans automobile, en dehors des personnes seules et des personnes âgées. Comme le notait récemment un chercheur de l'Institut national de la statistique et des études économiques (I.N.S.E.E.) : « Il est possible que la possession d'une automobile soit vécue comme une norme à laquelle on ne peut se soustraire sous peine de laisser paraître une situation de dénuement ressentie comme dévalorisante[5]. »

La « préférence automobile »

Outre la multi-possession, le choix du modèle automobile, sa marque, sa puissance constituent également des indices d'écart social. « Comme tous les biens de consommation, mais d'autant plus qu'il s'agit d'un bien durable et viable, de l'extérieur, l'automobile a, outre sa valeur d'usage, une valeur symbolique. Celle-ci intervient comme élément constitutif d'un style de vie lequel fonctionne comme signe d'occupation d'une position dans l'espace[6]. »

Au-delà des difficultés liées à la crise économique de ces dernières années (augmentation du prix de l'essence et des voitures, restriction du crédit,

(4) P. Yonnet, *art. cit.*
(5) Olivier Choquet, dans *Données sociales,* I.N.S.E.E., 1984.
(6) O. Choquet, *op. cit.*

Fou du volant

etc.)[7], on observe la « persistance d'une préférence automobile »[8], qui s'accompagne d'un processus d'« indifférenciation croissante du bien automobile »[9]. Dans la possession de l'automobile, comme dans celle d'autres « biens de consommation durables » (réfrigérateur, télévision, machine à laver...), l'écart social n'est pas aboli, mais il s'amenuise.

Ajoutés aux chocs pétroliers de 1973-1979 et à leurs conséquences, un certain nombre de facteurs paraissent devoir affaiblir l'automobile durant les années soixante-dix.

En premier lieu, elle est responsable de l'encombrement et de l'asphyxie progressive des agglomérations et des villes. Ensuite, coûtant de plus en plus cher à l'achat, et consommant un carburant qui atteint des chiffres record, elle est désormais au troisième rang des dépenses des Français et grève sérieusement leur budget.

Enfin, et surtout, avec l'accroissement de sa puissance et donc de sa vitesse, elle est la cause d'une mortalité que l'Organisation mondiale de la santé définissait en 1982 comme le « problème épidémique le plus grave des pays industrialisés », et l'historien Jean-Claude Chesnais, spécialiste de la violence, comme un véritable « holocauste »[10].

Insignifiante au début du siècle où elle ne représente que 0,30 % de la mortalité accidentelle, elle est multipliée par 80 à la fin des années soixante où elle avoisine un taux de 26 %. Dès lors, la mortalité par l'automobile se classe au troisième rang des causes de décès en France, après les maladies cardio-vasculaires et le cancer. Selon des statistiques de 1972, où l'on a enregistré le chiffre record de 17 000 morts, l'automobile tue – à distance égale – 44 fois plus que le train et 6 fois plus que l'avion. En 1985, 10 432 personnes ont été tuées et 269 697 blessées, soit – 10,7 % et – 5,3 % par rapport à 1984, ce qui, compte tenu de l'augmentation du trafic routier de 2 %, est considéré comme très encourageant... Pourtant, en dépit de la

---

(7) Entre 1973 et 1980, les prix du pétrole et donc de l'essence ont été multipliés par 15, après 40 hausses successives, et ceux des voitures ont doublé.
(8) P. Yonnet, *art. cit.*
(9) *Ibid.*
(10) J.-C. Chesnais, *Histoire de la violence*, Laffont, 1981 et « Les morts violentes en France depuis 1826 » dans *Cahiers de l'INED*, n° 75, P.U.F., 1976.

conjonction de ces différents facteurs et, à l'exception de l'année 1974 et du premier trimestre 1975 où les immatriculations de voitures connaissent des baisses spectaculaires, « se réinstaure une préférence automobile telle que la société française ne paraît jamais en avoir connue d'aussi violente » [11].
Les ventes reprennent au printemps 1975 et, un an plus tard, les niveaux exceptionnels de 1973 (150 000 véhicules par mois) sont atteints. Lorsque commence l'année 1977, les constructeurs français vendent en moyenne 170 000 voitures par mois. C'est aussi à cette époque qu'ils renouvellent profondément leur gamme [12]. Le taux d'équipement des ménages passe de 61 % en 1973 à 70 % en 1981, tandis que la multi-possession double (de 9 % à 18 %). De 1975 à 1977, le volume de l'industrie automobile croît trois fois plus vite que celui du Produit intérieur brut (P.I.B.).
L'attachement à la voiture ainsi manifesté par les Français s'apparente à une véritable passion, une passion de plus en plus exclusive, si l'on en croit les chiffres de la circulation automobile : des centaines de milliards de passagers au kilomètre par an contre des dizaines seulement pour le train ou l'avion. La différence entre celle-ci et ceux-là, surtout le chemin de fer, ne cesse de s'accroître : selon l'Observatoire économique et statistique des transports, le trafic routier devrait augmenter de 4,4 % pour l'ensemble de l'année 1986.

Un espace de liberté individuelle

Pourtant, chacun s'accorde à reconnaître que la voiture est moins rapide, moins confortable et plus dangereuse que le train ou l'avion. Mais ceux-ci sont des espaces de « contraintes collectives » [13] (lieux, heures de départ et d'arrivée, arrêts, déroulement du voyage, type de conduite ou de pilotage... sont imposés), alors que l'automobile est un espace de liberté individuelle. En voiture, les contraintes sont supprimées pour le conducteur et atténuées pour les passagers (ils peuvent discuter, voire décider avec celui qui les conduit). A la « révolution de la mobilité » qu'a constitué le chemin de fer, a succédé, en la transformant par l'« individualisation », l'« accès privé à la mobilité dans l'espace public » [14] que représente l'automobile. Ce phénomène participe pleinement du processus d'individualisation qui est en cours, depuis quelques années déjà, dans notre société et qui constitue un des traits marquants de ce qu'on appelle aujourd'hui la « modernité ».
Outre l'individualisation, le « fait » automobile revêt, à l'évidence, un caractère de masse : production et consommation de masse.
Cette double caractéristique peut sembler contradictoire, elle est en tout cas partie intégrante d'une société démocratique telle que la nôtre.
« La préférence automobile exprimée après-guerre, observe Paul Yonnet, traduit et signale la reprise du processus d'approfondissement démocratique, elle suppose la liquidation de pans entiers de la vieille société... (Elle) constitue l'arête centrale du passage de la France à la démocratie, sa manifestation positive – elle substitue l'individualisme de masse (...) à l'individualisme d'élite (passage de la mobilité de quelques-uns à la mobilité de tous)... [15] »

---

(11) P. Yonnet, *op. cit.*
(12) Apparaissent notamment la Renault 30, la 604 Peugeot, la Citroën CX, la 1307 Talbot.
(13) P. Yonnet, *op. cit.*
(14) *Ibid.*
(15) *Art. cit.*

La voiture du XXIe siècle

Dans un rapport sur « La prospective de la consommation d'énergie », un groupe de travail pour le Huitième Plan (1981-1985), ayant pris acte de l'attachement (passion ?) des Français à l'automobile, suggérait « une politique plus rigoureuse au niveau de l'usage ». En d'autres termes, cela signifiait : permettre l'achat de voitures en abaissant leur prix, tout en limitant leur usage par des augmentations du prix de l'essence. Cette suggestion pour le moins paradoxale, prenait certes en compte la « préférence automobile » de nos compatriotes, mais ignorait la question fondamentale de l'avenir de notre « société automobile ». Celle-ci saura-t-elle réguler le flot toujours croissant de ses véhicules ou périra-t-elle asphyxiée dans un terrifiant cauchemar motorisé ?
La réponse à cette question réside sans doute dans les recherches en cours sur les « systèmes de communication multiples ». Ceux-ci devraient pouvoir indiquer aux automobilistes les itinéraires à emprunter en cas d'embouteillage ou d'accident, leur transmettre des informations sur la météo et l'état des routes, leur permettre de communiquer avec d'autres véhicules...
Avec l'électronique pour l'équipement et l'assistance à la conduite, c'est la voiture du XXIe siècle qui s'inscrit dans les programmes des ordinateurs des grands constructeurs mondiaux. PROMETHEUS [16] est le nom du plus ambitieux de ces programmes.

(16) Program for a European Traffic with Highest Efficiency and Unprecedented Safety.

AUTOMOBILE ET CATÉGORIE SOCIOPROFESSIONNELLE (C.S.P.)

- L'équipement des agriculteurs, des patrons, des cadres supérieurs et des professions libérales approche de la saturation (plus de 90 %), alors que les personnels de service (61,3 %) et surtout les inactifs (46,7 %) subissent l'incidence des conditions de revenus et de l'âge.

- De 1965 à 1984, la progression de la motorisation s'avère la plus sensible pour les représentants des professions agricoles et pour les ouvriers.

Taux d'équipement par C.S.P. (%) [19]

	déc. 1984
Agriculteurs	91,5
Salariés agricoles	72,9
Patrons ind. et comm.	94,5
Cadres sup. et prof. lib.	94,0
Cadres moyens	89,6
Employés	81,2
Ouvriers	84,7
Personnels de service	61,3
Autres actifs	93,6
Inactifs	46,7
Ensemble	73,1

AUTOMOBILE ET GÉOGRAPHIE

- La région parisienne (65 %) et le Nord (69,8 %) souffrent de la plus forte concentration urbaine ; si la première a enregistré récemment un ralentissement de l'expansion de son taux de motorisation, la seconde, à l'inverse, grâce à l'élévation du niveau de vie, se rapproche de la moyenne nationale (73,1 %).

- En tête en 1965, le Sud-Ouest (74 %) est maintenant dépassé par le Bassin parisien (76.4 %), l'Ouest (77,4 %) et le Centre (78,7 %), mais devance toujours l'Est (72,1 %).

- Le taux d'équipement de la Méditerranée (69,3 %) se révèle, comme il y a dix-neuf ans, inférieur au pourcentage national (73,1 %). L'Est, de son côté, fluctue, selon les années, autour de la moyenne nationale.

Taux d'équipement par région (%) [20]

	déc. 1984
Région parisienne [17]	65,0
Bassin parisien [18]	76,4
Nord	69,8
Est	72,1
Ouest	77,4
Sud-Ouest	74,0
Centre-Est	78,7
Méditerranée	69,2
Ensemble	73,1

(17) Paris et ses sept départements périphériques.
(18) Espace géographique limité par la Picardie au nord, la Champagne à l'est, le Berry au sud, la Normandie à l'ouest.
(19) (20) (21) D'après la Chambre syndicale des constructeurs d'automobiles.
(22) D'après *Le journal de l'automobile,* 1986.

30 ANS D'AUTOMOBILE EN QUELQUES CHIFFRES [21]

	1956	1966	1976	1985
Parc des véhicules (particuliers et utilitaires)	3 750 000	9 010 000	16 250 000	20 800 000
Taux d'équipement des ménages	25 %	47,5 %	64 %	73,5 %
Production de véhicules particuliers	650 000	1 800 000	3 000 000	2 600 000
(en % de la production mondiale)	7,2 %	9,7 %	10,1 %	8,1 %
Immatriculation de véhicules particuliers	504 000	1 057 000	1 860 000	1 770 000
Effectifs	125 000	172 400	265 100	198 300
Volume des exportations de véhicules particuliers	162 000	697 000	1 500 000	1 530 000
(en % de la production)	24,9 %	39 %	50 %	58 %
Taux de pénétration des marques étrangères	6,2 %	14,6 %	20,3 %	36,5 %
Nombre de véhicules particuliers produits par personne employée	5,2	10,4	11,3	13,1
Résultats nets des grands constructeurs (en millions de francs) :				
Citroën (autos)	– 8,28	22,2	298	– 155
Peugeot	23,9	48,3	529,9	590
Renault	26,8	27,8	610,74	– 11 241

LES MEILLEURES VENTES DE VOITURES EN FRANCE (1985) [22]

1. Peugeot 205 (12,8 % du marché)
2. Renault 5 (10,8 %)
3. Citroën BX (6,9 %)
4. Renault 11 (6,6 %)
5. Renault 25 (4,7 %)
6. Peugeot 305 (3,2 %)
7. Citroën Visa (2,8 %)
8. Ford Fiesta (2,6 %)
9. Renault 9 (2,5 %)
10. Opel Corsa (2,5 %)

- **« Un jour, je me suis trouvé possesseur d'une 6 CV Renault... »**
(Extrait de *Les grandes largeurs,* Henri Calet, Gallimard, 1951)

« ... Un jour, je me suis trouvé possesseur d'une 6 CV Renault, du type "tous temps". Expliquons-nous : c'était un modèle hors série, très perfectionné, d'une conception audacieuse. Grâce à un ingénieux système de glaces mobiles et de boulons, vous aviez une voiture découverte à la bonne saison et une conduite intérieure pour les grands froids. En somme, deux voitures dans une. Trois personnes, en se serrant, y tenaient "en trèfle" – encore un de ces raffinements dont on ne saurait se faire une idée aujourd'hui. Je me suis vite complu à ses formes originales, changeantes, et déjà un peu hors de mode : haute sur roues, comme montée en graine ; elle tenait encore de la victoria et du coupé. Sa couleur réséda n'était pas du tout banale. Quant au moteur à deux cylindres, il n'était pas trop usé.
On me l'a livrée à ma porte. J'ai tenu à en faire l'essai sur-le-champ et j'ai invité mon père à cette petite fête. Elle a démarré brusquement, un peu contre mon gré ; j'avais dû heurter une manette. Le vendeur m'avait prévenu : elle était nerveuse. Nous roulions de plus en plus vite car la rue Serpollet est en pente. Je me suis rendu compte que j'avais oublié tout ce que l'on m'avait enseigné à l'école des chauffeurs. Certes, j'avais mon permis en poche, mais il me manquait sûrement de la pratique. Arrivé au bas de la descente, je ne me rappelais toujours pas ce qu'il convenait de faire pour arrêter ce véhicule. Mon père avait l'air anormalement nerveux. Par bonheur, je savais très bien tourner ; c'est ce que j'ai fait, à plusieurs reprises, sur la place, tout autour du monument sculpté à la mémoire de Serpollet l'inventeur, comme on sait, de la voiture à vapeur. J'ai su attendre l'instant où elle s'est immobilisée d'elle-même, tout près de l'entrée d'un garage. Il est possible que les spectateurs de cette ronde involontaire l'aient prise pour une manière d'hommage tardif rendu par l'apprenti au pionnier.
Après ces débuts, j'ai causé une suite d'accidents, plus ou moins notables. Mais, fort heureusement, c'était, ainsi que me l'avait affirmé le vendeur, "de la petite voiture solide". J'ai réussi à la casser quand même, assez rapidement. »

Le sport en forme

Le sport, individuel ou collectif, tient une place de plus en plus grande dans la vie des Français. Pratiqué comme loisir ou en compétition, il est aussi spectacle et enjeu politico-économique. Le sport comme reflet de notre société ?

Prenant acte du « goût démesuré de nos compatriotes pour les spectacles sportifs », en particulier ceux retransmis par la télévision (50 % des téléspectateurs français ont regardé la demi-finale de la Coupe du monde de football France-Allemagne, en juin 1986), Alain Ehrenberg, sociologue du sport, se demande « si on peut mettre au jour des caractéristiques génériques qui rendent compte de l'immense prégnance des sports dans la vie quotidienne »[1].

La pratique sportive

Les sports des Français – du moins ceux qu'ils pratiquent – sont connus grâce aux données publiées en 1981 (ce sont, à ce jour, les plus récentes) par le ministère de la Culture[2]. Selon ces données, 45,9 % de nos compatriotes déclaraient avoir pratiqué un sport durant les douze mois précédant l'enquête, 26,1 % l'avoir fait régulièrement et 16 % être licenciés dans une fédération[3]. Parmi les activités pratiquées, on constatait une nette progression de celles du type « éducation physique, gymnastique, *jogging...* ». Cinq ans plus tard, on peut affirmer sans risque d'erreurs qu'elles ont fait de plus en plus d'adeptes, notamment parmi les femmes, alors que certains sports comme le tennis ou le football restent surtout pratiqués par les hommes.

D'autre part, on est généralement plus sportif (*jogging* et tennis) dans les grandes agglomérations que dans les communes rurales ; en revanche, on joue à peu près autant au football à la campagne qu'à la ville. **Le football est le premier sport collectif en France,** avec près de 2 millions de licenciés, tandis que **le tennis est de loin le sport individuel le plus prisé** (environ 1,2 million de licenciés).

Quant au *jogging* – qui ne nécessite ni possession d'une licence ni appartenance à un club – une enquête S.O.F.R.E.S. de 1980 estimait le nombre de

(1) Dans *Le Débat,* n° 40, mai-septembre 1986.
(2) Enquête sur « les pratiques culturelles des Français ». Cf. tableau p. 193.
(3) Titulaires d'une licence permettant de pratiquer un sport. Ils étaient 20 % en 1985.

ses pratiquants à 2 millions et demi, chiffre certainement très supérieur aujourd'hui. Outre les différences de taux de pratique dues au sexe, à l'âge, au lieu d'habitation, on observe également **d'importantes variations selon les catégories socioprofessionnelles** (C.S.P.). Ainsi, les professions libérales, les cadres supérieurs et cadres moyens pratiquent davantage les sports individuels (le tennis notamment qui, avant sa récente « démocratisation », fut longtemps l'apanage des milieux aisés) que les autres C.S.P., avec toutefois une réduction de l'écart si l'on introduit le critère de régularité.

Les sports collectifs se répartissent à peu près également entre cadres supérieurs, membres des professions libérales et ouvriers, mais, parmi ces derniers, le nombre de pratiquants avait nettement augmenté entre 1973 et 1981. Les ouvriers exercent leur activité sportive essentiellement dans le cadre des Fédérations et des clubs.

Enfin, la pratique du *jogging* (et autres activités du type *aérobic, body building, stretching...)* progresse sensiblement dans l'ensemble des C.S.P.

Un phénomène social

Au vu de ces quelques données, il apparaît évident que « l'immense prégnance des sports », évoquée par A. Ehrenberg, ne s'applique pas seulement à la pratique sportive des Français, mais à la place que tient globalement le sport dans la société française. Il existe deux thèses classiques sur le sport, conçu soit comme « opium du peuple », soit comme « religion sécularisée ». On peut y ajouter celle qui le considère comme une des seules forces (la seule ?) susceptible de mobiliser toute une nation, tout un peuple, ainsi qu'on l'a vu notamment au Mexique, à l'occasion du dernier « Mundial ». « En matière de mobilisation, rien n'est au-dessus du sport » note A. Ehrenberg [(4)]. Mobilisation ici ne signifie pas guerre, mais plutôt communion dans un rituel qui donne accès à un certain sens du sacré, à une « sacralité laïque » [(5)]. Ce sens du sacré serait celui d'une société qui « se réunit... se reconnaît et se célèbre » [(6)] dans le sport. Le spectacle sportif, observe pour sa part le philosophe Michel Serres, est « une de nos ultimes manières d'être ensemble » [(7)]. Il y aurait ainsi dans le sport **un lien social très fort** qui, pour les membres d'une société morcelée, atomisée (ce qu'est la société française, si l'on en croit les travaux de sociologues comme Bernard Cathelat), correspondrait à la nostalgie d'une communauté perdue.

Autre analyse : celle de Pierre Bourdieu qui pose l'axiome selon lequel il existe « un système des pratiques et des spectacles sportifs » [(8)]. Le spectateur, d'origine populaire, serait réduit au rôle de « supporter », il serait voué à une « participation passionnée, mais passive et fictive qui n'est que la compensation illusoire de la dépossession au profit des experts ». En d'autres termes, il serait dépossédé de sa pratique, comme le travailleur l'est du fruit de son travail. Manifestation d'une nostalgie communautaire ou aliénation sauvage ? Le sport est sans doute un peu l'un et l'autre, mais aussi – comme on l'a souvent dit – une « école de la vie », c'est-à-dire une participation au jeu social.

---

(4) *Le Débat, op. cit.*
(5) Marc Augé, dans *Le Débat*, n° 19, février 1982.
(6) Ch. Pociello, *Sports et sociétés. Approche socioculturelle des pratiques*, Vigot, 1981.
(7) « Le culte du ballon ovale » dans *Le Monde*, 4-5 mars 1979.
(8) *La Distinction*, Éd. de Minuit, 1982.

Bien entendu, il faut distinguer le sport de loisir, ou de détente, et le sport de compétition, ou de haut niveau. A l'« amateurisme » du premier s'oppose le « professionnalisme » du second (même si, dans certains sports, la frontière entre les deux est souvent ténue). Le sport professionnel n'est plus seulement activité sportive ; l'amplification médiatique aidant, il est devenu spectacle, et donc enjeu économique (financier, publicitaire...) et politique (jeux olympiques, coupes du monde de football...). Sa « médiatisation » générale en fait de surcroît un mode de communication collective jusqu'alors inconnu.
Reflet d'une société de spectacle, de consommation et de communication, le sport est donc bien ce miroir qui nous renvoie une certaine image de ce que nous sommes.

LES PRATIQUES SPORTIVES DES FRANÇAIS *
(chiffres de 1981)

	I Éducation physique jogging, footing		II Sports individuels		III Sports d'équipe		Ensemble				
	Total	Dont régulièrement	**Total**	Dont régulièrement	**Total**	Dont régulièrement	**Total**	Régulièrement	De temps en temps	En vacances	N'ont pas pratiqué
Sexe											
Hommes	**37,8**	18,2	**38,4**	16,8	**23,6**	12,7	**52,2**	31	18,8	2,4	
						47,7					
Femmes	**32**	16,5	**26**	9,3	**8,5**	2,6	**39,9**	21,4	15,8	2,7	60,1
Age											
15-19 ans	**75,6**	48	**56,2**	28	**53,3**	33,4	**86**	62	22,1	1,9	14
20-24 ans	**52,6**	20,3	**54,1**	22,9	**27,5**	14,2	**67,2**	36,8	29,2	1,2	32,8
25-39 ans	**40,1**	16,7	**44,8**	17,8	**18,5**	7,1	**58,8**	30,3	24,9	3,6	41,2
40-59 ans	**26,1**	13,5	**27,2**	7,9	**7,4**	2,3	**35,1**	18,5	13,4	3,3	64,9
60 ans et plus	**13,2**	10,9	**5,8**	2,1	**1,4**	0,3	**16,3**	9,8	5,2	1,3	83,7
Taille de l'agglomération											
Communes rurales	**23,6**	11,2	**18,1**	6,5	**10,9**	5,7	**29,8**	15,9	12	1,8	70,2
– de 20 000	**28,7**	16,2	**25,2**	11,5	**12,1**	7,3	**39,8**	24,4	12,1	3,3	60,2
de 20 000 à 100 000	**37,2**	17,9	**30,3**	13,3	**16**	7,5	**45**	25,3	17,5	2,1	55
+ de 100 000	**41,3**	18,9	**40,2**	14,6	**20,7**	9,2	**55,1**	29,7	22,3	3	44,9
Agglomération parisienne	**46,1**	25,4	**48,5**	21,9	**18,9**	7,7	**63,2**	38,7	21,7	2,8	36,8
Ensemble	**34,8**	17,3	**31,9**	12,9	**15,8**	7,5	**45,9**	26,1	17,3	2,6	54,1
Rappel 1973											
Hommes	*20,8*	*12,8*	*30,2*	*11,8*	*19*	*11,1*	*41,1*	*22*	*15,2*	*4*	*58,9*
Femmes	*16,6*	*10*	*21,1*	*6,4*	*5,6*	*2,6*	*28*	*13,5*	*10*	*4,5*	*72*
Ensemble	*18,6*	*11,4*	*25,5*	*9*	*12*	*6,7*	*34,3*	*17,6*	*12,5*	*4,3*	*65,7*

* *Établies par le ministère de la Culture d'après les réponses de 100 personnes de chaque groupe que l'on interrogeait sur leur pratique d'un sport au cours des douze derniers mois.*

Fous de foot, les Français ?

Le football est un rituel dans lequel s'expriment ferveur « religieuse » et passion nationale. Il est aussi spectacle et, parfois, « drogue collective » qui peut conduire à la violence. En France, comme dans presque tous les pays, il est peut-être le plus grand des « arts populaires ».

« S'ils faisaient profession d'ethnologie, les Hurons ou les Persans du XXe siècle (...) seraient, à peine débarqués, sensibles à la régularité et à l'intensité des mouvements de foule qui se produisent le mercredi soir ou le dimanche après-midi en France. Ils (...) découvriraient avec intérêt que le drame célébré en un lieu central par vingt-trois officiants et quelques comparses devant une foule de fidèles d'importance variable mais pouvant atteindre cinquante mille individus est suivi avec la même foi à domicile par des millions de pratiquants si au fait de détails de la liturgie que, sans apparemment s'être donné le mot, ils se lèvent, s'exclament, rugissent ou se rassoient au même rythme que la foule rassemblée » [(1)].

On aura reconnu, dans l'évocation par Marc Augé de ce « drame célébré devant une foule de fidèles et suivi à domicile par des millions de pratiquants », **le grand rituel du football**. Le Mexique se souvient encore des clameurs des 2,4 millions de spectateurs qui ont suivi avec passion les matchs du « Mundial », tandis que 2 milliards de téléspectateurs vibraient devant leurs écrans aux exploits des Maradona, Platini et autres Schumacher.

Ferveur religieuse et nationale

Rituel, liturgie, célébration... à l'évidence, certains considèrent le football comme une cérémonie religieuse [(2)]. Mais il est aussi **expression de la passion nationale,** sinon du nationalisme ou, hélas, du chauvinisme. « De tout temps, écrit le journaliste sportif Jérôme Bureau, la Coupe du monde de football a porté témoignage de son temps et de la société des hommes. Tous les soubresauts du XXe siècle l'ont touchée. Tous les régimes politiques s'y sont intéressés. Douze Coupes du monde ont eu lieu depuis 1930. Toutes, sans exception, ont porté en elles les vices et les vertus, les espoirs et les craintes des peuples et de leur époque » [(3)].

Autre témoignage : celui de Carlos Monsivais, romancier mexicain à succès, qui affirme : « depuis des années, les Mexicains, toutes catégories sociales confondues, sont à la recherche de points communs, de points de fusion. Ils en ont enfin trouvé un : leur équipe de foot. Oui, le foot est apparu comme notre seule réponse unificatrice »[4]. En France, la passion nationale peut sembler moins intense, même si les drapeaux tricolores ont fleuri, en juin 1986, autour de l'Arc de Triomphe le soir de la victoire de l'équipe de France sur celle du Brésil. Mais que l'on se souvienne des commentaires du match France-Allemagne, lors de la Coupe du monde de 1982[5] ; le vocabulaire militaire, la métaphore guerrière, le style épique ont couru sous la plume de journalistes sportifs transformés pour la circonstance en correspondants de guerre[6]. La conscience nationale ne se manifeste plus guère en France, sauf justement à l'occasion des grands événements sportifs. Il y a « déplacement du sentiment national qui ne s'exprime plus que pour les victoires, ou les défaites « glorieuses », de nos sportifs, désormais seules vraies « occasions de grandes vibrations collectives »[7].

---

(1) Marc Augé, « Football. De l'histoire sociale à l'anthropologie religieuse », dans *Le Débat,* n° 19, février 1982.
(2) Cf. le texte de Franck Venaille, p. 152.
(3) J. Bureau, « La coupe est pleine » dans « Une passion planétaire, l'amour foot », *Autrement* n° 80, mai 1986.
(4) Propos rapportés par Maurice Szafran dans *L'Événement du jeudi* (3 au 9 juillet 1986).
(5) Cf. le texte de Patrick Démerin, p. 151.
(6) Cf. « Jalons pour une idéologie française » d'Alain Kimmel et Jacques Poujol, dans *Le français dans le monde* n° 180, octobre 1983.
(7) Frédéric Gaussen, dans *Le Monde Dimanche* (10 janvier 1982).

A la veille de la dernière demi-finale France-Allemagne, le journaliste Dominique Jamet démontrait que, contrairement au vieil adage, les Français n'avaient pas la « mémoire courte », en écrivant : « qu'on le veuille ou non, les fantômes d'un passé que les siècles mêmes n'ont pas exorcisé flottent comme des ombres au-dessus des stades où la passion agite les couleurs nationales et ressuscite les vieux ressentiments (...) A Platini d'incarner la *furia francese,* à Bats de tenir comme à Verdun. « On les aura », sauf si Schumacher nous surprend comme à Waterloo » [8].

Le football est enfin un spectacle dramatique [9], une représentation théâtrale, un « mystère » (au sens médiéval du mot), mais un mystère intelligible. Dans son éditorial du passionnant numéro spécial de la revue *Autrement,* intitulé joliment « L'amour foot » [10], J. Bureau observe : « Le football, plus que tous les autres sports, plus que tous les autres jeux, est naturellement intelligible. Sans que personne ne puisse élucider le mystère de cette intelligibilité ». C'est sans doute pour cela que « le foot » est **une « passion planétaire »** pour laquelle vibrent, s'enthousiasment, s'enflamment les jeunes et les moins jeunes d'Europe, d'Amérique latine et maintenant d'Afrique, d'Asie et d'Amérique du Nord (Algériens, Marocains, Coréens du Sud et Canadiens ont fort honorablement « rempli leur contrat » au Mexique).

Les « millions » du football

En France, à la suite de « l'épopée » des « verts » [11] de Saint-Étienne en coupe d'Europe des clubs champions, des « bleus » [12] demi-finalistes de la Coupe du monde 1982, champions d'Europe et champions olympiques en 1984, le football a véritablement explosé. **Deux millions de licenciés,** une «École normale » pour les joueurs de football avec l'Institut national du football (I.N.F.) de Vichy, des centres de formation dans les clubs, des sections « Sports-études », option football, dans les lycées, un Certificat d'aptitude professionnel (C.A.P.) aux « métiers du football »... Sur le plan professionnel, six cent cinquante joueurs recensés par leur syndicat, l'Union nationale des footballeurs professionnels (U.N.F.P.), touchent un salaire mensuel moyen de 20 000 F [13] et une « retraite de 150 000 à 200 000 F par an, après une dizaine d'années de « carrière ». Pour faire face à la précarité de leur situation, les joueurs s'efforcent de s'organiser au mieux de leurs intérêts : l'un d'eux, joueur de Marseille, a récemment créé un cabinet de conseils juridiques et financiers. Les plus renommés ont – comme les acteurs ou les chanteurs – un imprésario qui « gère » leur carrière. Ils peuvent ainsi être « achetés » par les clubs les plus riches (celui de Bordeaux aurait investi 60 millions de francs) qui ont désormais à leur tête des hommes d'affaires français parmi les plus « performants » : Jean-Luc Lagardère, P.-D.G. de la Société Matra et du groupe Hachette, est devenu président du Racing Club de Paris ; Bernard Tapie, autre *manager* de choc dont « l'empire industriel » comprend une

(8) D. Jamet, « A la paix comme à la guerre » dans *Le Quotidien de Paris* (23 juin 1986).
(9) Cf. le texte de P. Démerin.
(10) *Op. cit.* cf. note (3).
(11) De la couleur des maillots de cette équipe qui fut plusieurs fois championne de France et qui demeure chère au cœur des Français.
(12) De la couleur des maillots de l'équipe de France.
(13) Le salaire du joueur français Luis Fernandez, transféré du Paris-Saint-Germain au Racing Club de Paris, s'élèverait à 700 000 F par mois !

quarantaine d'entreprises, a acquis en 1986 l'Olympique de Marseille qu'il a confié, pour la direction sportive, à l'ancien entraîneur-sélectionneur de l'équipe de France, Michel Hidalgo.
Outre l'argent apporté par les présidents-*businessmen*, les clubs reçoivent des subventions municipales (87,6 millions en 1985-1986, dont 17 pour Monaco et 10 pour Nice) et des sommes versées par des *sponsors* (31,6 millions pour la même période, les généreux mécènes ayant pour nom Europe 1, R.T.L., Opel, Peugeot, etc.).

Fait social et art populaire

Rituel, spectacle, catalyseur de la conscience nationale, pratique de masse, réalité économique, le football est aussi, selon l'anthropologue Desmond Morris, une « drogue collective », parfois génératrice de violence (celle des *hooligans* anglais et des *tifosi* italiens, culminant dans le drame du stade de Heysel, à Bruxelles en 1983, qui fit trente-neuf morts).
Il constitue donc bien un « fait social total » (M. Augé) [(14)] et, peut-être, comme l'affirme l'historien Philippe Robrieux, « le plus grand des arts populaires » [(15)].

(14) M. Augé, *Le Débat, op. cit.*
(15) Ph. Robrieux, *Autrement, op. cit.*

- ***Le football comme représentation théâtrale***

(Extrait de *Passion d'Allemagne*, Patrick Démerin, Éd. Autrement, 1986.)

> *... Comme à Mexico 70, comme à Marseille 84, comme au Heysel 85, Séville 82 échappait au football. Le « temps réglementaire » ne comptait plus, la nuit des prolongations ajoutait au tragique théâtral, la haine était présente au moins depuis l'intervention de Schumacher sur Battiston, les fabuleux rebondissements de la rencontre lui conféraient un suspense digne des plus grands films noirs. Le spectacle n'était plus un jeu, le petit homme en noir n'était qu'un régisseur de plateau, enfermé dans la nuit des coulisses andalouses ; depuis longtemps il ne tenait plus en ses mains que les règles les plus insignes. Deux camps s'affrontaient comme des armées shakespeariennes : si, hormis l'incident précité, la correction, grosso modo, prévalut sur l'ensemble du match, c'est que les 26 joueurs qui le disputèrent étaient des chevaliers, chacun reconnaissable à son panache propre. Tigana s'échappant et dribblant, Bossis et Trésor couvrant tout le terrain, Amoros, petit Perceval de légende ibérique, Platini, chef de guerre, Hrubesch, l'extra-terrestre, Rummenigge, deus ex-machina, Schumacher, effigie teutonique.*
>
> *A Séville, le football atteignit au grandiose. Les footballeurs étaient des aventuriers qui s'enfonçaient dans la nuit noire jusqu'à la limite de leurs forces, jusqu'au surhumain. A 1-1, il leur fallait forcer le sort, et gagner à tout prix, et la rage et la hargne se changèrent en folie. Dans les jambes des joueurs, dans les têtes des spectateurs. Corps au bout de l'effort, simplement ; Battiston évacué qu'on crut mort, Rummenigge se jetant tout entier pour inscrire son but, le retourné abracadabrant de Fischer quatre minutes plus tard, Janvion boitant en fin de match et se livrant quand même, Ettori*

se surpassant enfin comme s'il savait que ce match serait son dernier sous les triples couleurs. Et les pleurs de Stielike, de Six. Le football de Séville fut une tragédie antique, sans toges et sans cothurnes. En cinq actes. Et comme dans les grandes tragédies, ce fut la Destinée qui eut le dernier mot...

• *Le football comme cérémonie religieuse*

(Par l'auteur de *La tentation de la sainteté*. Frank Venaille, Ed. Flammarion, coll. Textes)

... Ma passion pour le football (...) prend corps et s'exprime essentiellement dans les stades. Je les fréquente depuis toujours. Je pourrais vous parler de dizaines d'entre eux. Là, derrière les buts, (...) j'ai vu des centaines de matches. Là, j'ai eu peur. Je me suis tu et réjoui. J'ai crié. Il m'est arrivé d'insulter des arbitres. Toute passion ronge de l'intérieur.

(...) A Londres (ô ces lieux de recueillement rare, d'où s'élèvent hymnes et cantiques !), à Bruxelles, Amsterdam, à Milan et à Rome ; tout comme à Valenciennes, Lens, Nœux-les-Mines et à Saint-Ouen, j'ai participé à des cérémonies tantôt païennes, tantôt religieuses, dont je ne suis jamais sorti indemne. Le football m'a usé, disais-je. Il me semble qu'en même temps il m'a vivifié. Pour lui, j'aurais pu me battre. Dans chacun des stades que j'ai fréquentés, j'ai balbutié d'étranges et bien naïves prières, des vœux, des menaces aussi. J'y ai ri. Il m'est arrivé d'y pleurer.

(...) Je ne prie plus. Je crois pouvoir me permettre d'écrire que je hais les prêtres. Mais je possède encore en moi la conviction profonde – divine peut-être – que cette démarche, cette ritualisation, peuvent, malgré tout, aider à renverser le sort du combat à venir.

(...) Ma passion perdue. Je lui parle et « tiens auberge avec elle ». Nous cheminons ensemble vers ce lieu du dedans, là-bas, le stade, là-bas, regardez, déjà les lumières des pylônes s'allument.

La mode dans le miroir

Née au XIXe siècle, la mode s'est très rapidement développée. Elle a pris une grande importance culturelle et économique puis elle s'est internationalisée et démocratisée. Avant de s'adapter à l'individualisme de la société actuelle. Qu'en sera-t-il demain ?

Phénomène majeur de notre temps, la mode s'articule sur deux axes principaux : une création de luxe et sur mesure, la haute couture, et une production de masse, bon marché, la confection industrielle. Celle-ci imite plus ou moins les modèles « griffés » de la haute couture.

La mode est un système différencié (par ses techniques, ses prix, ses finalités, ses publics...) qui correspond à une société où coexistent des hommes et des femmes aux styles et aux comportements les plus divers.

En dépit des développements relativement récents et importants de la mode masculine, la mode demeure un phénomène essentiellement féminin. Rien de vraiment comparable pour les hommes à la haute couture, avec ses « maisons » prestigieuses, ses défilés saisonniers, ses mannequins vedettes et, bien sûr, ses « grands couturiers ». La mode féminine vise deux catégories de femmes bien distinctes, alors que son homologue masculine est plus égalitaire.

Naissance et développement de la haute-couture

Sous l'enseigne « *Robes et manteaux confectionnés, soieries, hautes nouveautés* », Charles-Frédéric Worth, un Britannique établi en France, crée la première maison de haute couture, à l'automne 1851, rue de la Paix à Paris. Les premiers mannequins, alors appelés « sosies », présentent aux clientes fortunées des modèles inédits qui seront ensuite exécutés à leur mesure.

L'élan est donné : des dizaines de maisons apparaissent au cours des décennies suivantes. A l'exposition universelle de 1900, elles sont vingt, auxquelles viennent s'ajouter Lanvin en 1909, Chanel et Patou en 1919. On en compte soixante-douze à l'exposition des Arts décoratifs de 1925. Elles emploient de cent à deux mille personnes, mais la taille de leurs effectifs ne saurait rendre compte du poids qu'elles représentent dans l'économie du pays. Grâce à cette industrie de luxe qu'est la haute couture, l'exportation de vêtements, dans les années vingt, occupe la deuxième place du commerce extérieur français. Les seules ventes de produits de haute couture représentaient 15 % de l'ensemble des exportations françaises [1].

(1) Actuellement, le chiffre est d'environ 0,15 % sur un total d'environ 2 % pour l'ensemble des articles d'habillement.

Les saisons de la mode

Dès l'origine, la haute couture se différencie de la mode « ordinaire » qu'elle régularise plus qu'elle ne lui donne de nouvelles impulsions. La mode, qui vit sur un rythme élevé, est très liée à l'actualité, d'où une indéniable spontanéité, voire un certain désordre.

La haute couture conduit et institutionnalise le renouvellement : les présentations sont d'abord bi-annuelles (fin janvier : collection d'hiver, début août : collection d'été), puis quadri-annuelles, avec les « demi-saisons » (avril : collection de printemps, et novembre : collection d'automne). Souvent, les collections de demi-saisons ne font qu'annoncer les caractéristiques des modes d'hiver et d'été. Une « normalisation du changement » a progressivement remplacé une « logique fortuite de l'innovation » (2).

Internationalisation et démocratisation de la mode

Si la mode a longtemps conservé des caractéristiques nationales, la haute couture puis la confection ont contribué à lui faire abandonner son « nationalisme », en lançant sur le marché des modèles originaux et des copies identiques pour tous les pays. « La mode moderne, fût-elle sous l'autorité luxueuse de la haute couture, apparaît ainsi comme la première manifestation d'une consommation de masse, homogène, standardisée, indifférente aux frontières » (3).

L'hégémonie de la haute couture parisienne a débouché sur une homogénéisation mondiale. Les costumes nationaux ou régionaux, les vêtements propres à telle ou telle couche sociale ont peu à peu disparu, au profit d'un habillement

(2) Gilles Lipovetsky, « La mode de cent ans » dans *Le Débat* n° 31, septembre 1984.
(3) *Ibid.*

confectionné industriellement, selon une standardisation de masse. La mode s'internationalise et se démocratise. Mais elle n'est pas synonyme d'uniformisation (ou « égalisation du paraître ») car des signes subtils de différenciation demeurent (coupes, griffes...) et continuent à « assurer les fonctions de distinction et d'excellence sociale »[4]. La distance sociale se réduit et de nouveaux critères apparaissent : la jeunesse, la liberté et l'épanouissement corporels, le confort, etc. Simplicité et individualité vont de pair, « ensemble ils désignent le passage de la mode d'un stade aristocratique où l'affirmation du rang est prépondérante au stade démocratique-individualiste où la reconnaissance sociale est tributaire de l'affirmation de la personnalité singulière »[5].
Ce dernier type de mode se caractérise par un style spécifique (« sportif », « jeune cadre dynamique », « bon chic, bon genre »...) qui ne remet pas en cause l'homogénéisation presque générale, mais qui institue la coexistence de styles différents sinon opposés. Cette démocratisation de la mode a eu pour corollaire le développement, puis la généralisation du « désir de mode ». Le goût de la nouveauté s'est répandu dans toutes les couches de la société, l'accès aux « frivolités » est devenue une aspiration égalitaire. Être « à la mode » est un nouvel impératif social, paraître « démodé » devient un « interdit de masse ». Le droit à la mode s'est mué en devoir de mode. Toutefois, au cours des années 1960 la mode, sous l'impulsion de créateurs dynamiques et originaux, est (re)devenue véritablement plurielle.

La mode et l'individualisme

La haute couture a individualisé la mode, mais elle l'a aussi « psychologisée » en créant des modèles correspondant à des types de personnalités, de caractère, d'affectivité. La mode peut être jeune, gaie, sportive, romantique, insolente, sophistiquée, décontractée... Reflet, naguère, des différences sociales, elle est aujourd'hui essentiellement l'expression de libertés individuelles. La haute couture elle-même est tributaire de ses choix personnels : elle « lance » une mode, mais ignore ce qu'elle deviendra en fin de compte, lorsque le public l'aura adoptée et adaptée à son goût. « Le couturier propose, la femme dispose », dit-on... Sans l'imposer, la haute couture programme la mode, la conçoit et, en offrant un large éventail de choix, prend en compte « les goûts et les couleurs » du public.
« Industrie dont la raison d'être est de créer de la nouveauté », selon le couturier Paul Poiret (1879-1944), la haute couture, comme le cinéma, est également un art, une permanente innovation esthétique. Sans nier son rôle dans la recherche de la « distinction sociale »[6] la haute couture semble actuellement surtout liée à l'idéologie individualiste qui affirme la primauté de l'individu sur la collectivité sociale.
Les progrès et les succès de la haute couture n'ont, à l'évidence, pas été sans répercussion économique, mais ils restent essentiellement dus à la liberté et à l'originalité des créateurs.
Si elle maintient la tradition artistocratique de la mode avec ses aspects luxueux, la haute couture s'oriente également vers une production diversifiée, conforme à l'individualisme de la société actuelle. N'est-ce qu'une étape ou bien la dernière phase de son évolution ?

---

(4) *Ibid.*
(5) *Ibid.*
(6) Cf. Pierre Bourdieu, *La Distinction*, Éd. de Minuit, 1979.

LA HAUTE COUTURE ET LE PRÊT-A-PORTER [7]

La haute couture se compose actuellement d'une vingtaine de maisons. Ces maisons sont des entreprises qui créent chaque saison des modèles originaux destinés à être reproduits aux mesures de leurs clientes. Pour bénéficier de cette appellation « haute couture », qui est juridiquement protégée, elles doivent remplir les critères suivants :

- employer au minimum vingt personnes à la production dans leurs propres ateliers ;
- présenter à la presse chaque saison de printemps-été et d'automne-hiver, une collection d'au moins soixante-quinze modèles (cette présentation doit se dérouler à Paris) ;
- présenter à la clientèle cette collection sur trois mannequins vivants et au minimum quarante-cinq fois par an.

Chaque année, la haute couture présente en janvier les collections printemps-été et en juillet les collections automne-hiver.

Les modèles présentés sont soit reproduits par l'entreprise elle-même aux mesures des clientes, soit vendus sous forme de patrons en papier ou de toiles à des acheteurs français et étrangers ayant un droit de reproduction.

La haute couture compte environ trois mille clientes particulières dans le monde, dont un très grand nombre de clientes étrangères.

Quant aux acheteurs, ils sont également étrangers dans leur grande majorité.

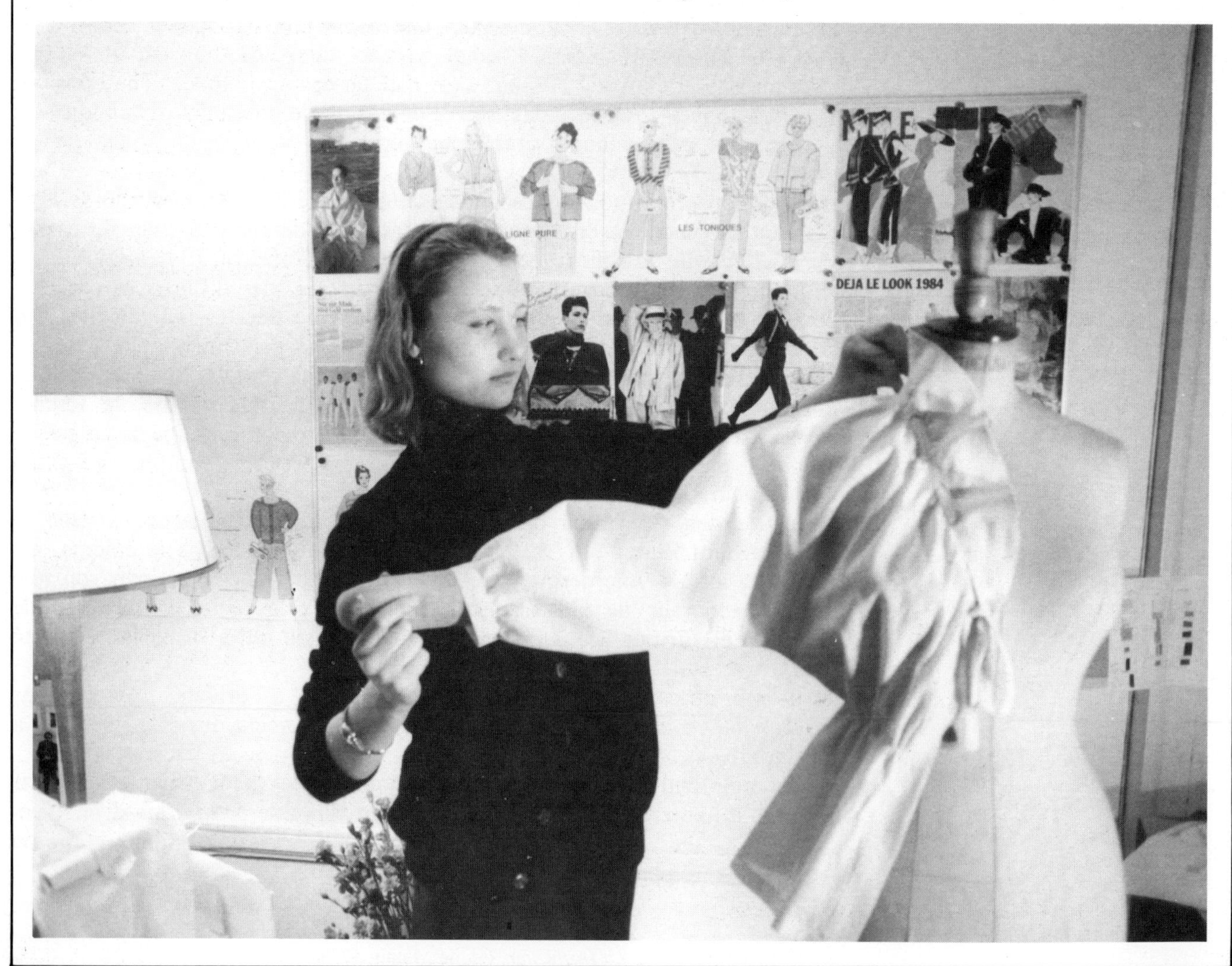

La haute couture constitue un laboratoire de recherches et un vecteur promotionnel exceptionnel, puisque, chaque saison, plus de deux cents pages rédactionnelles lui sont consacrées dans la presse du monde entier, ainsi que plusieurs émissions de télévision et que les collections attirent à Paris, à chaque présentation, sept cents journalistes français et étrangers.
Le phénomène de la haute couture est exceptionnel, non seulement du fait de la créativité et de la qualité de ses fabrications, mais également du fait des nombreux effets induits qu'elle génère. Elle est, en effet, le moteur de multiples activités, qu'il s'agisse du textile, du prêt-à-porter, de la fourrure, de la lingerie, des accessoires divers (joaillerie, maroquinerie, foulards...), de la parfumerie.
Ambassadrice d'une tradition française de qualité, elle renforce l'image de marque des produits français et favorise de ce fait l'exportation d'autres productions plus standardisées et plus mécanisées. Il n'est pas rare, en effet, que l'on fasse appel à la renommée internationale des griffes des couturiers pour « promotionner » des produits industriels sans rapport direct avec la mode. Conscients de l'importance de la haute couture au regard de leur image de marque, les couturiers ont su la maintenir à son meilleur niveau, tout en diversifiant leur activité afin de s'adapter à l'évolution du style de vie et à la modification de la structure de leur clientèle.
Ils ont tous, à l'heure actuelle, développé, parallèlement à cette activité, la création d'accessoires et un secteur « prêt-à-porter ».

Ils ont été rejoints par des créateurs de mode qui eux se consacrent exclusivement au prêt-à-porter, mais dont l'image de marque dans ce domaine s'apparente à celle des couturiers.
Les couturiers ou les créateurs soit fabriquent eux-mêmes leurs modèles de prêt-à-porter dans des ateliers ou des établissements leur appartenant, soit réalisent le prototype, mais en confient la reproduction à des façonniers auxquels ils fournissent la toile ou le patron ainsi que la matière première.
Dans ces deux cas, le couturier ou le créateur assure ensuite lui-même la distribution de ses produits par l'intermédiaire de boutiques exclusives gérées en direct, de boutiques en franchise, ou bien de détaillants ou dépositaires de la marque.

Ils peuvent aussi réaliser uniquement le prototype et confier entièrement la fabrication des modèles à des entreprises de confection avec lesquelles ils concluent un contrat de licence. Dans ce dernier cas, le couturier ou le créateur peut, soit assurer lui-même la diffusion des articles portant sa griffe par l'intermédiaire de ses propres services commerciaux, soit concéder également au fabricant la distribution du produit.

Le système du contrat de licence est très largement utilisé sur les marchés étrangers. Un des principaux soucis du concédant est d'être en mesure de contrôler l'utilisation de sa griffe, afin qu'il ne soit pas porté atteinte à son image de marque. C'est la raison pour laquelle ces contrats comportent en général des clauses relatives au maintien du prestige de la marque et au contrôle des articles fabriqués et des opérations promotionnelles les concernant.
Un des problèmes majeurs que rencontrent actuellement les couturiers et les créateurs de mode, en particulier à l'étranger, est la contrefaçon de leur marque. Si ce phénomène est, comme on le dit trop souvent, la rançon de la gloire, il n'en constitue pas moins une menace pour l'économie française dans la mesure où, d'une part, il freine nos exportations et nos rentrées de devises et où, d'autre part, il amène les entreprises à engager de gros frais pour la surveillance et la défense de leur marque dans le monde entier.
En outre, la qualité plus que souvent médiocre des produits sur lesquels sont apposées frauduleusement les marques, ternit la réputation du créateur et compromet l'introduction de ses produits sur certains marchés internationaux.
La haute couture et les activités qui en découlent constituent une réalité économique qui contribue notamment à l'équilibre de la balance commerciale française. Les chiffres en témoignent.
Pour l'année 1983, le chiffre d'affaires direct pour la France et l'exportation s'établit à 1 850 000 000 francs se décomposant de la façon suivante :

- Haute couture .... 10,80 %
- Prêt-à-porter féminin .... 34,50 %
- Prêt-à-porter masculin .... 20 %
- Accessoires .... 34,70 %

Le montant des exportations s'est élevé à 1 170 000 000 francs (ce qui représente 63 % du chiffre d'affaires direct).
Le chiffre d'affaires induit (c'est-à-dire le chiffre réalisé sous la marque dans le monde avec les filiales et les licenciés) atteint, pour sa part, 12 500 000 francs se décomposant de la façon suivante :

- Prêt-à-porter féminin .... 35 %
- Prêt-à-porter masculin .... 20 %
- Accessoires .... 45 %

Si l'on ajoute à ces chiffres les activités des créateurs de mode, on obtient pour l'ensemble du secteur haute couture, prêt-à-porter des couturiers et des créateurs de mode les résultats suivants :

- Chiffre d'affaires direct France et Exportation : 2 700 000 000 F
- Chiffre d'affaires induit : 14 500 000 000 F

(7) D'après un document de la Fédération française de la couture, du prêt-à-porter, des couturiers et des créateurs de mode.

LES MODES DES JEUNES

En 1984 est paru un livre intitulé *Les mouvements de mode expliqués aux parents* (par H. Obalk, A. Soral, A. Pasche, Ed. Robert Laffont) qui se proposait de décrire et d'analyser les « modes de jeunes ».
Au-delà des changements vestimentaires, les auteurs se sont efforcés de « traiter l'ensemble des idées, des œuvres, des comportements et des objets ayant subi l'influence, éphémère et spectaculaire, d'une même époque ». Des vêtements à la musique, ce sont l'art, la politique, le cinéma, les mœurs et les idéologies qui sont au cœur de cette enquête au pays des jeunes.
Une distinction préalable est opérée entre des modes « historiques » et des modes « synchroniques ». Les premières, les plus spectaculaires, se succèdent rapidement, si bien que « chacune d'entre elles est systématiquement démodée par celle qui la suit ». Il y a une vingtaine d'années, la mode jeune était « hippie », puis elle devint « baba », puis « punk », puis « new-wave », etc.
Les modes « synchroniques » ont, par contre, continué à coexister, au cours de ces deux décennies, avec les modes « historiques ». Elles sont de deux types : une mode classique, discrète ou B.C.B.G. (bon chic-bon genre) ; une mode « minet », très attirée par la nouveauté, qui s'adapte à toutes les modes passagères, mais n'adhère entièrement à aucune.
L'ensemble de ces modes constitue un reflet précieux des principaux traits et attitudes des jeunes des vingt dernières années.
Le livre s'ouvre sur la mode « pop » née vers 1966 et qui devait durer jusqu'en 1975. C'est l'époque de la « pop-music », des « hippies » (communautés, cheveux longs jusqu'aux épaules, guitare, sac à dos, Katmandou...), du psychédélisme, de la contre-culture...
A la mode « pop » succède la mode « baba ». Les babas sont des hippies devenus gauchistes. Après avoir voulu « faire l'amour plutôt que la guerre », ils ont essayé de faire la révolution, Le binôme « Jésus + Bouddha » a laissé place au binôme « Marx + Freud ». Les babas peuvent être « cool » (ils sont vêtus de toile, chaussent des sabots de bois, militent pour l'écologie et l'autogestion...) ou « hard » (vêtement de cuir noir, motos, « hard rock », violence...).
Parenthèses entre la « Préhistoire » (hippies + babas) et l'« Histoire moderne » (« punk » + « new-wave »), les modes B.C.B.G. et « minet ».
La première repose sur la pérennité : elle choisit le classicisme contre la modernité, oppose l'éternel à l'éphémère – qui ne peut être que vulgarité –, prône la juste mesure contre l'effet spectaculaire : les B.C.B.G portent des manteaux de loden bleu marine ou vert, font leurs études à la Faculté de droit de Paris-Assas ou à l'Institut d'études politiques (Sciences Po), ils (elles) font du cheval, sont anticommunistes, mais libéraux, et adorent la « grande musique ».
La mode « minet » est hyperconformiste là où la mode B.C.B.G. n'était que classique. Les « minets » recherchent tous les plaisirs qu'offre la société de consommation, ils admirent les États-Unis d'Amérique, sont spontanés, sympathiques, généreux et très superficiels. Ils portent des « Ray-Ban »[(1)], des chemises Lacoste et des jeans Levis, ne boivent que du coca-cola, admirent inconditionnellement Stéphanie de Monaco[(2)] et Marilyn Monroe, adorent la publicité et les films de Jean-Jacques Beinex, roulent en Golf G.T.I.[(3)] et skient à Avoriaz.
Si les minets ont dansé sur la musique « disco » (version simplifiée de

la musique « funk » des Noirs américains), les « punks » ont introduit dans l'univers musical des jeunes une musique beaucoup plus « dure », une sorte de rock proche du rock-and-roll des origines (celui d'Elvis Presley, par ex.). La mode « punk » est d'abord un « look » : celui qu'ont arboré, vers 1977, des jeunes gens aux cheveux (orange, rose ou vert) dressés en épi sur le crâne, aux lunettes noires, aux oreilles ou aux joues transpercées d'une épingle de nourrice. « No future », s'écriaient-ils, en prônant la violence, la guérilla urbaine, voire le terrorisme pur. L'essentiel était de nuire à l'État et, plus généralement, de rejeter le monde dans lequel ils vivaient. Chômeurs, squatters, désespérés, ils étaient anti-vieux, anti-bourgeois, anti-libéraux, mais, en même temps, anti-jeunes, anti-ouvriers, anti-babas...
Après la mode hippie de la contestation, les punks ont incarné, l'espace de quelques années, la « mode de la consternation ». A son tour, celle-ci devait être rapidement balayée par une nouvelle mode, la « new-wave ».
Cette « nouvelle vague » [4] sonne définitivement le glas de toutes les modes précédentes en prônant, dès 1978, le retour à la « normalité ». La « subversion paradoxale » de la mode new-wave est d'être la moins originale, la moins révolutionnaire possible.
Il s'agit, pour ses adeptes, de se faire remarquer en étant normal, anonyme, fonctionnel, neutre et net. Cependant, toutes ces caractéristiques devront être « extrémisées » (hypernormal, hyperanonyme, etc.). Les « new-waves » sont fascinés par les années 50, ils en adoptent la mode vestimentaire (petit chapeau, veste à gros carreaux, pardessus ample aux épaules tombantes, pantalon étroit et court...), l'hyperconformisme, l'indifférenciation, la neutralité. Conservateurs, sinon réactionnaires, selon les uns, pervers et subversifs pour les autres, les new-waves peuvent être « hard » ou « cool »... Distinctions par trop subtiles qui ont fini par lasser et par démoder cette mode. Lui a immédiatement succédé la mode « fun ».
Le « fun », c'est d'abord la redécouverte de l'exotisme (Afrique, Amérique du Sud, îles tropicales) et de l'excentricité (mais sans excès : *« just for fun »).*
Les « funs » aiment se déguiser : en pirates (mode *« made in England »*), en chevaliers de la Table ronde, en conquérants *(« conquistador »)* du nouveau monde, en incroyables et merveilleuses thermidoriens, en nouveaux romantiques (Lord Byron et Chateaubriand)... Une « haute couture fun » naît ainsi, se développe, atteint son apogée vers 1980 avant de sombrer en 1982 dans la décadence de la « mode clochard »...
Que reste-t-il de ces différentes modes aujourd'hui ?
Quatre groupes, répondent les auteurs du livre : les babas, les « branchés » (nouveaux new-waves), les minets et les B.C.B.G. Et ils concluent : la mode est créée par ceux qui l'adoptent, son succès n'est jamais assuré, elle ne reflète ni la « manipulation du pouvoir » ni le désespoir de la jeunesse », elle est « un spectacle superficiel et beau ».

(1) Lunettes de soleil.
(2) Fille du prince Rainier de Monaco.
(3) Voiture sportive de marque Volkswagen.
(4) A ne pas confondre avec la « nouvelle vague » cinématographique, apparue au début des années 60.

7

Actualité des médias

Le nouveau paysage audiovisuel

Privatisation, concurrence et pluralisme sont les maîtres mots du gouvernement en matière d'audiovisuel. Quatre chaînes privées et deux chaînes publiques s'affrontent désormais en une véritable « guerre des images ». Entre les programmes de la télévision française et les émissions « venues d'ailleurs », quel sera le choix des Français ? L'enjeu économique est de taille.

C'est le 30 septembre 1986 qu'a été promulguée la loi relative à la liberté de communication. Soumise au Parlement, au lendemain des élections législatives de mars, par François Léotard, ministre de la Culture et de la Communication, cette nouvelle loi instituait une « autorité administrative indépendante » : **la Commission nationale de la communication et des libertés** (C.N.C.L.).

Séparer l'audiovisuel et l'État

En créant cette instance, destinée à remplacer la Haute Autorité de la communication audiovisuelle, mise en place en 1982 pour garantir l'indépendance du service public, le gouvernement souhaitait **ouvrir encore davantage le paysage audiovisuel à l'initiative privée,** « dans un climat de concurrence et de pluralisme ».

Déjà, la loi de juillet 1982, avec la création de la Haute Autorité et la suppression du monopole de la radio et de la télévision (seul le monopole de la diffusion était maintenu), avait marqué une étape importante dans l'évolution vers l'indépendance de la communication audiovisuelle. L'objectif du nouveau gouvernement était d'aboutir à la séparation complète de l'audiovisuel et de l'État.

- **Les décisions de la C.N.C.L.**

La C.N.C.L., que le Premier ministre, Jacques Chirac, a installée officiellement le 12 novembre 1986, a pour mission de gérer l'ensemble du système audiovisuel français.

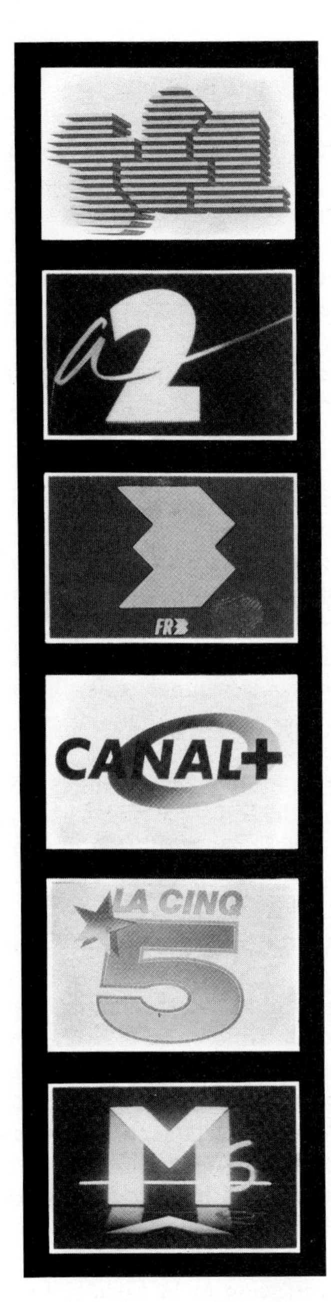

Ses premières décisions, fin 1986, ont été la nomination de nouveaux présidents des chaînes du secteur public, **Antenne 2** (A.2), **France Région 3** (F.R.3) et **Radio-France,** et l'autorisation d'exploitation d'un réseau câblé de télévision de quatorze chaînes à Paris.

Puis, au début de l'année 1987, elle a mis en œuvre, conformément au programme de privatisation du gouvernement [1], le transfert de **Télévision française 1** (T.F.1.) au secteur privé, et la cession des **cinquième** (la « 5 ») **et sixième chaînes** (T.V.6). Le 25 février, elle a clos les candidatures pour le rachat de T.F.1 et désigné les nouveaux propriétaires de la « 5 » et de T.V.6.

- **COMPOSITION ET MISSION DE LA C.N.C.L.**

Composition :

Treize membres, dont
- deux nommés par le président de la République
- deux nommés par le président de l'Assemblée nationale
- deux nommés par le président du Sénat
- un conseiller d'État
- un magistrat de la Cour de Cassation
- un membre de la Cour des Comptes
- un membre de l'Académie française
- une personnalité qualifiée dans le secteur de l'audiovisuel
- une personnalité qualifiée dans le secteur des télécommunications
- une personnalité qualifiée dans le domaine de la presse écrite

Mission :

- Nommer les présidents du service public
- Accorder les autorisations et attribuer les fréquences disponibles aux radios et aux télévisions
- Accorder les autorisations d'exploitation de réseaux câblés
- Rédiger le cahier des charges
- Veiller au respect de la personne humaine
- Assurer le droit de réponse
- Veiller à la défense et illustration de la langue française
- Favoriser la libre concurrence et l'expression pluraliste des courants d'opinion
- Veiller à la liberté d'établissement et d'emploi de l'ensemble des services de communication (télévision par voie hertzienne ou réseaux câblés, programmes diffusés par satellites et radios locales privées)
- Contrôler le contenu, la programmation et la répartition de la publicité

La privatisation de T.F.1

En ce qui concerne T.F.1, deux candidatures ont été retenues : celle du groupe Hachette (édition, presse, diffusion...) [2] et de ses associés (des groupes de communication français et étrangers et des banques) ; celle du groupe Bouygues (la plus importante entreprise française de travaux publics) associé à des groupes de presse français et étrangers, des éditeurs, des industriels, des banques et un groupement mutualiste.

(1) Cf. « L'enjeu des privatisations » p. 72.
(2) Cf. « Presse : des hauts et des bas » p. 166.

Le gouvernement ayant décidé que le capital de T.F.1 serait détenu à 50 % par l'acquéreur désigné par la C.N.C.L., à 40 % par le public et à 10 % par les salariés de la chaîne, chacun des deux groupes retenus représentait 25 % de la participation à ce capital, les 25 % restant étant répartis entre leurs divers associés.
Après l'examen de la conformité de ces candidatures avec la loi et de leurs propositions de programmes dans la perspective, définie par le ministre de la Culture et de la Communication, d'un « mieux-disant culturel », la C.N.C.L. a désigné, fin mars, le groupe Bouygues comme nouveau propriétaire de T.F.1. Coût de l'opération pour l'heureux élu : trois milliards de francs – prix fixé par le gouvernement – pour s'assurer le contrôle majoritaire de la première chaîne ; le public et le personnel de T.F.1 acquérant le reste des actions quelques semaines plus tard.

Les nouvelles « cinq » et « six »

Le 25 février 87 également, la C.N.C.L. attribuait la cinquième et la sixième chaînes.
Ces **deux chaînes privées** avaient été créées en février 1986, dans le cadre de la loi de juillet 1982 qui permettait la coexistence d'un service public et d'un secteur privé de télévision. La Cinq offrait des programmes axés sur des films, des séries américaines, des émissions de variétés, des jeux, du sport... La Six était une chaîne à dominante musicale destinée aux jeunes, une chaîne « en jeans et en baskets » diffusant notamment plusieurs fois par jour des « vidéo-clips ».
Durant leur première année d'existence, elles connurent des fortunes diverses. La Cinq dut d'abord abandonner la diffusion de films en raison de conflits avec l'industrie du cinéma [(3)], puis, après les élections de mars, dans la perspective de sa vente, elle cessa ses émissions de variétés et de jeux. Ces réductions de programme nuisirent sans aucun doute à son audience.
La Six, en revanche, parvint à « fidéliser », sur ses programmes musicaux, un public estimé à environ 1,5 million de jeunes.
C'est après une audition publique des candidats « repreneurs » que la C.N.C.L. désigna les nouveaux propriétaires de la Cinq et de la Six.
La Cinq, qui garde ce nom, appartient désormais à une société dont les deux actionnaires majoritaires (25 % chacun) représentent le principal groupe de presse français (celui de Robert Hersant) [(4)] et le responsable de plusieurs chaînes de télévision commerciales en Italie (Silvio Berlusconi). Les autres actionnaires sont des groupes de communication, des industriels et des banques.
La Six, désormais Métropole 6 (M.6), est partagée, de la même manière, entre la Compagnie luxembourgeoise de télédiffusion et la Société lyonnaise des eaux, associées à des banques, des assurances et des groupes de presse et d'édition. Ces deux chaînes sont des chaînes « généralistes », c'est-à-dire diffusant des émissions d'information, des films, des œuvres de fiction et des émissions musicales, notamment destinées au public jeune, à raison de six minutes par heure en moyenne de publicité.

---

(3) Elle devait les reprendre quelques mois plus tard, étant parvenue à un accord avec les représentants de la profession.
(4) Cf. « Presse : des hauts et des bas » p. 166.

La « guerre des images »

Ce nouveau paysage audiovisuel serait incomplet si l'on n'y ajoutait la quatrième chaîne, **Canal Plus,** chaîne privée à péage, c'est-à-dire payante [(5)], créée en novembre 1984, qui diffuse 24 heures sur 24 essentiellement des films, programmés plusieurs fois par jour et des retransmissions sportives (football, boxe...). Enfin, **une septième chaîne « culturelle »,** diffusée par satellite sur l'ensemble de l'Europe, devrait s'ajouter aux six chaînes désormais existantes.
Entre ces chaînes – deux publiques (A.2 et F.R.3) et quatre privées (T.F.1, Canal Plus, la 5 et M.6) – va s'exercer une âpre concurrence, sinon s'engager une véritable guerre, dont les enjeux sont le taux d'écoute et donc le marché publicitaire. Pour les unes, il faut garder ou accroître l'audience acquise, pour les autres, trouver et « fidéliser » une audience nouvelle.
Quant au marché publicitaire, il ne pourrait, selon les experts, que supporter trois ou quatre chaînes, ce qui serait essentiellement préjudiciable aux chaînes publiques, « moins souples commercialement et plus fragiles politiquement » [(6)].
L'affrontement risque donc d'être féroce, et si l'on ne peut que se réjouir de voir ainsi offertes aux télespectateurs français les possibilités d'un véritable pluralisme de la communication, on peut aussi se demander si la télévision française ainsi « éclatée » saura résister au défi que lui lanceront demain, par satellites ou par câbles, les programmes « venus d'ailleurs ». Dans la **« guerre des images »** [(7)] qui succède aux conflits militaires et à la compétition économique, n'est-ce pas notre identité culturelle qui est en jeu ?

(5) Les Français peuvent recevoir Canal Plus moyennant l'achat d'un décodeur (85 % des émissions sont codées) et le paiement d'un abonnement mensuel de 150 F.
(6) Jean-François Lacan, dans *Le Monde* (25 février 1987).
(7) José Frèches, *La Guerre des images* (Denoël, 1986).

Presse : des hauts et des bas

La presse française a changé. Depuis la fin de la guerre, elle a perdu la moitié de ses quotidiens, mais a donné naissance à une foule de magazines aussi séduisants que divers. Dans un univers médiatique de plus en plus dominé par quelques groupes tout-puissants, réussiront-ils à assurer l'avenir de la presse ?

Face à la concurrence de la radio puis de la télévision, la presse écrite a dû opérer une importante reconversion. Longtemps axée sur des quotidiens nationaux et régionaux d'information générale, elle s'est progressivement spécialisée en créant des magazines destinés à des publics spécifiques. Alternant succès et échecs, elle a changé de visage, présentant, pour les plus réussis de ses titres, un « *look* » qui a su séduire de nouveaux lecteurs.
Cette reconversion cependant n'a pu s'opérer que dans le cadre de puissants groupes de presse [(1)]. La « montée en puissance » de ces groupes, en accentuant les phénomènes de concentration, pourrait, si elle n'était pas limitée, faire craindre l'instauration de véritables monopoles et, à terme, constituer une menace pour le pluralisme de la presse.

Le déclin de la presse quotidienne

En 1945, on dénombrait 26 quotidiens nationaux [(2)], représentant un tirage total de 4,6 millions d'exemplaires, et 153 quotidiens régionaux et locaux totalisant 7,5 millions d'exemplaires.
Aujourd'hui, on ne compte plus que **10 quotidiens nationaux** (tirage : environ 2,6 millions) et **70 quotidiens régionaux** (7,5 millions).
Ces chiffres situent la France dans le bas de l'échelle en Europe, notamment quant au nombre d'exemplaires de quotidiens nationaux pour 1 000 habitants (ce qu'en terme de presse on nomme « la pénétration »). Avec 52 exemplaires pour 1 000 habitants, la France est largement devancée par la Grande-Bretagne (590), l'Autriche (197), les pays scandinaves (180 en moyenne) et ceux

(1) Deux groupes sont particulièrement « dominants » : le groupe de M. Robert Hersant qui contrôle 38 % du marché des quotidiens nationaux et 20 % du marché des quotidiens régionaux, et le groupe Hachette qui détient notamment 20 % du marché de l'édition, 28 % de la distribution des livres et possède une trentaine de journaux et magazines...
(2) Il s'agit de journaux édités à Paris.

méthodes du gouvernement » André Bergeron, le leader de tant de joindre par téléphone roit à Matignon. « Les événe- la nuit passée contredisent la de concertation qu'à plusieurs vous avez déclaré vouloir et concrétiser, écrivait Ed- aire dans une lettre ouverte à Chirac. Nous n'acc...

tion civile a présenté comme « d'ultimes propositions ». Avant même qu'on ne parle de ce fameux amendement Lamassoure, le SNCTA (majoritaire), la CGT et la CFDT avaient déjà déclaré qu'« elles n'iraient pas ... signature » et qu'elles ... grève. ...

grade terminal (de fin de carrière) qui se traduirait pour les contrôleurs ... bénéficiant par une ... 1 400 F par ...

LE QUOTIDIEN DE PARIS

N° 2351 - 5 F - SAMEDI 13, DIMANCHE 14 JUIN 1987

LES GREVES DANS LA FONCTION PUBLIQUE

L'AMENDE...

BOKA... LA M...

● L'empereu... par la cour ... après six j... bénéficié d'u... pour se pour...

PAGE 18

BERLIN ... FAIT LE...

président ... Berlin M... attre le ... ES 16 ...

Libération

...MANCHE 14 JUIN 1987

...TRE CONCERTS ...ARIS-BERCY

...ES...

Le Monde

DERNIÈRE ÉDITION BOURSE

MARDI 10 MARS 1987

Fondateur : Hubert Beuve-Méry — Directeur : André Fontaine

... 4,50 F

135 morts dans la catastrophe de Zeebrugge

Le projet du tunnel ...nche renforcé

...naufrage du car-ferry britannique ...rise », survenu le 6 mars, devant le ...e, s'élève à 135 morts, 90 blessés et ...uêtes ont été ouvertes pour détermi- ...e catastrophe. L'hécatombe de Zee- ...p sévère à la crédibilité des ferries ... comme des « garages flottants » ins- ...e projet du tunnel sous la Manche.

États généraux des étudiants
La mobilisation se fait difficilement. PAGE 11

Relance des conciliateurs
M. Chalandon veut accélérer le règlement des conflits mineurs. PAGE 11

M. Chirac à Lyon
Plaidoyer pour l'unité de la majorité. PAGE 8

POUR L'ARRÊT DES ESSAIS NUCLÉAIRES

Faites la chaîne

Par centaines de milliers, dimanche à Paris pour la paix. (Pages 2, 3 et 4.)

l'Humanité

SAMEDI 13 JUIN 1987

ORGANE CENTRAL DU PARTI COMMUNISTE FRANÇAIS

L'enjeu de l'élection présidentielle ...

LE ... DE LA ...

AIR FRANCE

LE FIGARO

L'AURORE

Portfolio
MONTANT DU JOUR : + 38
(Cahier saumon, page face Bourse)
30 000 F à gagner
JOUR D'AIR FRANCE : OSLO

...1987 (N° 13 307)

...Fonction publique : ... de force

France-Soir

COUPE DE FRANCE
Bordeaux et Marseille en finale le 10 juin
Page 11, le reportage de nos envoyés spéciaux Robert Ichah et Bruno Vigoureux

TENNIS
Noah-Wilander, aujourd'hui, en quart de finale
Pages 12 et 17

DHJ
N° 13.314
M 0187 - 0603 0 - 4,50 F
3790187004508 06030

Allemagne 1,60 DM — Angleterre 50 pence — Belgique 25 F belges — Canada 1,20 $ — Espagne 130 pesetas — U.S.A. 1,25 $ U.S.A. (West Coast) 1,50 $ — Italie 1 500 lires — Luxembourg 25 F lux. — Pays-Bas 2 florins — Suisse 1,30 FS — Maroc 4,50 dirhams — Tunisie 430 mil. — Côte-d'Ivoire 300 F CFA — Sénégal 320 F CFA — Grèce 100 dr. — Cameroun 320 F CFA. Antilles-Réunion 6,90 F — ISSN 0182-5860

TRIO QUARTÉ

C'EST AUSSI DANS « FRANCE-SOIR »
Page 2
Le dossier du jour
Action directe : « Accusés, levez-vous ! »
Page 3
L'histoir...

100, rue Réaumur, 75002 Paris - Tél. 42 21 20 00 (Petites annonces ...

du Benelux (entre 140 et 120). Seules l'Italie et l'Espagne ont des « pénétrations inférieures ».

Autre indice de ce déclin régulier de la presse quotidienne nationale : la diminution de son « audience » (personnes déclarant lire et non acheter un journal). On estime actuellement que seulement **un Français sur deux lit un quotidien** (environ 10 % au moins un quotidien national et 45 % un quotidien régional), on en comptait près de deux sur trois il y a vingt ans.

Au cours des dix dernières années, l'audience est passée de 7,5 millions de lecteurs à 5,5 millions, soit une baisse d'environ 25 %.

Tous les quotidiens ont été affectés par cette chute de l'audience, mais à des degrés divers. Les plus touchés ont été les journaux « populaires » : *Le Parisien libéré* a perdu près de 60 % de ses lecteurs, *France-Soir* plus de 50 % ; *L'Humanité*, le journal du parti communiste, environ 20 %. Une des raisons de ces spectaculaires pertes d'audience réside peut-être dans l'augmentation continue du prix des journaux, au cours des décennies passées ? En vingt ans, le prix des quotidiens a été multiplié par treize !

Parmi les nouveaux titres apparus ces dernières années, seul *Libération* a progressé depuis son véritable lancement en 1981 [3]. *Le Matin de Paris* et *Le Quotidien de Paris*, respectivement créés en 1977 et 1980, ont connu des fortunes diverses : *Le Matin* a changé plusieurs fois de direction et de rédaction sans parvenir à enrayer la chute de sa diffusion ; *Le Quotidien*, s'il n'a pas remplacé son responsable, a modifié plusieurs fois sa formule rédactionnelle, sans jamais atteindre la diffusion qu'il s'était fixée.

Les journaux plus anciens, *Le Figaro* et *Le Monde*, après avoir vu, comme leurs confrères, leur diffusion diminuer très sensiblement, ont su réagir et remonter la pente, depuis deux ou trois ans. *Le Figaro* – d'abord, grâce à une politique de luxueux suppléments hebdomadaires – *Le Figaro-Magazine*, puis *Madame Figaro* et, depuis février 1987, *Le Figaro T.V. Magazine* – vendus le samedi avec le quotidien, mais aussi grâce à une amélioration constante de son contenu rédactionnel. *Le Monde*, plus récemment, à la suite d'un changement de direction et du « recentrage » du journal et de ses objectifs.

Malgré les progrès continus de *Libération* et la remontée régulière du *Figaro* et du *Monde*, la presse quotidienne nationale n'en demeure pas moins aux prises avec de sérieuses difficultés (diminution du nombre d'acheteurs et de lecteurs, recettes publicitaires insuffisantes et, bien sûr, concurrence des médias audiovisuels), en dépit des subventions que lui accorde l'État (6 milliards de francs en 1986) et des dispositions fiscales avantageuses dont elle bénéficie.

Les quotidiens régionaux sont dans l'ensemble en meilleure santé. L'un d'entre eux, *Ouest-France*, possède même la meilleure diffusion de toute la presse quotidienne française, et plusieurs titres ont des tirages égaux ou supérieurs à ceux des journaux édités à Paris. Le succès (relatif) de ces quotidiens de province est sans doute dû à la place qu'ils réservent aux informations non seulement régionales, mais locales (vie agricole ou maritime, manifestations

(3) Après plusieurs années d'existence militante et artisanale, entrecoupée d'interruption de parution, *Libération* s'est doté en 1981 de structures plus professionnelles et plus conformes aux réalités de la presse nationale. Cf. « Un entretien avec Jean-Marcel Bouguereau, rédacteur en chef de *Libération* », p. 171.

sportives, festivités en tout genre, etc.), mais aussi peut-être à leur « apolitisme », ou du moins à leur « centrisme », à légère dominante de gauche ou de droite...

La presse quotidienne d'opinion est en effet quasiment inexistante en province. A Paris, les grands quotidiens nationaux ont leur « coloration » et leurs engagements propres, mais aucun, à l'exception de *L'Humanité,* n'est le journal d'un parti politique. Il est cependant de notoriété publique que *Le Figaro, Le Quotidien de Paris, France-Soir* et, dans une certaine mesure, *Le Parisien* soutiennent le gouvernement actuel, tandis que *L'Humanité, Le Matin* et *Libération* y sont opposés ; *Le Monde* et *La Croix,* journal catholique, adoptent généralement une position plus nuancée.

Ce « portrait » politique de la presse quotidienne nationale était bien sûr inversé lorsque la gauche fut au pouvoir, entre mai 1981 et mars 1986.

Diffusion des principaux quotidiens [(4)]

Presse quotidienne nationale	
France-Soir	335 000
Le Figaro	432 000
Le Monde	370 000
Le Parisien Libéré	358 000
L'Équipe	237 000
Le Matin	90 000
L'Humanité	120 000
La Croix (1983)	114 000
Libération	164 000
Le Quotidien de Paris (1983)	77 000

Presse quotidienne régionale	
Ouest-France	721 000
Le Dauphiné Libéré	361 000
La Voix du Nord	382 000
Sud-Ouest	352 000
La Nouvelle République du Centre-Ouest	270 000
Nice-Matin	262 000
L'Est Républicain	258 000
La Montagne	252 000
La Dépêche du Midi	255 000

Des magazines en forme

A l'atonie de la presse quotidienne considérée globalement répond **le dynamisme général de la presse magazine.** Certes, ici comme là, il y a des progrès et des reculs, des réussites et des faillites, mais dans l'ensemble les magazines se portent bien. Il n'est que de voir les devantures des kiosques à journaux ou les rayons des librairies : c'est une explosion de titres et de couleurs. Tous les domaines (on dit aujourd'hui les « créneaux ») ont désormais leur(s) magazine(s) : hebdomadaires, bimensuels, mensuels, trimestriels... De A comme *Auto journal* à Z comme *Zoom.* Selon leurs goûts, leurs intérêts, leurs besoins, les Français peuvent trouver des magazines qui traitent de politique, d'économie, de littérature, d'histoire ou de musique (rock, jazz, classique)... Il y a ceux consacrés au cinéma, au théâtre, à la chanson, aux beaux-arts, à la cuisine, à la décoration, au jardinage, à l'informatique, à la photo et bien sûr à la télévision. Il y a des magazines sportifs, médicaux, scientifiques, touristiques et érotiques. Il y a enfin les magazines féminins et masculins, pour les jeunes et pour les parents, les chasseurs et les pêcheurs, les instituteurs et les anciens combattants, les philatélistes, les joueurs de golf, les passionnés de planche à voile ou les amis des bêtes...

(4) Chiffres de 1986 pour la presse quotidienne nationale et 1985 pour la presse quotidienne régionale.

Cet inventaire à la manière de Jacques Prévert n'est pas exhaustif. Au total, **la presse magazine comprend plusieurs milliers de titres.**
Hebdomadaires d'actualité ou « *news magazines* », certains sont déjà anciens (*Paris Match, L'Express, Le Nouvel Observateur*) ou fort connus (*Le Point, Le Figaro-Magazine*), d'autres sont plus récents (*V.S.D., L'Événement du jeudi*). Leur diffusion s'étage entre 880 000 exemplaires (*Paris Match*) et 113 000 (*L'Événement du jeudi*). Ce ne sont pas des chiffres très élevés, mais les professionnels de la presse estiment qu'un exemplaire d'un magazine d'actualité générale est lu par plusieurs personnes. Ainsi, *Paris Match* aurait plus de 5 millions de lecteurs, *Le Figaro-Magazine* 3 millions, *L'Express* 2,3 millions, *Le Point* 2,1 millions, etc. Toutefois, d'autres magazines ont des diffusions très supérieures, notamment les hebdomadaires de télévision (de 400 000 exemplaires à 3 millions pour *Télé 7 jours,* la plus forte vente de la presse française) et les magazines féminins (1,8 million pour *Femme actuelle,* 1,4 million pour *Prima*...). Enfin, de nombreux magazines spécialisés, souvent des mensuels, vendent entre 100 000 et 500 000 exemplaires, ce qui, avec l'appoint de recettes publicitaires importantes, leur permet de proposer à un public très diversifié (« ciblé » disent les spécialistes) des « produits » fort attrayants. On peut notamment citer *Géo* pour le tourisme et les voyages (450 000 ex.), *Première* pour le cinéma (400 0000), *Science et Vie* (350 000), *Action automobile* (385 000), *Onze* pour le football (210 000), *Photo* (170 000), *Rock Magazine* (150 000), *Lire,* le magazine de Bernard Pivot, l'animateur d'« Apostrophes » (5), qui propose des extraits de livres (142 000), etc.
A côté de valeurs sûres, de créations réussies, de nouveautés à succès, la presse magazine, parfois victime de phénomènes de mode (existera-t-il encore, dans quelques mois ou quelques années, des magazines consacrés à la planche à voile ou au micro-ordinateur ?), perd chaque année un certain nombre de titres. Dans d'autres « créneaux », avec des « cibles » différentes, ils sont très vite remplacés.

Quel avenir ?

L'univers des magazines est animé d'un perpétuel mouvement, c'est un monde de création continue, effervescent, bouillonnant d'idées, d'imagination et de talents.
C'est aussi un monde qui réussit assez souvent à échapper à l'emprise des grands groupes de presse. Dépendant essentiellement de l'apport financier de leurs investisseurs et de leurs annonceurs publicitaires, les magazines n'ont que leurs lecteurs pour juger de leur qualité, et donc décider de leur développement, de leur survie ou de leur mort.
Peut-être est-ce d'abord par les magazines que passera l'avenir de la presse française ?

(5) Cf. « Les Français lisent-ils ? » p. 197.

• *Un entretien avec Jean-Marcel Bouguereau, rédacteur en chef de* **Libération**

Alain Kimmel : *Selon le C.E.S.P.* [6]*, 23,3 % des lecteurs de* Libération *sont âgés de 15 à 24 ans et 45,3 % de 25 à 34 ans. Donc, incontestablement, votre lectorat est jeune ; d'où ma première question : est-ce que vous faites votre journal à l'intention de ces tranches d'âge ou est-ce que vous proposez un certain type de journalisme qui est apprécié par les jeunes ?*

Jean-Marcel Bouguereau : *On ne cherche pas à s'adresser à des tranches d'âge ou des générations données. On a toujours essayé de faire un journal complet – même quand on n'en avait pas les moyens – un journal pour tout le monde ; mais sans pour autant renier ce que nous sommes, ce que nous pensons, sentons, voyons... Notre exigence est double : d'abord assumer notre propre identité en faisant un journal dans lequel nous puissions nous reconnaître, et en même temps nous adresser au plus grand nombre. Nous réussissons plus ou moins, mais cela reste notre ambition.*
Naturellement, compte tenu de ce que nous sommes – une rédaction qui a environ trente ans de moyenne d'âge –, nous sommes amenés de fait à nous adresser en priorité à des gens de cette génération et donc à être sans doute déconnectés des autres catégories d'âge. Toutefois, si l'on en croit les deux dernières enquêtes qui ont été effectuées auprès de nos lecteurs, on constate un élargissement assez notable du lectorat, aussi bien du point de vue générationnel que sociologique. Nous gagnons actuellement beaucoup de lecteurs chez des gens plus âgés qui lisaient d'autres quotidiens, et chez des plus jeunes qui découvrent Libération *en même temps qu'ils découvrent la presse.*

A.K. : *En dehors de la similitude d'âge entre votre rédaction et la majorité de vos lecteurs, comment expliquez-vous votre succès actuel, quand on sait qu'à l'origine vous étiez un journal « soixante-huitard », militant et qu'aujourd'hui l'esprit de mai 68 semble bien loin ?*

J.-M.B. : *Il est difficile de répondre à cette question, d'abord parce que les raisons sont multiples, et puis parce que, voyant les choses de l'intérieur, nous ne sommes pas les mieux placés pour les analyser. Cependant, si j'essaie une réponse, je dirais qu'il y a en premier lieu le fait que peu de quotidiens ont été créés en France ces dernières années. De ce point de vue,* Libération *est une création de presse qui n'est pas artificielle, qui correspond à une génération, celle de l'après 68.*
Ensuite, je pense que nous avons de ce fait introduit un type de journalisme qui est un peu différent de celui qui avait cours auparavant. Cela tient à ce que nous sommes, à la période politique dans laquelle nous vivons, et fait que l'on a souvent des difficultés à nous coller une étiquette sur le dos, même si nous sommes bien des post-soixante-huitards. Cela énerve, intrigue un certain nombre de gens parce que ça rompt avec les pratiques de la presse quotidienne qui, pendant longtemps, a été une presse d'opinion dont l'objet était d'abord de prendre parti. Alors que ce que nous avons voulu faire – et qui correspondait d'ailleurs à l'évolution de notre génération – c'est d'aller voir et confronter ce qu'on avait dans la tête et ce qui se passait dans la réalité, et de constater que ça ne coïncidait pas toujours.
On a donc fait un journalisme qui privilégie le récit, le reportage, ce qui ne veut pas dire un journalisme neutre, incolore et sans saveur ! Nous nous sommes efforcés d'observer et de raconter les contradictions de la société, avec plus ou moins de réussite bien sûr, et, en tout cas, d'être surpris par la réalité et donc de surprendre le lecteur.
Je crois qu'il y a aujourd'hui un type de presse qui est un peu dépassée – au moins pour une bonne partie du public –, c'est celle qui ne surprend plus, qui est systématiquement pour le gouvernement ou systématiquement contre, et qui n'est plus en mesure de juger les choses en elles-mêmes, au coup par coup. Elle ne peut donc les raconter telles qu'elles sont, ou elle n'essaie pas de le faire. Je pense que les gens sont fatigués d'une telle conception du journalisme ; comme nous, ils n'ont plus envie de rentrer dans ce genre de schématisation, de classification. S'ils achètent un journal tous les jours, c'est pour être surpris, aussi bien par les nouvelles qu'ils ne connaissent pas que par des informations ou des analyses qui leur donneront de la réalité une vision un peu plus riche. On est tous pénétrés aujourd'hui de l'idée que le monde est plus complexe que ce que l'on pensait au départ... Si la presse quotidienne ne reflète pas cette richesse, cette complexité, les lecteurs ont tendance à ne pas y croire, à penser qu'on leur raconte des « salades », à gauche comme à droite !

A.K. : *Je voudrais maintenant vous poser la question classique – mais fondamentale, je crois – sur le style, ou le ton, « Libé », bien que vous-même ou d'autres responsables du journal niez que ce style existe.*

---

(6) Centre d'étude des supports de publicité. Organisme qui étudie l'audience des médias écrits et audiovisuels.

J.-M.B. : *Il existe peut-être un style particulier, dans les titres, mais si vous considérez les articles séparément, vous constatez qu'ils sont très différents. Non vraiment, je ne pense pas qu'il y ait un style « Libé »... et s'il y en a un, c'est très mauvais !*

A.K. : *Un style, peut-être pas..., mais il y a bien un ton, quelque peu irrévérencieux, moins respectueux que d'autres des pouvoirs établis ?*

J.-M.B. : *Oui, peut-être... c'est à vous de juger ! Nous, nous ne cherchons pas un ton particulier, nous ne disons pas à nos journalistes qu'ils doivent écrire avec tel ou tel style...*

A.K. : *Est-ce que vos lecteurs vous font connaître leur sentiment sur le journal, vous demandent de traiter tel ou tel sujet ?*

J.-M.B. : *Cela arrive, mais ce n'est pas très fréquent. Par contre, nous recevons des lettres un peu « écrites », un peu « folles », et parfois nous les publions. Dans la presse quotidienne, nous sommes probablement les seuls à le faire.*

A.K. : *Ce succès que vous avez rencontré ces dernières années vous a-t-il surpris ?*

J.-M.B. : *Non, parce que lorsqu'on vit les choses de l'intérieur, on les vit au jour le jour et on ne se réveille pas un beau matin avec le succès. Celui-ci est fait de phénomènes très lents, millimétriques. Le succès public de* Libération *est survenu entre 1981 et 1983, dix ans après le lancement du journal. Personnellement, j'ai vécu ces dix années et j'avais donc déjà connu des périodes de succès où il me semblait que les choses avançaient, que le journal progressait. Mais quelquefois, on reçoit des témoignages de reconnaissance venus de l'extérieur, ce qui est très différent de la perception que l'on a de l'intérieur où l'on est souvent plus critique. Et heureusement d'ailleurs, car si l'on faisait de l'autosatisfaction, ça serait dramatique !*
Nous n'avons jamais été vraiment surpris car, encore une fois, le succès n'est pas venu d'un coup. En 1975-1976, notre problème c'était de gagner 50 exemplaires de plus tous les jours sur Paris ; quand on les avait, c'était le succès ! Ça peut paraître ridicule aujourd'hui, mais à cette époque ça ne l'était pas du tout.
Ce fut un moment de l'histoire de Libération *et, sans doute, le succès plus visible d'aujourd'hui est passé par tous ces petits événements. De toute façon, « Libé » est encore perfectible, nous travaillons à l'améliorer et nous nous demandons toujours comment faire d'un succès une réussite !*

A.K. : *Un de vos confrères a écrit un jour que « là où la presse fait de l'événement,* Libération *fait de l'histoire contemporaine ».*
Avez-vous le sentiment de faire de l'histoire contemporaine ?

J.-M.B. : *Je ne me suis jamais posé le problème dans ces termes. Je fais du journalisme, inutile de chercher un autre mot, celui-là me semble assez noble.*
Lorsque j'avais 17-18 ans, c'est vrai, j'avais un peu tendance à être méfiant vis-à-vis des journalistes, et je le suis toujours, car c'est une profession qui peut être mal exercée. A cet âge, je n'avais pas envie d'être journaliste, car je ne voyais pas très bien dans quel journal j'aurais pu travailler. Ici, j'ai l'impression que nous essayons de faire notre journal de manière indépendante, en étant fidèles à ce que nous sommes.
Il faut réhabiliter le mot de journalisme, même s'il a parfois mauvaise presse.

Les journalistes à la une

Qui sont-ils ?

Actuellement, on compte environ **20 500 journalistes** (10 000 il y a vingt ans), dont plus de 5 600 femmes, soit environ 25 % (15 % en 1964). Celles-ci débutent dans le métier plus tôt (5,2 % ont 25 ans et moins, contre 2,8 % des hommes), mais l'abandonnent aussi plus tôt (21,9 % ont 46 ans et plus, contre 30 % d'hommes).

Le plus grand nombre de journalistes (53 %) se situe dans la tranche d'âge **31-45 ans ;** ils sont 61,2 % à être mariés, mais le pourcentage de célibataires, divorcés, veufs (au total 37,5 %) est plus important que pour les autres professions. Le pourcentage est également plus élevé chez les femmes que chez les hommes.

30 % d'entre eux proviennent des catégories professions libérales, cadres supérieurs et cadres moyens, 12 % ont un père ouvrier ou employé et à peine 3 % sont issus de familles d'agriculteurs, 7 % seulement ont un père journaliste.

Quelles études ont-ils fait ?

La majorité des journalistes (66,2 %) ont suivi des études supérieures, souvent relativement courtes (de 2 à 4 ans), en lettres et en droit surtout (41,8 %). 10,5 % seulement d'entre eux ont suivi exclusivement des études de journalisme.

Pour devenir journaliste, il existe essentiellement trois filières : **les études de lettres et de droit et les écoles de journalisme.** Parmi celles-ci, ce sont l'École supérieure de Lille et le Centre de formation des journalistes de Paris qui ont formé le plus de professionnels, mais les pourcentages de diplômés de ces écoles demeurent très faibles (de 0,1 % à 4 %).

Enfin, si 58 % des journalistes ont fait toute leur carrière dans la presse, **12 % viennent d'autres professions et notamment de l'enseignement.**

Où travaillent-ils ?

Plus de 40 % des journalistes français travaillent dans des périodiques, contre 26 % dans les quotidiens de province, 10 % dans les quotidiens parisiens (ou nationaux), 13,3 % dans l'audiovisuel (radios, télévision) et 7 % dans les agences de presse.

Une majorité – plus forte encore – (65,1 %) de professionnels de la presse travaillent dans la région parisienne, ce qui s'explique par la concentration géographique des entreprises (presse magazine et spécialisée surtout). Les journalistes « non parisiens » sont répartis de manière presque égale dans les autres régions françaises, avec toutefois quelques « points forts », dans l'ouest et la région méditerranéenne.

Que gagnent-ils ? [7]

Les journalistes qui perçoivent un traitement allant de 8 000 à 11 000 F sont les plus nombreux. Aux deux extrémités de l'éventail on trouve deux minorités d'importance presque égale : l'une se situe dans une tranche de salaires inférieurs à 5 000 F ; l'autre atteint 20 000 F et plus. Les directeurs de rédaction des principales chaînes de télévision et stations de radio, des grands quotidiens et hebdomadaires nationaux ont des salaires qui s'échelonnent entre 40 000 et 60 000 F.

Moins de 5 000 F	4,2 %
De 5 000 à 7 999 F	23,6 %
De 8 000 à 10 999 F	29,5 %
De 11 000 à 13 999 F	14,4 %
De 14 000 à 16 999 F	2,9 %
20 000 F et plus	4,8 %
Sans réponse	14,2 %

A qualification égale, les femmes ont une rémunération légèrement plus faible que celle des hommes. La proportion des femmes par rapport aux hommes (un quart pour trois quarts) n'est d'ailleurs pas respectée dans les postes de responsabilité. On compte moins d'un cinquième de femmes rédacteurs en chef ou directeurs de la rédaction. Par type d'entreprise de presse, on note que c'est dans les quotidiens de province et dans l'audiovisuel que les femmes sont le moins bien représentées (respectivement 13,5 et 17 %).

Elles sont, par contre, près de 35 % dans la presse périodique et spécialisée. Enfin, la profession se caractérise par **un taux de mobilité très élevé.** La plupart des journalistes ne restent guère plus de quatre ou cinq ans dans le même emploi ou la même entreprise.

(7) Comme tous les chiffres qui précèdent, ceux concernant les salaires (mensuels moyens bruts) sont extraits d'une enquête publiée dans la revue *Presse Actualité* en novembre 1984.

LE STATUT DES JOURNALISTES

Le statut professionnel des journalistes français est défini pour l'essentiel par une loi de 1935. Elle détermine la responsabilité personnelle du journaliste dans l'exercice de sa profession. Connue sous le nom de **clause de conscience** (qui n'existe dans aucune autre profession), elle prévoit qu'en cas de vente du journal ou de « changement notable » dans son caractère ou son orientation, « de nature à porter atteinte à l'honneur, à la réputation ou d'une manière générale aux intérêts moraux » des journalistes, ceux-ci pourront décider de quitter l'entreprise en bénéficiant de toutes les indemnités légales qui leur seraient versées s'ils étaient licenciés.

La liberté d'opinion des journalistes est en outre garantie par la Convention collective, avec la réserve que son expression publique ne porte atteinte, en aucun cas, aux intérêts de l'entreprise de presse qui les emploie.

Toujours selon cette loi, « un journaliste digne de ce nom :

– prend la responsabilité de tous ses écrits, tient la calomnie, les accusations sans preuves, l'altération des documents, la déformation des faits, le mensonge, pour les plus graves fautes professionnelles ;

– n'accepte que des missions compatibles avec la dignité professionnelle ;

– s'interdit d'invoquer un titre ou une qualité imaginaire, d'user de moyens déloyaux pour obtenir une information ou surprendre la bonne foi de quiconque, ne touche pas d'argent dans un service public ou une entreprise où sa qualité de journaliste, ses influences, ses relations soient susceptibles d'être exploitées ;

– ne signe pas de son nom des articles de réclame commerciale ou financière, ne commet aucun plagiat, cite les confrères dont il reproduit un texte quelconque, ne sollicite pas la place d'un confrère, ni ne provoque son renvoi en offrant de travailler à des conditions inférieures, garde le secret professionnel, n'use pas de la liberté de la presse dans une intention intéressée, revendique la liberté de publier honnêtement ses informations, tient le scrupule et le souci de la justice pour des règles premières, ne confond pas son rôle et celui d'un policier. »

En 1970, les représentants de la plupart des syndicats de journalistes d'Europe, dont les Français, ont adopté une **Déclaration des droits et des devoirs des journalistes**. Dans ce texte on peut lire notamment que : « la responsabilité des journalistes vis-à-vis du public prime tout autre responsabilité, en particulier à l'égard de leur employeurs et des pouvoirs publics ».

La qualité de journaliste est attestée par **une carte d'identité professionnelle** délivrée par une commission paritaire (la « Commission de la Carte ») composée de patrons de presse et de journalistes.

Comment les Français voient les journalistes ?

Les Français ne souhaitent pas voir leurs enfants exercer le métier de journaliste. Loin derrière le trio professeur (21 %) - médecin-ingénieur (18 %), le journaliste est mis sur le même plan que l'avocat et l'artiste (7 %). Quant aux jeunes eux-mêmes, les 18-24 ans préféreraient être artistes (14 %) que journalistes (10 %) [8]. A l'évidence, **l'instabilité, voire l'insécurité, de la profession fait peur.**

Sur la préparation au métier, les Français sont partagés : la moitié d'entre eux considère qu'il vaut mieux passer par une école professionnelle, tandis que l'autre moitié estime qu'il est préférable de se former sur le tas.
De fait, de nombreux journalistes – dont certains fort connus – ont fait carrière dans la presse sans avoir fréquenté un quelconque établissement spécialisé. Il semble cependant que, à l'heure actuelle, les directeurs de journaux embauchent de plus en plus des débutants issus des écoles de journalisme.

Amenés à donner leur sentiment sur le travail des journalistes, une majorité de Français estime que ceux-ci ont tendance à **privilégier leurs opinions par rapport aux faits.** Peut-être faut-il voir là une condamnation d'un type de journalisme « à la française » qui, à l'inverse de son homologue anglo-saxon, néglige l'enquête (l'« investigation »), la recherche de l'information au profit de l'explication, du commentaire.

De même, si nos compatriotes trouvent satisfaisant le traitement par la presse des problèmes de la vie quotidienne et l'information sur les tragédies du monde, ils considèrent, sur ce dernier point, que le « suivi » est par trop négligé. Une information dramatique chasse l'autre et **la sur-information finit par déboucher sur une sous-information** (voire une désinformation). Le goût du spectaculaire, du sensationnel peut avoir pour conséquence la confusion, sinon l'incohérence.

Interrogés sur le « sérieux » des journalistes, trois quarts des Français pensent qu'« ils s'efforcent de connaître toute la vérité sur les choses », contre deux tiers il y a dix ans. Les plus sceptiques sont les 18-24 ans et les électeurs communistes.
Sous la probable influence d'événements récents (plusieurs journalistes tués, blessés ou pris en otage dans l'exercice de leur métier), une écrasante majorité de Français considère que les journalistes sont **courageux** (88 % contre 76 % en 1975).
Même s'ils sont moins nombreux, près des trois quarts des lecteurs de journaux, spectateurs de télévision ou auditeurs de radio estiment que les journalistes sont **honnêtes.** C'est une assez étonnante progression puisqu'ils n'étaient que 55 % il y a dix ans. On notera, toutefois, que les 18-24 ans ne sont que 61 % à être aussi optimistes.

Enfin, sollicités de dire s'ils pensaient que les journalistes étaient indépendants, 58 % de Français ont répondu négativement (10 % de plus qu'en 1975). Réponse grave, en contradiction avec les précédentes, car elle signifie que les professionnels de la presse sont perçus comme incapables de résister aux pressions des partis, du pouvoir ou de l'argent.
Politiquement parlant, ce sont les électeurs communistes qui font le plus confiance à l'indépendance des journalistes et leurs homologues socialistes qui sont les plus incrédules.

En dernière analyse, il ressort que les Français se font **une image globalement positive des journalistes,** surtout comparée à celle qu'ils avaient il y a dix ans. Constatant qu'« aucune raison objective sérieuse ne justifie cette spectaculaire amélioration du statut moral du journaliste dans l'imaginaire collectif français », Claude Furet, enseignant au Centre de formation et de perfectionnement des journalistes, observe qu'il faut « plutôt en chercher les causes réelles dans **l'influence grandissante du vedettariat audiovisuel** ». L'information devient de plus en plus personnalisée, par le canal de quelques journalistes particulièrement appréciés (aimés ?) du public, qui établit avec eux une sorte de relation quotidienne. Chaque soir à 20 heures, les Français attendent devant leurs téléviseurs que tel présentateur ou telle présentatrice du journal leur apporte (leur présente, leur explique, leur dissèque...) leur ration d'informations nationales et internationales. Le journaliste est celui qui est informé,

(8) Ces données, et celles qui suivent, proviennent d'une enquête réalisée par l'Institut Louis Harris pour le Centre de perfectionnement des journalistes. Elle a été publiée dans l'hebdomadaire *Télérama* (9 janvier 1985).

qui sait ; on a donc besoin de lui et on lui fait confiance, même si l'on a conscience qu'il est loin d'être entièrement libre à l'égard des pouvoirs et des pressions de tous ordres. Ceci pouvant d'ailleurs expliquer l'importance du coefficient de sympathie dont jouissent actuellement les journalistes.
On peut se réjouir de ces rapports apparemment idylliques entre les Français et ceux qui sont chargés de les informer, mais on peut aussi se demander, avec Françoise Tristani-Potteaux, auteur de *L'information malade de ses stars*[9] si la personnalisation extrême de l'information qui lui fait gagner « en autorité et séduction » et donc renforce son pouvoir sur le court terme, ne lui fait pas également prendre des risques sur le long terme.

(9) Ed. J.-J. Pauvert 1983.

Des journalistes parlent....

• *Jean-Michel Croissandeau : « Tout journaliste est au centre d'un système de chantage. »*

Alain Kimmel : *Comment expliquez-vous que seulement 10 % des journalistes actuels ont été élèves des écoles de journalisme ?*
Jean-Michel Croissandeau[1] **:** *Je dirais qu'il y a d'abord une question de génération. La majorité des journalistes en activité ont entre 30 et 45 ans, c'est-à-dire qu'ils sont dans le métier depuis au moins une dizaine d'années. A cette époque, les journalistes qui avaient suivi des études spécifiques étaient encore moins nombreux qu'aujourd'hui. Ce qu'apprécient les patrons de presse maintenant, c'est que les jeunes sortis des écoles professionnelles sont plus rapidement opérationnels que les licenciés en lettres ou les diplômés de Sciences Po., peut-être plus cultivés mais qui ignorent tout du journalisme.*

A. K. : *Donc, en dépit des chiffres, pour devenir journaliste en 1985, mieux vaut sortir d'une école professionnelle ?*
J.-M. C. : *Je crois qu'il faut surtout posséder le tempérament* ad hoc. *L'important est d'abord la personnalité de l'individu, et son niveau de motivation en fonction de l'image qu'il se fait du journalisme. La motivation est vraiment la qualité dominante qu'il faut développer. Outre l'investissement psychologique, il est préférable d'être extraverti et, bien sûr, indispensable d'être actif, curieux, débrouillard !*

A. K. : *Selon l'enquête réalisée par la Commission de la Carte, la proportion de rédacteurs en chef, directeurs de la rédaction ou autres chefs de service semble élevée par rapport à celle de l'ensemble des journalistes, qu'en pensez-vous ?*
J.-M. C. : *Compte tenu qu'il existe dans tout journal une structure hiérarchique, il ne me paraît pas anormal qu'il y ait environ 15 %, je crois, de rédacteurs en chef... Par contre, ce qui est plus choquant à mes yeux, c'est que le journaliste parvenu à un tel poste cesse en quelque sorte de faire du journalisme ; il se produit comme une stérilisation. Le journalisme est une profession dans laquelle il y a peu de mobilité, et en tout cas pas de mobilité descendante : un chef ne redescend jamais à la base.*

A. K. : *Il existe une Charte des journalistes qui date de 1918 et une Déclaration européenne des droits et des devoirs des journalistes qui a été adoptée en 1970, mais il n'y a pas à proprement parler de code de déontologie, trouvez-vous cela normal ?*
J.-M. C. : *Je pense que les textes auxquels vous faites allusion sont tout à fait suffisants. Vous savez, le journalisme ne s'exerce pas en dehors des lois. Il ne peut y avoir de pratique irresponsable ou indécente de ce métier, à tout moment survient le contrôle des lecteurs. C'est pour eux qu'écrit le journaliste et non pour ses sources d'information. Il faut cependant reconnaître que certains journalistes ont tendance à*

écrire pour leurs sources : ministères, entreprises, institutions diverses... De toute manière, tous les journalistes sont au centre d'un système de chantage : on attend d'eux qu'ils servent tel ou tel pouvoir, tel ou tel groupe de pression et, à cet égard, il faut souligner le rôle déterminant des attachés de presse... Pour certains représentants de ces pouvoirs, le bon journaliste est celui qui leur renvoie l'image qu'il souhaitent que l'on ait d'eux ! Pour ma part, j'estime qu'il doit se produire une régulation naturelle que le journaliste ne peut trouver qu'en lui-même. Cela étant, il faut tenir compte du fait que les journaux sont des entreprises commerciales et donc que la sanction économique est toujours possible. C'est pourquoi certains professionnels hésitent ou même renoncent à prendre des risques, et servent une information aseptisée qui leur permet d'avoir un lectorat [2] *plus important ou, tout simplement, de survivre. Il y a incontestablement dans la presse de ce pays une rétention de l'information. Quant aux journalistes, ils sont très dépendants des journaux dans lesquels ils travaillent.*

A. K. : *En France, un journaliste ne peut donc être indépendant ?*
J.-M. C. : *Pour qu'un journaliste soit indépendant, il faut qu'il soit très compétent et, à l'heure actuelle, il ne peut être très compétent que s'il est très spécialisé. Autrement dit, pour résumer : la spécialisation fonde la compétence qui fonde l'indépendance.*

A. K. : *Êtes-vous d'accord avec les Français qui, à près de 90 %, estiment que les journalistes sont courageux ?*
J.-M. C. : *C'est très gentil et très flatteur, mais je ne crois pas que les journalistes soient plus courageux que les autres. Comme beaucoup, ils effectuent une mission de service public et, à ce titre, je n'ai pas le sentiment qu'ils prennent des risques sensiblement plus élevés.*

A. K. : *Pourquoi les journalistes ne font-ils pas davantage d'enquêtes ? Le journalisme d'investigation est-il une exclusivité anglo-saxonne ?*
J.-M. C. : *Premièrement, les journalistes ne sont pas des policiers ! Deuxièmement, et plus sérieusement, je dirais que l'investigation se réduit trop souvent à la recherche du scandale, et ce n'est pas là le but du vrai journalisme. Il est cependant certain qu'il n'existe pas en France de véritable journalisme d'enquête et on peut le déplorer.*

A. K. : *A quoi cela tient-il ?*
J.-M. C. : *Je crois que cela tient à la structure de la presse française. Celle-ci subit des pressions de tous ordres et les journalistes doivent supporter ces pressions. Si elles sont plus rares dans une structure indépendante que dans un journal politique ou militant, elles ne sont pas pour autant inexistantes. En outre, les journalistes doivent préserver leurs sources d'information et ils ne peuvent pas toujours aller jusqu'où ils le voudraient. Il faut être lucide : comme dans la plupart des métiers, la liberté du journaliste a ses limites.*

(1) Rédacteur en chef du *Monde de l'Éducation*.
(2) Ensemble de lecteurs.

• *François d'Orcival : « Le journaliste est à la fois un metteur en scène et un juge d'instruction. »*

Alain Kimmel : *Pouvez-vous nous dire en quoi consiste le rôle de directeur de la rédaction d'un hebdomadaire d'informations générales comme* Valeurs Actuelles ?

François d'Orcival : *Pour moi, c'est un rôle à trois dimensions. Premièrement, c'est être responsable, y compris, le cas échéant, devant les tribunaux, de tout ce qui paraît dans le journal.*

Deuxièmement, c'est être le premier lecteur du journal, et donc celui qui se met à la place du lecteur.

Troisièmement, c'est être l'animateur du journal, c'est-à-dire celui qui lui donne une âme, un souffle. C'est aussi celui qui fait « sortir » les idées et qui les rassemble.

A. K. : *Qu'est-ce pour vous qu'être journaliste aujourd'hui ?*

F. d'O. : *C'est d'abord être un metteur en scène. Les faits sont donnés et s'imposent au journaliste. Son rôle est de raconter, pour un certain type de public, ce qu'il a vu ou entendu. Avec le matériau ainsi recueilli, il agit comme un réalisateur avec un scénario et il produit une œuvre originale. Mais à partir des mêmes faits, des mêmes données, la « réalisation » aura ses caractéristiques propres. Pour prendre une comparaison avec le théâtre, je dirais qu'il y a la même différence entre un même événement vu par tel ou tel journal qu'entre une pièce de Molière mise en scène par Pierre Dux [1] ou par Antoine Vitez [2].*

Être journaliste c'est ensuite, selon moi, être juge d'instruction. Comme ce dernier, le journaliste a devant lui plusieurs vérités et des témoignages contradictoires et doit donc, dans son journal, en faire la synthèse. Il doit tirer le fil d'Ariane, mais sans jamais posséder aucun droit de sanction.

A. K. : *Que diriez-vous de vos rapports avec les pouvoirs, et notamment le pouvoir politique ?*

F. d'O. : *Je dirais qu'ils sont dans l'ensemble relativement bons et transparents. Bien sûr, les manipulations peuvent exister, mais elles demeurent, à ma connaissance, plutôt rares. Le pouvoir politique n'exerce pas de pression directe sur nous, mais il peut le faire de manière indirecte, en particulier par le biais de la publicité.*

S'il y a chantage, il n'est pas très valide et on peut y répondre assez facilement. Vous savez, il est quand même difficile de boycotter un titre ! En règle générale, nous décidons ce que nous voulons faire après avoir évalué le rapport de forces.

A. K. : *Faut-il être courageux pour être journaliste ?*

F. d'O. : *Je pense que la question n'est pas là. Ce dont il s'agit essentiellement, c'est d'avoir envie de faire ce métier. Ici, la vocation demeure une réalité bien vivante. Mais il est vrai que l'on trouve dans la profession une grande masse de routiniers...*

A. K. : *Les journalistes sont-ils honnêtes ?*

F. d'O. : *La grande majorité d'entre eux, oui ! Ce qui est relativement facile, car nous ne vivons pas dans une société de bakchich [3]. Évidemment, ils recueillent parfois des informations qu'ils ne publient pas parce que certains moyens de persuasion sont mis en œuvre ; mais, la plupart du temps, ces pressions sont fondées.*

A. K. : *Disent-ils la vérité ?*

F. d'O. : *Comme les personnages de Pirandello, ils disent ce qu'ils croient être la vérité, mais ce n'est qu'une vérité. Je crois qu'ils disent ce qu'on leur dit et donc qu'ils n'inventent pas, qu'ils ne fabulent pas.*

A. K. : *Si vous reveniez en arrière, choisiriez-vous à nouveau d'être journaliste ?*

F. d'O. : *Oui absolument. Dès l'âge de douze ans, et à la lecture des aventures de Tintin reporter, j'avais décidé de faire ce métier.*

A. K. : *Le conseilleriez-vous à vos enfants ?*

F. d'O. : *Même réponse !*

(1) Metteur en scène, notamment à la Comédie française, à la manière très classique.

(2) Metteur en scène, notamment au Théâtre de Chaillot, au « modernisme » parfois contesté.

(3) Mot persan qui signifie pourboire et, par extension, pot-de-vin dans certains pays d'Orient.

8

Système éducatif

LYCEE JULES FERRY

COLLÈGE D'ENSEIGNEMENT SECONDAIRE
GUSTAVE NADAUD

École : quelle image ?

Les Français ont confiance en leur école, mais considèrent qu'elle n'est pas exempte de reproches. Ils estiment notamment qu'elle n'est pas adaptée à la vie professionnelle. Ils souhaitent qu'elle accorde une plus grande place aux activités sportives et artistiques. Ils portent enfin un jugement nuancé sur les enseignants. Au total, une image contrastée.

Entre les manifestations des lycéens et des étudiants de novembre-décembre 1986 [1] et les grèves des enseignants de janvier-février 1987, l'école a une fois encore occupé, durant plusieurs semaines, le devant de la scène. Refus d'un projet de réforme de l'enseignement supérieur pour les uns, rejet d'un nouveau statut de maître-directeur d'école primaire et revendications salariales pour les autres, tels furent les principaux points qui suscitèrent colère et révolte.

Aussi brutales qu'elles furent, les secousses qui ébranlèrent le monde de l'enseignement ces derniers mois ne constituent pas un phénomène sans précédent.

Depuis une vingtaine d'années, les Français savent que certaines réformes envisagées par les nombreux ministres qui se succèdent à la tête de l'Éducation nationale, engendrent parfois de brusques flambées de contestation. Une partie de la population elle-même n'hésite pas à « descendre dans la rue » – comme en 1984, les défenseurs de l'enseignement privé – lorsqu'elle considère que telle réforme éducative ne va pas dans le « bon sens ». A l'évidence, **rien de ce qui concerne l'école n'est indifférent aux Français.** Ils sont d'ailleurs souvent consultés pour faire connaître leur sentiment en la matière.

Confiance en l'école, mais...

Des sondages récents montrent que l'école est l'institution en laquelle les Français ont le plus confiance (31 %, devant « l'entreprise » 29 % et l'armée 21 %). Constat pour le moins surprenant lorsqu'on a présent à l'esprit les critiques virulentes qui, à intervalles réguliers, s'abattent sur l'école. Mais peut-être faut-il voir là une des conséquences de « l'effet amplificateur » dont bénéficient ces critiques, notamment dans les médias. Questionnés ensuite sur le fonctionnement des différents niveaux de l'enseignement, 62 % déclarent que l'enseignement primaire fonctionne bien ; 52 % pensent de même pour le secondaire ; ils ne sont plus que 43 % pour l'enseignement technique et

(1) Cf. « Lycéens-étudiants : la révolte de l'automne 86 » p. 122.

A gauche, manifestants de l'hiver 1987 opposés au nouveau statut des maîtres directeurs d'école primaire ; à droite, manifestants de l'été 1984 pour la défense de l'enseignement privé.

seulement 35 % pour l'Université (42 % pour les Grandes écoles).
Ces chiffres sont révélateurs de **la dégradation de l'image de notre système éducatif** qui, nettement positive dans sa partie « obligatoire » (jusqu'à 16 ans), devient ensuite négative, en particulier pour l'Université qui n'a décidément pas bonne presse dans notre pays. Il faut toutefois signaler que les Français « sans opinion » sur l'enseignement primaire et secondaire sont relativement peu nombreux (respectivement 13 % et 21 %), alors qu'ils représentent des pourcentages de 48 % et 53 % sur l'Université et les Grandes écoles.

Des reproches

Pessimistes sur le bon fonctionnement de l'Université, les Français le sont également lorsqu'il s'agit d'estimer si « l'enseignement actuel prépare plutôt bien ou plutôt mal à la vie professionnelle » : 31 % répondent « plutôt bien » et 55 % « plutôt mal ».
Invités par la C.O.F.R.E.M.C.A. [2] à préciser « le principal reproche » qu'ils font à l'école, ils répondent massivement (43,7 %) : « elle ne tient pas compte de l'évolution du monde professionnel » (25,6 % estiment qu'« elle ne sait pas concilier le rythme des enfants et les contraintes des parents » et 24,3 % qu'« elle ne donne pas aux enseignants la possibilité de s'adapter à la diversité des élèves »).
Ce reproche majeur n'est pas nouveau, mais il prend tout son sens dans la situation de crise actuelle où, malgré de récents et incontestables progrès, le taux de chômage des jeunes demeure un des plus élevés en Europe. Rappelons, à cet égard, que, lors des manifestations de l'automne 86, 55 % des 16-22 ans ont déclaré avoir d'abord exprimé leur inquiétude devant un avenir professionnel pour le moins incertain [3].
Le monde de l'enseignement et le monde du travail continuent le plus souvent de s'ignorer. Pourtant, **le rapprochement entre l'école et l'entreprise** avait été

(2) Dans un sondage effectué en novembre 86 pour l'hebdomadaire *La Lettre de l'éducation.*
(3) Cf. « Lycéens-étudiants : la révolte de l'automne 86 » p. 122.

amorcé, dès la fin des années soixante-dix, avec les **stages en entreprise** instaurés par Christian Beullac, ministre de l'Éducation nationale entre 1978 et 1981. Il a été poursuivi et développé entre 1984 et 1986, avec Jean-Pierre Chevènement : en dix mois, 10 000 établissements scolaires ont été jumelés à une entreprise.

Le bac d'abord !

Ces mesures importantes n'ont à l'évidence pas convaincu les Français. Ils sont d'ailleurs de plus en plus nombreux à penser que « pour réussir sa vie professionnelle, il est utile d'avoir le baccalauréat » (71 % contre 25 % ; en 1980, ils étaient respectivement 60 % et 37 %). A l'issue du baccalauréat, 38 % considèrent qu'« il est normal que tous les élèves puissent entrer à l'Université, même si on ne peut pas leur garantir un débouché », mais 48 % estiment qu'il « vaudrait mieux limiter le nombre des étudiants en instaurant par exemple un examen d'entrée spécial à l'Université ». Ces jugements sont quelque peu surprenants, car ils semblent traduire une assez grande confiance dans l'Université, alors que son fonctionnement est considéré comme satisfaisant par seulement 35 % des personnes interrogées. Paradoxes des sondages peut-être...

Le niveau baisse-t-il ?

Aucune ambiguïté en revanche sur le niveau des élèves : 48 % estiment qu'il « va plutôt en se dégradant », 23 % qu'il « reste le même » et 21 % qu'il « va plutôt en s'améliorant ». Avec cette question et ces réponses, on est confronté à l'une des idées les plus stéréotypées en matière d'enseignement. La « baisse du niveau » est un véritable « pont aux ânes », qui comporte certes sa part de vérité, mais demande aussi à être nuancé.

Si la plupart des enseignants de français s'accordent en effet pour reconnaître que le niveau d'ensemble de leurs élèves n'est plus ce qu'il était, notamment en orthographe, leurs collègues de mathématiques font unanimement état de progrès remarquables, du moins pour certains élèves. Ceux-là seraient capables de faire en classe de seconde ce que leurs aînés faisaient naguère en terminale !

Tout comme la querelle de l'inné et de l'acquis, le débat sur la baisse réelle ou supposée du niveau scolaire n'est pas près d'être clos.

Priorité aux matières secondaires

Après avoir demandé aux Français quels reproches ils faisaient à l'école, la C.O.F.R.E.M.C.A. [(4)] leur a suggéré de choisir, parmi plusieurs possibilités, « les trois priorités sur lesquelles l'Éducation nationale devrait faire porter ses efforts ». En tête de ces priorités, ils ont placé **l'accroissement des « activités sportives, culturelles et artistiques** » (46,9 %). Il s'agit là des matières traditionnellement considérées comme « secondaires » dans l'enseignement français, même si chaque nouveau ministre de l'Éducation nationale proclame bien haut sa volonté de leur redonner, avec leurs « lettres de noblesse », toute la place qui leur revient. Propos politicien ? Pas nécessairement. Vœu pieux ? Plus vraisemblablement. Les bonnes intentions ministérielles se brisent contre le mur des traditions et des pesanteurs historiques ou sociologiques. Jusqu'à présent, rien n'a véritablement changé.

(4) Cf. note (2).

Et les profs ?

A ce bref panorama de l'école vue par les Français il faut ajouter un dernier – mais non le moindre – élément : leur opinion sur les enseignants.

• Ce que les Français pensent des enseignants

Un rappel d'abord : en 1984 [5], 43 % des Français considéraient que les enseignants étaient « suffisamment formés », mais 42 % étaient d'un avis contraire ; 52 % les jugeaient « consciencieux » et 34 % « pas assez consciencieux » ; 44 % les estimaient « bons pédagogues » et 34 % « pas assez bons pédagogues ». 53 % pensaient qu'ils constituaient un « corps privilégié » (contre 36 %), 44 % qu'ils restaient « politiquement et idéologiquement neutres » dans leurs cours, alors que 40 % affirmaient qu'ils « projettent leurs idées politiques et philosophiques ». Enfin, 63 % les situaient à gauche sur l'échiquier politique français (9 % à droite, 28 % sans opinion).
L'année suivante, la S.O.F.R.E.S. questionnait les Français sur « la compétence des enseignants » [6] ; 37 % déclaraient qu'elle restait la même, 30 % qu'elle allait « plutôt en se dégradant » et 17 % « plutôt en s'améliorant ».
Enfin, en 1986, la C.O.F.R.E.M.C.A. les interrogeait sur les principales qualités que l'on peut demander à un professeur [7]. Pour 59,5 % le « bon prof » est celui qui « motive ses élèves et leur donne envie de travailler » ; pour 47,3 % « celui qui suit et contrôle le travail de ses élèves » et pour 42,7 % celui qui « est très clair et structure bien ses cours » [8].

De l'ensemble de ces données, il ressort que **l'opinion des Français sur les enseignants est nuancée.** Si leur conscience professionnelle et leurs qualités pédagogiques sont majoritairement reconnues, le niveau de leur formation, voire leur compétence, est mis en doute, de même que la neutralité de leurs cours. Ils sont aussi considérés comme faisant partie des « privilégiés », ce qui n'est pas nouveau et est conforme à un certain discours officiel (« les fonctionnaires et agents du service public ne sont pas menacés par le chômage, donc ils sont privilégiés »), mais ne laisse pas de les surprendre lorsqu'ils comparent leurs salaires avec ceux d'autres catégories socioprofessionnelles [9].
Plus nouvelle est l'idée que les Français se font du « bon prof ». Ce n'est plus celui qui sait et transmet des connaissances (« le prof traditionnel »), mais ce n'est pas non plus celui qui « comprend » les élèves, « en se mettant à leur place » (« le prof copain »). Le prof « idéal », c'est celui qui intéresse ses élèves et donc les incite au travail, qui est attentif à ce qu'ils font et qui les écoute.
Qu'on s'en réjouisse ou qu'on le déplore, l'évolution paraît indiscutable (y compris dans le vocabulaire) : on est passé **du professeur qui instruit à l'enseignant qui éduque.**
De ce panorama de l'école vue par les Français se dégage une image où se mêlent couleurs claires – les motifs de satisfaction – et couleurs sombres – les causes de mécontentement. En tout cas, une image « parlante » pour tous, et que tous espèrent voir s'éclaircir encore.

---

(5) Sondage effectué par Gallup-Faits et opinions pour *L'Express* du 13 au 16 juin 1984.
(6) Cf. (2).
(7) Cf. (3).
(8) Total supérieur à 100 %, plusieurs réponses pouvant être données.
(9) Salaires dans l'ensemble inférieurs de 15 % à ceux des autres agents de l'État et de 50 % à ceux des cadres supérieurs.

La planète des « profs »

Depuis plusieurs années déjà,
il n'est question, ici ou là,
que du « malaise des enseignants ».
Une chose est sûre : le métier de « prof »
présente des avantages et des inconvénients.
Pour beaucoup, les seconds excèdent les premiers
et certains le supportent mal.
Pour redonner à tous le goût et le plaisir d'enseigner,
n'est-il pas urgent de revaloriser ce métier ?

Ces dernières années, nombre de livres sont parus pour témoigner de la crise de l'enseignement – reflet évident d'une crise de société – et jeter un cri d'alarme avant qu'il ne soit trop tard [1].
Réfléchir sur la crise d'un système éducatif, c'est s'interroger sur ses principaux acteurs, c'est-à-dire les enseignants. Selon certains auteurs, un « formidable soupçon » pèserait sur eux [2], pour d'autres ils seraient « persécutés » [3], d'aucuns se sont demandé où ils allaient [4] et même à quoi ils servaient [5], on ne compte plus enfin les dossiers ou articles sur le « malaise des enseignants ». Qu'en est-il vraiment ? Peut-on admettre, en paraphrasant La Fontaine que « s'ils ne meurent pas tous, tous sont frappés » ? [6] Tous, c'est-à-dire les quelques **730 000 instituteurs, professeurs de collège, de lycée et d'université** qui composent ce qu'on appelait naguère le « corps professoral ».

Le malaise des enseignants

A l'évidence, « le malaise des enseignants » est une réalité toujours très actuelle. Il est la conséquence de **la dévalorisation – sociale, économique, culturelle – de la fonction enseignante** dans la société d'aujourd'hui. Les « maîtres » occupent désormais un rang inférieur dans la hiérarchie sociale, leur situation matérielle est médiocre et ils ne possèdent plus le monopole de la transmission du savoir.
Sous la IIIe et la IVe République, instituteurs et professeurs faisaient partie des notables, de ceux que l'on respectait. Ils avaient progressé dans la hiérarchie

(1) Cf. bibliographie p. 222.
(2) *Tant qu'il y aura des profs*, de Hervé Hamon et Patrick Rotman (Le Seuil, 1984).
(3) *Les Enseignants persécutés*, de Patrick Ranjard (Éd. Robert Jauze, 1984).
(4) *Où vont les professeurs ?* de Lucien Klausner (Casterman « E 3 », 1979).
(5) *Pourquoi les professeurs ?* de Georges Gusdorf (Payot, 1963).
(6) Cf. « Les animaux malades de la peste », Jean de la Fontaine, *Fables*.

sociale par rapport à leur milieu d'origine et enseignaient aux enfants de ce même milieu. L'instituteur de « la communale », le « hussard noir de la République », instruisait les enfants « du peuple » dont il était lui-même issu ; le professeur de lycée enseignait aux enfants de la bourgeoisie au sein de laquelle il avait été élevé. Chacun était donc en relation avec des enfants (et des parents) qui, socialement parlant, ne lui étaient pas étrangers et « par qui il pouvait se sentir valorisé » (P. Ranjard) (7). Aujourd'hui, cette situation a complètement changé. Les enseignants sont, pour la plupart, issus des couches moyennes, y compris les instituteurs, autrefois recrutés parmi les meilleurs éléments des familles ouvrières et paysannes. Choisir ce métier n'est plus un facteur de promotion sociale. Au cours des vingt dernières années, il s'est lentement « embourgeoisé ». En 1960-61, les Écoles normales d'instituteurs accueillaient 22,6 % d'enfants d'ouvriers : ils n'étaient plus que 13,7 % en 1977-1978 et 9,2 % en 1982 (moins de 5 % d'enfants d'agriculteurs). Cette dernière année, 16,7 % des autres normaliens avaient des parents cadres moyens, 14 % des parents enseignants et 12,2 % des parents cadres supérieurs ou membres des professions libérales. Conscients de leur stagnation, voire de leur recul, dans la hiérarchie sociale, les enseignants ne se sentent, en outre, plus « reconnus » – bien au contraire – par les parents de leurs élèves. Il y a effritement de leur statut social, voire même **déclassement.** En 1910, la valeur marchande des enseignants était relativement élevée : un professeur débutant touchait 63 % de son traitement de fin de carrière. Actuellement, un agrégé en début de carrière perçoit environ 45 % de sa rémunération terminale.

Cette « déchéance » salariale s'accompagne d'une « déchéance » professionnelle. L'image de l'enseignant se dégrade aux yeux d'une opinion qui juge les individus sur leur bulletin de paye, c'est-à-dire au « standing » de leur appartement, à la cylindrée de leur voiture ou au choix de leur lieu de vacances. Ne se conformant pas aux comportements et aux modes de vie majoritaires, l'enseignant est marginalisé, sinon méprisé. Il perçoit donc le monde extérieur comme hostile et se sent agressé, rejeté, « persécuté ».

Dépourvu de son pouvoir institutionnel, l'enseignant est également **dépossédé de son monopole culturel.** Il n'est plus exclusivement celui qui transmet les connaissances et les valeurs. Il doit faire face à la concurrence des médias (la télévision, le cinéma, la presse, la bande dessinée, etc.) et la partie est rude... Une barrière culturelle le sépare souvent de ses élèves, ses goûts, ses références leur sont étrangers. Sa culture se voit opposer une contre-culture qui n'est pour lui, la plupart du temps, qu'une sous-culture. D'où son malaise, son « mal être » qui le rend aigri et agressif à l'égard des élèves, mais aussi des parents, de l'administration, bref de la société tout entière.

Les responsabilités du système éducatif

En porte-à-faux, au sein de la société civile, les enseignants le sont aussi à l'intérieur du système éducatif, même si, fréquemment, ils s'y replient comme dans un cocon protecteur.

L'enseignement actuel, en effet, se caractérise essentiellement par sa très grande **hétérogénéité.** Hétérogénéité des élèves, des conditions de travail, des situations pédagogiques et... des maîtres. Elle est le produit de la démocratisation institutionnalisée à partir des années soixante. Avec la prolongation de la

(7) *Les enseignants persécutés (op. cit.).*

scolarité obligatoire jusqu'à seize ans et l'instauration du collège unique en 1976-1977, on est passé d'un enseignement structurellement élitiste à **un enseignement de masse** où tous les enfants se retrouvent ensemble, quel que soit leur niveau. Conséquence : les niveaux sont tellement différents « qu'il est impossible de faire travailler toute une classe en même temps » [8].
L'hétérogénéité des maîtres n'est pas moins grande que celle des élèves. Le corps enseignant est **un des groupes socioprofessionnels les plus hiérarchisés** qui soit. De l'instituteur au professeur d'université, en passant par le professeur de collège (P.E.G.C.), le professeur de l'enseignement technique, le certifié, l'agrégé... la formation, les horaires de travail, les salaires sont sans commune mesure. Deux exemples : l'instituteur et le professeur agrégé. Le premier a fait de deux (pour les plus anciens) à quatre ans d'études (pour les plus jeunes) après le bac, assure vingt-sept heures de cours par semaine et gagne entre 5 500 et 10 500 F par mois ; le second a passé un concours très difficile au bout d'un minimum de cinq ans d'études supérieures, il « doit » quinze heures de cours hebdomadaires, son traitement mensuel s'échelonne entre 7 000 F et 15 000 F. « Un drôle de monde, observe la journaliste Danièle Granet, où se retrouvent ceux qui ont choisi, faute de mieux, le métier d'enseignant et ceux qui y ont vu un refuge ; une société désenchantée qui a perdu la reconnaissance des Français » [9]. Interrogés sur la principale difficulté de leur métier, 75 % des enseignants ont répondu : « la tension nerveuse qu'il exige ». « Tension nerveuse, précise P. Ranjard, qu'implique la poursuite impossible des objectifs d'autrefois dans les conditions d'aujourd'hui » [10].

Inconvénients et avantages du métier

Autre facteur de malaise pour les enseignants : leur **temps de travail.** Tous ont dû subir quelques plaisanteries bien senties sur leurs horaires, leurs vacances, etc.
De fait, on ne possède actuellement aucune indication sérieuse sur le temps de travail réel des enseignants. On admet simplement qu'il se divise en **un temps imposé** (de durée connue et qui se déroule dans l'établissement d'enseignement) et en **un temps choisi** (de durée inconnue et qui se passe hors de l'établissement). L'enseignant peut travailler chez lui, quand et comme il l'entend. C'est là son incontestable privilège sur les autres salariés.
C'est aussi ce qui explique la **féminisation croissante de la profession.** Nombreuses sont les femmes qui l'ont embrassée pour les avantages du temps choisi (possibilité de conduire et d'aller chercher ses enfants à l'école, de faire ses courses en dehors des heures d'affluence, etc.). Elles représentent ainsi environ **55 %** des enseignants du secondaire et **80 %** du primaire.
Les enseignantes, notamment les institutrices, considèrent souvent leur traitement comme un salaire d'appoint. Elles apprécient également – et sont de plus en plus nombreuses, du fait des facilités récemment offertes par le législateur – de pouvoir ne travailler qu'à temps partiel ou à mi-temps.
A ces « avantages acquis » – mais que les enseignants craignent sans cesse de voir remis en question – s'ajoutent ceux de la sécurité. **Sécurité de l'emploi :** un enseignant ne peut être révoqué que pour une cause extrêmement grave

(8) P. Ranjard, *op. cit.*
(9) *Paradoxes*, n° 48-49.
(10) *Op. cit.*

(attentat aux mœurs, voies de fait, etc.). **Sécurité du poste :** une fois titulaire de son poste, il est, s'il le souhaite, inamovible. **Sécurité de carrière :** il progresse d'échelon en échelon, dans le pire des cas à l'ancienneté... Autres avantages : ceux qu'offre le vaste réseau d'institutions mutualistes, créées par les enseignants eux-mêmes et qui leur permettent d'assurer leur voiture et leurs biens à des conditions défiant toute concurrence, de bénéficier d'une assurance sociale complémentaire et de centres de soins et de repos, d'obtenir un complément de retraite, de pouvoir emprunter de l'argent à des taux très intéressants, de faire des achats par correspondance...

Profs, et après...

Et pourtant ce super « État-providence » ne leur apporte pas la quiétude et la joie de vivre. Nombre d'entre eux ont effectivement le sentiment d'être « persécutés » : par l'administration (notamment les inspecteurs), par les élèves (inintéressés, inattentifs, et parfois hostiles), par les parents d'élèves (présents dans les conseils de classe ou d'établissement)...

Alors, pour fuir ces « persécutions », beaucoup se replient sur eux-mêmes et se retirent dans « quelque lointain exil intérieur » [11].

Certains se consacrent à une activité militante, syndicale ou politique. Il y a quelques années, 75 % d'entre eux étaient syndiqués (dont 65 % aux différentes organisations affiliées à la puissante Fédération de l'Éducation nationale). A l'Assemblée nationale issue des élections de 1981, on dénombrait 160 enseignants, dont 134 pour le seul Parti socialiste. 45 % des membres du comité directeur du P.S., 30 % de ses militants actifs et 15 % de ses adhérents sont des enseignants.

Analysant les raisons de ce militantisme syndical ou politique, l'historien Paul Gerbod [12] estime qu'il constitue pour les enseignants « un moyen d'évasion hors d'un milieu de vie jugé étroit et contraignant », qu'il « estompe le désenchantement professionnel » et qu'il les « mêle au monde des adultes », leur évitant ainsi « l'infantilisation » permanente et la marginalisation socioculturelle. Ceux qui ne militent pas, se « désinvestissent » souvent (temps partiel), se mettent hors-jeu (absence de longue durée) ou fuient (démissions). Enfin, il y a ceux qui « craquent » ; car la tension nerveuse, l'angoisse ont été trop fortes.

Le plaisir d'enseigner

A des hommes et des femmes qui ne choisissent plus ce métier par vocation, mais pour les horaires de travail, les vacances, la sécurité de l'emploi, la peur « inavouée » du monde des adultes ou simplement faute de mieux, il est beaucoup demandé. L'État, les familles attendent d'eux qu'ils instruisent les enfants et les adolescents, mais aussi qu'ils les éduquent, les éveillent, les épanouissent... N'est-ce pas trop exiger d'eux ?

Bien sûr, il existe des enseignants qui n'éprouvent aucun « malaise », qui ne se sentent ni culpabilisés ni frustrés, qui sont compétents, efficaces, appréciés de tous (élèves, parents, administration), bref qui réussissent et sont – pourquoi pas ? – heureux. Qu'ils ne soient qu'une minorité ne fait malheureusement guère de doute. Il est non moins certain qu'il importe de redonner aux autres, avec la place qui leur est due dans la société, le goût et la fierté de leur métier.

---

(11) Maurice T. Maschino, *Vos enfants ne m'intéressent plus* (Hachette, 1983).
(12) *Les enseignants et la politique* (P.U.F., 1976).

9

Vie culturelle

Quand les Français entendent le mot « culture »...

Lorsqu'ils entendent le mot « culture », les Français pensent essentiellement loisirs, distractions, c'est-à-dire : télévision, lecture, cinéma. Les concerts, le théâtre, les expositions, les musées demeurent, malgré certains succès retentissants, des activités culturelles minoritaires.

L'activité culturelle des Français est inséparable de leurs loisirs ou de leurs distractions. Aussi, pour connaître les principaux domaines où s'exerce cette activité, est-il nécessaire de considérer les sondages effectués sur ces « loisirs ». Une enquête sur les « pratiques culturelles » des Français a bien été réalisée par le ministère de la Culture, mais elle date de 1981 et n'a pas, en tant que telle, été actualisée. Il faut donc se contenter d'enquêtes plus générales sur le « temps libre » de nos compatriotes ou de sondages spécifiques sur les Français et la télévision, les Français et la lecture, les Français et le cinéma...

Les distractions des Français

Interrogés en 1986 sur les distractions qu'ils préfèrent, les Français ont nettement mis en tête **la télévision** (cf. tableau ci-après), devant **la lecture** et **le cinéma.**

Parmi les distractions suivantes, quelle est celle que vous préférez ? [1]	
• Regarder la télévision	33 %
• Lire	16 %
• Aller au cinéma	12 %
• Faire du sport	11 %
• Écouter de la musique chez soi	8 %
• Sortir au restaurant, en boîte, etc.	7 %
• Aller au concert ou au théâtre	4 %
• Visiter des expositions, des musées	2 %
• Sans opinion	7 %

(1) Sondage Louis Harris réalisé par *Le Monde*, RTL et *Les Cahiers du Cinéma*, dans *Le Monde* (8 mai 1986).

Le théâtre conserve un public fidèle, souvent attaché au répertoire classique. De nouveaux grands musées se sont récemment ouverts à Paris : après le musée Picasso en 1985, ici le musée d'Orsay (1986) consacré au XIXe siècle.

Les résultats de ce sondage sont sans surprise et confirment des enquêtes précédentes, notamment celle du ministère de la Culture en 1981.
Ils peuvent cependant surprendre lorsqu'on connaît le succès remporté par certaines manifestations musicales, théâtrales ou artistiques.
Dans le domaine de la **musique,** certains concerts, certains spectacles lyriques (opéras, opérettes), retransmis ou non à la radio ou à la télévision, des émissions de télévision comme « Le grand échiquier » de Jacques Chancel sur Antenne 2 qui présente régulièrement des musiciens et des chanteurs, des films musicaux ou d'opéra (*Don Giovanni,* de Joseph Losey, *Carmen,* de Francesco Rosi ou *Amadeus,* de Milos Forman) sont suivis et appréciés par de nombreux mélomanes.
Au théâtre, chaque année, des pièces rencontrent un accueil enthousiaste du public. Toute énumération serait fastidieuse, mais quelques titres qui, en 1986, ont fait courir des dizaines de milliers de spectateurs, méritent d'être cités : *la Femme du boulanger,* d'après un roman de Jean Giono et un film de Marcel Pagnol, *Le Cid,* interprété notamment par Jean-Louis Barrault et Jean Marais, *Jules César* de Shakespeare mis en scène par Robert Hossein ou *la Répétition ou l'amour puni* de Jean Anouilh.
Pour 1987, on peut gager, sans grand risque d'erreur, que *Kean* de Jean-Paul Sartre, d'après Alexandre Dumas, également mis en scène par R. Hossein et joué par Jean-Paul Belmondo, tiendra l'affiche durant plusieurs mois.

Enfin, comment ne pas tenir compte des foules qui, ces dernières années, se sont pressées au Grand Palais ou au Centre Beaubourg pour admirer de grandes **expositions de peinture** consacrées à Watteau, Renoir ou au douanier Rousseau, ou à celles, thématiques et pluridisciplinaires comme « Paris-Berlin », « Paris-Moscou » ou « Vienne, naissance d'un siècle » ?
En outre, de **nouveaux musées** de dimension internationale ont vu le jour à Paris : le musée Picasso, en 1985, installé dans un hôtel particulier du XVIIe siècle, au cœur du quartier du Marais, et le musée du XIXe siècle (1848-1914) qui occupe l'ancienne gare d'Orsay.
Qu'il s'agisse des expositions ou des nouveaux musées, Parisiens et touristes leur ont assuré des taux de fréquentation si impressionnants qu'on a pu parler de véritable « ruée vers l'art » [2].
Il n'en reste pas moins que les passionnés de musique, les fervents de théâtre et les amateurs d'art ne constituent qu'une minorité, certes non négligeable, mais nullement comparable aux « gros bataillons » des télespectateurs, cinéphiles ou même lecteurs.

Un peuple de téléspectateurs

La télévision est de loin le loisir culturel préféré des Français, mais tous n'en sont pas satisfaits. Entre le sacro-saint journal télévisé et le film du dimanche soir, certains attendent autre chose. Peut-être ce que leur apporteront demain les nouvelles chaînes privatisées et diversifiées.

Les « étranges lucarnes » [3] de naguère sont devenues un objet de consommation ultra-courante, présent dans la quasi-totalité des foyers français.
En 1950, lorsque la télévision fait ses premiers pas, on compte 297 postes. **17 millions** sont dénombrés aujourd'hui, soit un taux d'équipement des foyers de 95 % [4] (dont 65 % de récepteurs couleur), 15 % disposant d'au moins deux postes ! Les quelques 5 % de non-possesseurs de la télévision sont des personnes, appartenant à tous les milieux, qui ont choisi volontairement de ne pas faire partie de la « grande famille » des téléspectateurs... « Grande famille », en effet, que celle de ces millions de Français qui passent chaque jour en moyenne **3 heures 27 minutes** (soit plus de la moitié de leur temps libre) devant leur « petit écran ».
Les téléspectateurs les plus acharnés sont : les femmes, les personnes mariées, les personnes âgées, les inactifs, les non-diplômés et les habitants des campagnes. Les moins assidus sont les hommes, les célibataires, les jeunes, les cadres, les diplômés de l'enseignement supérieur et les habitants des villes.

(2) Jeu de mots sur l'expression « ruée vers l'or ».
(3) Nom donné par des journalistes aux premiers postes de télévision.
(4) 1960 : 15 %, 1965 : 39 %, 1970 : 67 %, 1975 : 83 %, 1980 : 90 %.

Tous ont leurs habitudes. Il y a ceux qui choisissent leur programme (25 %) [5], ceux qui sont fidèles à une seule et même chaîne (37 %) et ceux qui préfèrent généralement une chaîne aux autres (60 %).

Journal télévisé et autres émissions

Parmi les types d'émissions plébiscitées, il faut mettre à part les **journaux télévisés du soir** (« le » journal de 20 heures) qui constituent non seulement la principale source d'information des habitants de l'hexagone, mais un moment important – on dirait aujourd'hui « incontournable » – de leur existence. « Le 20 heures » (celui de T.F.1 ou de A.2) est la « grand-messe » qui réunit chaque soir tous les Français, à table dans leur salle à manger ou sur le canapé de leur salon. Là, durant trente minutes, l'office est célébré, avec ses principaux rites : la politique intérieure, la politique extérieure, les informations générales, les sports et enfin la météo qui marque la fin de la liturgie. Les célébrants – les présentateurs du journal télévisé, parfois depuis plusieurs années – font partie des personnalités les plus connues des Français...
En dehors du journal télévisé, les Français regardent essentiellement les **films,** les **retransmissions sportives** et les **spectacles de variétés.** Il n'est pas rare qu'un film (celui du dimanche soir sur T.F.1 notamment) rassemble 60 % de téléspectateurs, tandis que l'audience d'un match de la Coupe du monde de football ou d'une émission où se produit une grande vedette, peut atteindre ou dépasser 50 %.
Certaines **émissions politiques,** notamment les « face à face » pré-électoraux qui opposent un « leader » de la majorité à un « ténor » de l'opposition ou les débats animés par des journalistes, recueillent des audiences avoisinant 40 %.

---

(5) Ils disposent pour cela, outre les programmes publiés par la presse quotidienne et hebdomadaire, d'une dizaine de magazines de télévision qui constituent, de loin, les plus fortes diffusions de la presse française (au total, près de 10 millions d'exemplaires).

Le face à face entre M. Jacques Chirac et M. Laurent Fabius, avant les élections de mars 1986, a obtenu 45,8 % d'audience, ce qui signifie qu'il a été suivi dans près de 8,5 millions de foyers [6]. Les émissions « Ça nous intéresse, monsieur le Président », où le journaliste de T.F.1, Yves Mourousi, interrogeait M. François Mitterrand ont nettement dépassé les 30 % d'audience.

Des chaînes pour tous ?

Ces succès indéniables ne peuvent empêcher que la télévision, en tant que moyen audiovisuel de masse, s'adresse à la masse des Français, c'est-à-dire à une supposée « moyenne », et donc ne donne pas satisfaction à diverses catégories de la population, minoritaires sinon marginales. Selon certaines enquêtes, un tiers des Français ne serait pas satisfait des programmes actuellement proposés par les différentes chaînes.

Les Français lisent-ils ?

La lecture des Français est un sujet douloureux car, au fil des années, la conclusion ne varie guère : ils lisent peu.
Paresse d'esprit, échec des politiques culturelles ou concurrence des nouveaux médias ? La question reste posée, mais le pessimisme est de rigueur.

Si la lecture est la distraction préférée de 16 % des Français, l'enquête qui a permis d'obtenir ce chiffre ne précise pas de quel type de lecture il s'agit. Journaux, magazines, bandes dessinées, livres ? Est-il besoin de rappeler que lire peut constituer une activité très différente selon qu'elle s'applique à un bref article de magazine ou à un savant essai philosophique ?

De fait, les enquêtes les plus récentes ignorent ces lectures « plurielles » pour s'attacher presque exclusivement aux livres que lisent – ou ne lisent pas – les Français. A l'issue de l'année 1986, un tiers d'entre eux n'avait lu aucun livre, un tiers en avait lu quelques-uns, un tiers en avait lu beaucoup.

Avez-vous lu un ou plusieurs livres au cours des douze derniers mois, quel que soit le genre de livre, à l'exclusion des livres scolaires ou universitaires ? Si oui, combien ? [7]	%
N'a lu aucun livre	25
De 1 à 5	24
De 6 à 10	14
De 11 à 15	9
De 16 à 20	5
De 21 à 30	6
De 31 à 50	3
Plus de 50	4

(6) 1 point d'audience = 185 000 foyers.

(7) Sondage S.O.F.R.E.S. effectué du 19 au 23 décembre 86 pour *Le Nouvel Observateur. Le Nouvel Observateur* (9-15 janvier 1987).

Ils n'ont pas lu tous les livres...

Après un siècle d'école gratuite et obligatoire, dans un pays où les grands écrivains sont légion, il faut se rendre à l'évidence : **les Français lisent peu.**
24 % de « petits » lecteurs (1 à 5 livres dans l'année), 28 % de lecteurs « moyens » (6 à 20 livres) et seulement 13 % de « gros » lecteurs (20 à 50 livres et plus). Parmi ce dernier contingent, en majorité des moins de 24 ans, des femmes, des cadres moyens qui ont fait des études supérieures et qui votent plutôt à gauche.
45 % des lecteurs consacrent aux livres entre 2 heures et 7 heures hebdomadaires, 20 % entre 7 heures et 14 heures, 13 % entre 1 heure et 2 heures, 11 % 14 heures et plus et 10 % moins d'une heure. Les plus nombreux lisent habituellement dans leur chambre ou leur salon, avant de s'endormir ou après le déjeuner, en semaine plutôt que le week-end.

Lecture et télévision

La télévision joue un rôle non négligeable d'**incitation à la lecture,** puisque 31 % des Français déclarent qu'elle leur « donne envie de lire certains livres » (pour 23 %, elle représente un obstacle à la lecture et n'est ni l'un ni l'autre pour 43 %). Il est incontestable qu'une émission comme « Apostrophes » de Bernard Pivot qui, depuis plus de dix ans, présente chaque vendredi à 21 h 30 sur Antenne 2 durant environ une heure et quart, une émission littéraire devenue une véritable institution, a amené un certain nombre de Français à la lecture. « Apostrophes » fait vendre, dit-on ; la plupart des grandes librairies, qui ont désormais un stand réservé aux livres présentés par B. Pivot, ont trouvé une large clientèle parmi les téléspectateurs du vendredi soir. Être invités à « Apostrophes » est bien sûr une aubaine (ou un espoir souvent déçu) pour les auteurs ainsi assurés de voir les ventes de leurs livres grimper en flèche.

Bernard Pivot sur le plateau d'« Apostrophes ».

Des goûts et des couleurs

Qu'ils fassent ou non l'objet de l'émission de B. Pivot, les **romans** demeurent le genre de livre que préfèrent les Français. Une comparaison avec des enquêtes antérieures fait d'ailleurs apparaître une très grande stabilité dans leurs goûts littéraires (cf. tableau ci-après).

Parmi les genres de livres suivants, quels sont ceux que vous lisez de préférence ? (8)	**Décembre 1986**	*Rappel enquête* Le Figaro-*S.O.F.R.E.S.* *octobre 1979*
Romans	53 %	*48 %*
Livres d'histoire, récits historiques, mémoires, souvenirs	46 %	*45 %*
Romans policiers, espionnage	33 %	*31 %*
Livres sur la santé, la médecine	27 %	*26 %*
Documents, politique	21 %	*19 %*
Bandes dessinées	21 %	*18 %*
Œuvres de littérature classique	18 %	*18 %*
Essais, philosophie, sciences humaines	14 %	*11 %*
Livres scientifiques ou techniques	16 %	*18 %*
Science-fiction	12 %	*14 %*
Poésie	10 %	*11 %*
Livres d'art	10 %	*11 %*
Livres religieux	8 %	*5 %*
Encyclopédies	14 %	*10 %*
Autres	3 %	–
Le total des pourcentages est supérieur à 100, les personnes interrogées ayant pu donner plusieurs réponses.		

Cette enquête ne fait pas état de l'éventuelle appartenance des lecteurs à un club de vente de livres par correspondance. Pourtant, nombre d'amateurs de livres sont adhérents de telles associations. L'une d'elles, le Club du Grand Livre du mois, a réalisé récemment un sondage sur les auteurs et les livres préférés des Français. On y apprend notamment que Jean-Paul Sartre et Simone de Beauvoir sont connus par 89 % de leurs compatriotes. Viennent ensuite François Mauriac, Colette, Proust et Marguerite Duras pour les Français, Agatha Christie et Hemingway pour les étrangers.

A la question « Quel est, selon vous, le plus grand écrivain du XXe siècle ? », seulement 35 % des personnes interrogées ont répondu. Elles ont placé en tête André Malraux (13 %), suivi de Sartre (7 %), Albert Camus (6 %), Marcel Pagnol (5 %), etc. Aucun étranger ne figure dans le peloton de tête, seuls sont cités encore A. Christie et Hemingway, auxquels s'ajoute Alexandre Soljenitsyne.

En revanche, lorsqu'on demande aux Français de citer, parmi une liste de 26 titres, les livres qu'ils ont lus, c'est Hemingway qui l'emporte avec, aux deux premières places, *Le vieil Homme et la mer* (40 %) et *Pour qui sonne le glas* (36 %). Ils précèdent *Le Nœud de vipères* de Mauriac (35 %), *Dix petits nègres* d'A. Christie (33 %), *Le Blé en herbe* de Colette et *L'Étranger* de Camus (32 %).

(8) Toutes ces données et celles qui précèdent et qui suivent sont extraites du sondage S.O.F.R.E.S.-*Le Nouvel Observateur. Cf. note (7).*

Les Français lisent peu, si l'on en croit les sondages, leurs goûts littéraires sont très traditionnels, et pourtant une manifestation comme le Salon du Livre (ci-contre, au Grand Palais, à Paris) connaît, depuis quelques années, un succès sans cesse croissant. Paradoxe ou médiatisation de la lecture (le livre-spectacle) ?

La lecture de ces livres varie évidemment selon le sexe, l'âge, la profession. L'influence des lectures « scolaires », donc souvent « obligatoires », est également déterminante. Certains livres lus hier à l'école (*A l'ombre des jeunes filles en fleur* de Proust, *Gigi* de Colette, *Thérèse Desqueyroux* de Mauriac) ne le sont plus guère aujourd'hui.
Enfin, on constate avec surprise ou amusement que *Pour qui sonne le glas* est le titre préféré des électeurs du R.P.R. et *Le Blé en herbe* celui des plus de 65 ans, tandis qu'on ne s'étonne pas que *L'Étranger* soit celui des professions intellectuelles et des cadres...

Une rude concurrence

Ces différentes enquêtes conduisent à s'interroger : le livre a-t-il « partiellement raté en France son rendez-vous avec la culture de masse », comme semble le penser André Burguière, dans son commentaire de l'enquête S.O.F.R.E.S.-*Le Nouvel Observateur* ? N'est-il pas menacé par les mutations profondes de notre univers culturel ? En d'autres termes, les nouvelles technologies (disques compacts, magnétoscopes et cassettes vidéo, micro-ordinateurs domestiques...) ne vont-elles pas apporter aux hommes et aux femmes de demain cette part de culture, de rêve et de beauté que leur procuraient les livres, et donc marginaliser encore davantage la lecture ?

Le cinéma des Français

Depuis le début des années soixante, la situation du cinéma est mouvante. Menacé (mais peut-être aussi aidé ?) par la télévision, il suscite l'indifférence comme la passion.
Peut-être le 7e art est-il avant tout celui de la jeunesse ?

Au troisième rang des distractions des Français, le cinéma a connu des moments difficiles au cours des dernières décennies.
En 1960, 355 millions de spectateurs avaient fréquenté les salles obscures. Avec l'apparition et la pénétration rapide de la télévision dans les foyers français, ce chiffre a subi une chute brutale et régulière jusqu'en 1973 où l'on dénombra seulement 176 millions de spectateurs. Devant cette situation dramatique, les professionnels du cinéma prirent un certain nombre de mesures (par exemple, la transformation des grandes salles de cinéma en salles plus petites offrant un choix de films plus grand...) qui permirent d'enrayer le déclin, puis d'inverser la tendance. A l'incitation de campagnes publicitaires (« Le cinéma c'est la vie ! »), les Français reprirent le chemin des salles et la fréquentation remonta jusqu'à 200 millions en 1982. Depuis, cependant, la baisse a repris pour se stabiliser autour de 170 millions, chiffre qui classe néanmoins la France au premier rang en Europe.
En dépit de ce rang flatteur, il existe bien une **crise du cinéma** que la multiplication des chaînes de télévision privées risque d'accroître encore. Une chaîne comme Canal Plus, qui fonctionne 24 heures sur 24, diffuse en moyenne 6 à 8 films par jour (ils sont rediffusés chaque jour, à des heures différentes pendant environ deux semaines), tandis que les dernières nées, la « 5 » et « M.6 » programment également des films, mais en beaucoup plus petit nombre.
Si l'on ajoute à ce phénomène le développement des magnétoscopes (10 % des Français en possèdent aujourd'hui, soit environ 2 500 000 appareils contre 7 000 il y a dix ans), on peut légitimement être inquiet pour l'avenir du cinéma.

Les rapports cinéma-télévision

Les perspectives, toutefois, ne sont peut-être pas aussi sombres qu'elles peuvent paraître. Les Français, en effet, regardent essentiellement les films à la

Combien de films enregistrez-vous au magnétoscope ?	
• Moins de 5	2 %
• 5 à 9	4 %
• 10 à 19	19 %
• 20 à 29	16 %
• 30 à 39	6 %
• 40 à 49	3 %
• 50 à 99	17 %
• 100 et plus	22 %
• Sans réponse	11 %

télévision (3 à 5 par semaine pour 41 % d'entre eux, plus de 5 pour 23 %)[9] et en enregistrent beaucoup sur leur magnétoscope.
Assurément, cette assiduité devant le petit écran les dispense souvent de se déplacer jusqu'au grand écran et donc contribue à vider les salles de cinéma. Concourent également à cette désertion le prix élevé des places et l'éloignement des salles (32 % des Français iraient plus souvent au cinéma si les prix étaient plus bas et 26 % si les salles étaient plus proches de chez eux)[10]. La télévision apparaît donc comme le principal rival, sinon le fossoyeur, du cinéma. Mais n'est-elle pas, en même temps, le meilleur soutien, voire le promoteur, du septième art, dans la mesure où les extraits de films vus à la télévision constituent, après les acteurs, la seconde raison qui guide le choix des Français (34 %, contre 45 % les acteurs et 33 % les critiques)[11], avec en outre, pour 12 % d'entre eux, les émissions consacrées au cinéma ?
Au-delà du paradoxe, il existe une situation de fait, dont doivent tenir compte tous ceux qui réfléchissent aux rapports complexes (étroits et conflictuels) unissant cinéma et télévision.

Un conflit de générations ?

Il n'en reste pas moins vrai que beaucoup de Français font preuve d'une grande indifférence à l'égard du 7e art : 34 % d'entre eux ne sont jamais allés au cinéma depuis trois ans et plus et 18 % depuis un an à moins de trois mois[12].
En revanche, 24 % déclarent y aller au moins une fois par mois, et 34 % des jeunes de 18 à 24 ans, une fois par semaine. On assiste donc à une double coupure : entre les cinéphiles et les cinéphobes d'une part, entre les générations d'autre part.
Il en est de même pour les goûts cinématographiques de l'ensemble des Français et des 18-24 ans. Les premiers préfèrent de loin le cinéma français au cinéma américain (56 % contre 15 %), tandis que les seconds les placent presque sur le même plan (41 % contre 35 %). Si les Français « toutes catégories » choisissent Claude Lelouch comme metteur en scène préféré (61 %), leurs cadets se prononcent pour l'américain Steven Spielberg. Parmi les acteurs, Lino Ventura (84 %) et Philippe Noiret (81 %) pour les hommes, Catherine Deneuve (81 %) et Marlène Jobert (79 %) pour les femmes sont les favoris de toutes les générations confondues ; les jeunes leur préfèrent Christophe Lambert (81 %) et Bernard Giraudeau (75 %), Isabelle Adjani (82 %) et Nathalie Baye (72 %)[13].
Parodiant Louis Aragon qui estimait que « la femme est l'avenir de l'homme », sans doute faut-il penser que la jeunesse est l'avenir du cinéma.

(9) Cf. (1) p. 195.
(10) Cf. (1) p. 195.
(11) Cf. (1) p. 195.
(12) Cf. (1) p. 195.
(13) Cf. (1) p. 195.

10

Croyances, valeurs, idées

Catholiques, encore ?

Les vocations et les pratiques religieuses s'effondrent, les croyances ne sont plus ce qu'elles étaient, une grande partie des catholiques ne respectent pas les normes de Rome. La rupture entre l'Église et la société est-elle consommée ?

Monseigneur Decourtray, archevêque de Lyon, déclarait récemment : « Les séminaires et les noviciats se sont vidés depuis trente ans. Le cardinal Gerlier, archevêque de Lyon, a ordonné 1 850 prêtres en vingt-cinq ans d'épiscopat ; moi, 16 en cinq ans ! (...) La pratique religieuse a baissé des trois quarts, et plus encore chez les jeunes » [1]. Il nuançait pourtant ce constat pessimiste en observant « quelques signes de reprise » : 44 séminaristes dans le diocèse de Lyon en 1986, contre 28 en 1981 ; 250 religieuses, avec une moyenne d'âge de 32 ans, dans une communauté créée il y a une vingtaine d'années ; 200 groupes de prière qui se réunissent à Lyon une fois par semaine pendant deux heures...
Alors, déclin ou renouveau des vocations et de la pratique religieuse ?

La désaffection

En 1970, on dénombrait 402 entrées au séminaire et 285 ordinations ; quinze ans plus tard, ces chiffres étaient respectivement de 229 et 116. Durant la même période, le nombre de prêtres diocésains passait de 38 000 à 28 000.
En 1965, on comptait 19 000 religieux et 105 000 religieuses ; ils n'étaient plus que 13 500 et 75 000 en 1985. Ces chiffres confirment, s'il en était besoin, les données énoncées par l'archevêque de Lyon.
Parmi les **81** % de Français qui se déclarent catholiques (dont 15 % de pratiquants réguliers, 14 % de pratiquants occasionnels et 52 % de non pratiquants [2]), plus de la moitié n'assistent jamais à la messe, sauf pour les cérémonies (baptêmes, mariages, enterrements) [3].
Sur l'ensemble de la population française, la moitié exactement ne pratique jamais, 16 % assistent à la messe au moins une ou deux fois par mois et 15 % de temps en temps. Cette **désaffection pour la pratique** est particulièrement spectaculaire chez des catholiques dont neuf sur dix assistaient régulièrement à la messe lorsqu'ils étaient enfants. Autre indice de désaffection : le sentiment des Français à l'égard du baptême (97 % se déclarent baptisés, mais 73 % seulement sont convaincus de l'importance de ce sacrement pour leurs enfants), de l'éducation religieuse (61 % en sont partisans), du mariage à l'église (87 % se sont mariés religieusement, mais ils ne sont plus que 51 % à

dessin de H. G. Rauch

être favorables au mariage religieux). La pratique de la prière est également en nette diminution : 57 % des Français déclarent prier (11 % tous les jours, 17 % souvent, 29 % rarement) ; ils étaient 68 % il y a dix ans et 72 % en 1971. Les autres activités liées à la religion (lecture de la Bible, de livres ou de revues d'inspiration religieuse, participation à des réunions ou des groupes de prière, animation de jeunes, etc.) ne sont pratiquées que par un petit nombre de Français, y compris parmi les catholiques (10 % de lecteurs de la Bible, 5 % de participants à des groupes de prière ou des animations liturgiques...).

---

(1) *Le Nouvel Observateur* (3-9 octobre 1986).
(2) Sondage S.O.F.R.E.S.-*La Croix* (février 1986).
(3) Sondage S.O.F.R.E.S.-*Le Monde, La Vie* et France-Inter (septembre 1986). Toutes les données qui suivent sont extraites de ce sondage.

Le ciel oui, l'enfer non !

Une majorité de Français (56 %) s'affirment croyants, par conviction ou par tradition, 28 % incertains ou sceptiques et 14 % incroyants. Pour 76 % des catholiques, l'existence de Dieu paraît certaine ou probable, mais 12 % la considèrent improbable, 6 % exclue et 7 % sont sans opinion ! A la question : « Jésus-Christ est-il le fils de Dieu ? », 72 % répondent oui, 11 % non et 17 % sont sans opinion.

Sur d'autres points du dogme, l'attitude des catholiques n'est pas sensiblement différente de celle de l'ensemble de la population.

30 % des Français, par exemple, estiment qu'il n'y a rien après la mort, 43 % qu'il y a quelque chose, mais ils ne savent pas quoi, 19 % qu'il y a une nouvelle vie (pour les catholiques, on obtient respectivement 25 %, 46 % et 21 %). Mais, qu'il s'agisse de tous les Français ou seulement de ceux qui se réclament du catholicisme, on constate une véritable **hiérarchie des croyances.** Certaines (la résurrection du Christ, les miracles, l'Immaculée Conception de la Vierge Marie) recueillent une majorité d'adhésions, tandis que moins d'un tiers des catholiques déclarent encore croire à l'enfer, au diable ou au purgatoire.

Indépendants d'abord

Outre la hiérarchisation de leurs croyances, les catholiques français manifestent beaucoup d'**indépendance à l'égard des préceptes de l'Église.** Amenés à prendre des décisions qui engagent toute leur existence, ils tiennent essentiellement compte de leur conscience (80 %) et non des positions de la hiérarchie catholique (2 %). Il en est de même sur les questions de vie privée : 50 % déclarent accepter le principe de l'avortement, 72 % celui des relations sexuelles avant le mariage, 69 % admettent le principe du mariage des prêtres et 61 % envisagent que des femmes puissent devenir prêtres.

Enfin, 61 % ne refusent pas le principe d'un changement possible dans la doctrine catholique, et 55 % celui d'un désaccord avec les prises de position du Pape.

Sur le plan politique, ils font globalement preuve d'une **grande tolérance,** considèrent qu'on peut être à la fois catholique et socialiste (81 %), catholique et communiste (58 %), catholique et capitaliste (79 %), catholique et d'extrême droite (66 %)...

Le divorce Église/société

De l'ensemble de ces données, recueillies en particulier à l'occasion du troisième voyage en France du pape Jean-Paul II, en octobre dernier, il ressort que la France demeure **un pays majoritairement catholique.** L'identité française – dont il est actuellement beaucoup question – se définit notamment par son sentiment d'appartenance au catholicisme. Il n'en reste pas moins vrai que l'on assiste, ainsi que le souligne Mgr Decourtray, à la « montée d'une certaine indifférence par rapport à l'Église » [(4)]. De l'indifférence à la rupture, la marge est souvent étroite. Après la séparation de l'Église et de l'État au début du siècle, n'est-ce pas le divorce de l'Église et de la société qui s'accomplit sous nos yeux ?

Aux valeurs spirituelles et transcendantes, les Français préfèrent désormais les valeurs matérielles et immédiates. Malgré certains signes de renouveau, notamment parmi les jeunes qui cherchent à satisfaire leur besoin de certitude

---

(4) *Le Nouvel Observateur (op. cit.).*

et de spiritualité au sein de nouveaux mouvements religieux (les groupes charismatiques, par exemple), l'influence de l'Église ne cesse de s'affaiblir. L'interrogation de Jean-Paul II, lors de son premier voyage en terre française, garde toute son actualité : « France, fille aînée de l'Église, qu'as-tu fait de ton baptême ? »

Où en sont les protestants ?

Assiste-t-on actuellement au déclin ou au « réveil » protestant ? Faut-il ou non que se réunissent des États généraux du protestantisme ? Les protestants sont divisés, comme ils le sont dans leur foi ou leur engagement politique. Mais qui sont-ils et que veulent-ils ?

Après la commémoration, en 1985, du tricentenaire de la Révocation de l'Édit de Nantes [1] et, en 1986, du quatre cent cinquantième anniversaire de l'*Institution de la religion chrétienne* [2] de Calvin, les protestants français envisagent de réunir des États généraux du protestantisme. L'idée, lancée en 1975 à l'occasion d'une assemblée générale du protestantisme, avait fait long feu. Elle renaît de ses cendres aujourd'hui après le **« réveil protestant »** qui a suivi la célébration de la révocation de l'Édit de Nantes.

C'est l'historien Jacques Ellul qui, lors d'un colloque sur le thème « Protestantisme et liberté », en octobre 1985, a renouvelé l'appel à des **États généraux.** Depuis, des textes ont été rédigés, diffusés, une « charte » a été publiée.

Cependant, nul à l'heure actuelle ne peut dire quand et sous quelle forme auront lieu ces États généraux. Une seule chose est certaine : l'idée de cette manifestation est née du constat pessimiste établi par certains sur le protestantisme et son évolution. Selon ceux-là en effet, l'identité protestante serait menacée par la **désaffection à l'égard du culte,** la **multiplication des mariages mixtes** (deux protestants sur trois épousent un catholique) et l'**abandon de la transmission familiale.**

L'historien Jean Baubérot évoque même le risque d'« autorévocation » du protestantisme. « Pendant longtemps, note-t-il, (les protestants) ont fait de la politique et du socio-culturel. Ils ont été absorbés par l'œcuménisme, le dialogue interreligieux et l'obsession des prises de position communes. Et le protestantisme, dans tout cela ? ». Et les protestants ? peut-on ajouter.

La carte d'identité des protestants

Si l'on définit les protestants non seulement comme l'ensemble de ceux qui pratiquent la religion réformée, luthérienne, évangélique, etc., mais aussi comme « tous ceux qui se reconnaissent une identité protestante », on évalue leur nombre, d'après un sondage de 1978, **entre 1 300 000 et 1 900 000 personnes.**

Une autre enquête en 1980 révélait que deux millions de personnes, soit 4,5 % des Français, se déclaraient « proches du protestantisme ». En décembre 1986, selon le journal *Le Monde,* « la grande famille de la Réforme compte huit cent cinquante mille fidèles ».

Géographiquement, les protestants sont dispersés, même si un tiers d'entre eux se trouvent en Alsace, en Moselle et dans le Doubs. 20 % vivent dans la région parisienne, 15 % en Ardèche et dans les Cévennes, régions où se réfugièrent leurs ancêtres persécutés par les dragons de Louis XIV après la Révocation de l'Édit de Nantes, d'autres enfin dans les Charentes, le Poitou, etc.
Selon l'enquête de 1980, environ 30 % des protestants se définissaient comme « réformés », 24 % comme « évangéliques » (méthodistes, baptistes, adventistes, etc.), 9 % comme « luthériens », tandis que 37 % déclaraient n'appartenir à aucune Église.
53 % de ceux qui se réclament du protestantisme le font en raison de « la liberté d'esprit qu'il donne », 29 % de ses principes moraux, 28 % de « la place faite à la Bible », 25 % de « l'acceptation de la laïcité », 22 % de « la foi en Jésus-Christ », 8 % mettent en avant ses œuvres et 5 % « son passé de religion persécutée ».
Sociologiquement, 27 % des protestants sont des employés et des cadres moyens ; 26 % des ouvriers ; 26 % également des « inactifs » ; 13 % des cadres supérieurs et des membres des professions libérales (soit deux fois plus que dans l'ensemble de la société) ; 5 % des petits patrons et 4 % des agriculteurs.
75 % des protestants ont des enfants et, parmi eux, 25 % ont trois enfants et plus, 59 % leur donnent une éducation religieuse.

Leur foi

Interrogés en 1980 sur la personne de Jésus-Christ, 32 % ont répondu qu'il était, à leurs yeux, « le fils de Dieu » ; 29 % qu'il représentait « un idéal moral » ; 22 % « un personnage historique » et 6 % un « sauveur personnel ».
Sur l'ensemble des personnes interrogées, 38 % avaient été baptisées selon le rite protestant et 25 % s'étaient mariées au temple.
20 % seulement ont un conjoint protestant contre 48 % qui ont épousé un ou une catholique.
La pratique religieuse des protestants est faible : un sur dix seulement va au temple deux fois par mois et plus, six sur dix n'y vont jamais. 41 % disent croire à la résurrection du Christ, 41 % déclarent ne pas y croire. Sur le plan de l'éthique sociale ou sexuelle, 82 % acceptent le remariage religieux des divorcés, 63 % se prononcent pour la contraception et 56 % admettent l'avortement.

Leur engagement politique

Aux élections législatives de 1978, 41 % des protestants avaient voté pour le parti socialiste, 36,5 % pour les partis de droite et 11,5 % pour le parti communiste. Toutefois, cette répartition concernait ceux que, à l'instar des catholiques, l'on pourrait appeler des protestants « sociologiques », c'est-à-dire des hommes et des femmes qui se réclament de la religion réformée sans pour autant la pratiquer. Parmi les protestants pratiquants, on constate en effet un

---

(1) Disposition par laquelle Henri IV, en 1598, accorda aux protestants la liberté du culte et des garanties politiques et juridiques, mettant ainsi fin à 40 ans d'une cruelle guerre civile. En 1685, Louis XIV révoqua l'Édit de Nantes, ce qui entraîna la persécution des protestants (les « dragonnades ») et l'émigration en Allemagne et en Suisse de 200 000 à 300 000 d'entre eux.
(2) Œuvre théologique qui fonda le protestantisme français.

clivage tout à fait différent puisque 51 % choisissent la droite et 49 % la gauche.
Même si l'on a compté un nombre important de ministres protestants au sein du gouvernement socialiste entre 1981 et 1986, il paraît inconstestable que le protestantisme français se caractérise par **une assez large diversité politique,** comme en témoignent, par exemple, les prises de position de ses différents organes de presse.

Pour ou contre des États généraux ?

Toutefois, c'est parce qu'ils jugent leur Église trop politisée et souhaitent aussi réagir contre « une certaine sclérose des appareils », que de nombreux protestants ont demandé la convocation d'États généraux.
A ceux-là, des personnalités éminentes du protestantisme français, sans nier l'intérêt de cette manifestation, répondent que leur Église présente au contraire certains signes de renouveau. Il n'y a pas, disent-ils, de crise des vocations, les pasteurs sont de plus en plus jeunes, et les facultés de théologie accueillent davantage d'étudiants. En outre, des laïcs de plus en plus nombreux participent à des actions humanitaires ou militent dans des associations caritatives. Enfin, la situation financière de l'Église réformée est excellente !
A l'évidence, pour les pessimistes comme pour les optimistes, la réunion de ces États généraux permettra de savoir où en sont les protestants à la veille du troisième millénaire.

Les valeurs des Français

Les Français s'interrogent :
leurs valeurs évoluent.
Les unes sont à la baisse, les autres à la hausse.
Certaines ont disparu, quelques-unes (ré)apparaissent.
Un nouveau système, une nouvelle hiérarchie de valeurs
ne sont-ils pas à inventer ?

« Partout les hommes sont animés par leurs valeurs. Ce sont elles qui expriment leurs besoins et leurs désirs, qui font comprendre leurs interrelations. » L'auteur de ces lignes, Jean Stoetzel, sociologue récemment disparu, créateur de l'Institut français d'opinion publique (I.F.O.P.), avait publié, il y a quelques années, un important ouvrage sur les « valeurs du temps présent »[1]. Fruit de plusieurs années d'enquête, ce livre est une impressionnante analyse (12 000 personnes interrogées, 2 500 000 données recueillies...) des valeurs actuellement dominantes en Europe occidentale, notamment en France.

Vous avez dit morale ?

Si l'on commence l'examen de l'attitude des Français à l'égard des valeurs par la **morale,** c'est-à-dire l'ensemble des règles qui guident la conduite des individus au sein d'une société, on constate un indéniable **pessimisme.** 67 % de nos compatriotes estiment en particulier que « l'entraide a diminué » et 71 % qu'« on ne peut plus faire confiance aux autres ». Ces appréciations rejoignent les jugements de bon nombre d'observateurs selon lesquels notre époque se caractérise par « un abaissement général de la moralité ». En matière de « vertus », c'est l'**honnêteté** que les Français souhaitent d'abord inculquer à leurs enfants, puis la **tolérance,** le **respect d'autrui** et la **politesse** (respectivement 76 %, 59 % et 51 %).

Une France laïque

Dans le domaine religieux[2], la France se situe dans ce que J. Stoetzel appelle une « région laïque », à mi-chemin des régions catholiques (Espagne, Italie) et des régions protestantes (Danemark, Royaume-Uni). Les catholiques y demeurent les plus nombreux (52 % d'entre eux cependant sont non pratiquants), les musulmans constituent désormais la seconde communauté religieuse de France, mais les « sans religion » représentent 16 % de l'ensemble des Français[3]. Comparée à ses voisins européens, la France a « une

(1) *Les valeurs du temps présent, une enquête européenne* (P.U.F., coll. « Sociologies », 1984).
(2) Cf. « Catholiques, encore ? » p. 204 et « Où en sont les protestants ? » p. 208.
(3) Sondage S.O.F.R.E.S.-*La Croix* (14 février 1986).

religiosité nettement inférieure » [4] (62 % de croyance en Dieu contre 75 % en Europe), sauf pour la croyance en la capacité de l'Église à donner des réponses satisfaisantes aux « problèmes moraux et aux besoins spirituels » (48 % en France contre 44 %).

Il faut toutefois signaler, même si le phénomène demeure marginal, l'engouement de nombreux Français, notamment des jeunes, pour les sectes. On dénombrerait actuellement 200 000 adeptes et 400 000 sympathisants de l'Église de l'unification (plus connue sous le nom de secte Moon), de l'Église de scientologie, de Haré Krishna, des Témoins de Jéhovah, etc.

Liberté/Égalité, Patrie/République

Sur le plan politique, l'enquête de J. Stoetzel montre que, pour les Français, les notions de **liberté** et d'**égalité** restent primordiales, mais « la liberté est une valeur de la droite et l'égalité une valeur de la gauche » [5]. La primauté de ces deux valeurs correspond bien au bipolarisme droite/gauche traditionnel en France [6]. Il se traduit aujourd'hui par le dualisme des valeurs libérales et des valeurs socialistes. Les premières restent dominantes (54 %) mais connaissent une certaine stagnation, les secondes, quoique minoritaires (46 %), sont en hausse [7].

Sur l'alternative **patrie ou internationalisme,** on constate avec J Stoetzel, que

(4) *Les valeurs du temps présent (op. cit.).*
(5) *Ibid.*
(6) Cf. « France de droite, France de gauche » p. 53.
(7) Sondage S.O.F.R.E.S.-*Le Point, Le Point* (10 novembre 1986).

l'attachement à la première est une valeur de la droite et le second une valeur de la gauche (le socialiste Jean Jaurès disait pour sa part : « Un peu d'internationalisme éloigne de la patrie, beaucoup d'internationalisme y ramène »).
Les **symboles nationaux** – la Marseillaise notamment – ont été considérés ces dernières années comme gardant leur valeur d'antan, par un nombre sans cesse croissant de Français (de 56 % en 1979 [8] à 70 % en 1983 [9]). Ils représentent à l'évidence des indices d'adhésion à la France (fin 1985, 82 % des habitants de l'hexagone déclaraient être « très fiers ou plutôt fiers » d'être français). La République enfin, jugée comme le meilleur système politique par 63 % des Français et pour laquelle 68 % seraient prêts à se battre, est, pour 64 % d'entre eux, unc valeur commune à la gauche et à la droite (pour 14 %, elle est une valeur de gauche et pour 8 % une valeur de droite) [10].
Devant cette « métapolitique » nationale et unitaire (qu)'est l'âme républicaine de la France [11], ou songe au mot de Charles Péguy : « La République une et individuelle, c'est notre royaume de France ».

De nouvelles valeurs ?

Aux valeurs morales, religieuses, politiques, patriotiques, il faut bien sûr ajouter celles liées à la **famille** et au **travail** qui, dans la plupart des enquêtes récentes, viennent **en tête du palmarès des valeurs** [12].
Dans un univers où la crise économique n'est qu'un des aspects de la crise culturelle, autrement dit de la crise générale des valeurs, les jeunes notamment adhèrent à ces valeurs-refuges que sont la famille, le travail, l'amitié...
La société actuelle est un édifice dont les fondements – les valeurs collectives – se lézardent et s'ébranlent. S'ils s'écroulent, c'est le grand vide [13], le « trou noir culturel » [14]. Devant cette menace, au bord du gouffre, les jeunes cherchent de nouvelles valeurs. Ils (re)trouvent alors des valeurs anciennes qui ont pour nom générosité, solidarité, fraternité [15]. Peut-être ne leur suffisent-elles pas, mais elles leur paraissent en tout cas préférables aux pseudo ou contre-valeurs du « bof » [16], de l'« à quoi bon » ou du « tout se vaut ».
La société – et en tout premier lieu l'école, qui en assure la transmission – doit réaffirmer la nécessité d'un système de valeurs, qui seul lui permet de se façonner et de se perpétuer. Elle doit identifier et nommer les valeurs qu'elle veut promouvoir.
Quelles valeurs ? Deux auteurs québécois ont remarquablement analysé cette question. On peut répondre avec eux : ni « valeurs-objets », ni « valeurs-saisonnières », mais des valeurs qui assurent un « équilibre entre des cadres de référence sécurisants et toutes les remises en question qui s'imposent » [17].

---

(8) Sondage Louis Harris-*L'Express.*
(9) Sondage S.O.F.R.E.S.-*L'Expansion.*
(10) « Les Français et la République », *Le Nouvel Observateur* (7 décembre 1984).
(11) Jacques Julliard, *Le Nouvel Observateur (op. cit.).*
(12) Cf. « La famille, oui mais... » p. 10 et « Le travail des Français » p. 85.
(13) Cf. *L'ère du vide* de Gilles Lipovetsky (Gallimard, 1983).
(14) Bernard Cathelat, directeur du Centre de communication avancée (C.C.A.), analyste des « styles de vie » et des mentalités des Français.
(15) Cf. « Lycéens-étudiants : la révolte de l'automne 86 » p. 122.
(16) Onomatopée exprimant l'indifférence – souvent utilisée par les jeunes dans les années 1975-1980, d'où l'expression journalistique « la bof génération ». Cf. p. 120.
(17) Lucien Morin et André Naud, *l'École et les valeurs,* Gouvernement du Québec, Conseil supérieur de l'Éducation, 1979.

Les idées qui bougent

Le paysage idéologique est en perpétuelle transformation. Après trente ans d'hégémonie, l'idéologie de gauche a dû céder la place aux idéologies de droite. Mais demain, la situation peut de nouveau s'inverser. Une seule certitude : les idéologies sont bien vivantes !

Il y a quelques semaines, *Le Magazine littéraire* publiait un numéro spécial sur le thème « Idéologies : le grand chambardement » [(1)].
Thème particulièrement alléchant pour tous ceux qui s'intéressent au mouvement des idées en France, mais aussi thème récurrent, si l'on en juge par quelques titres d'articles ou de dossiers parus dans la presse au cours des trois dernières années.
En octobre 1984, *L'Express* présente une enquête intitulée « La fin du prêt-à-penser » [(2)]. En janvier 1985, *Le Matin* annonce « la mort des idéologies » (article du sociologue Alain Touraine) [(3)], tandis qu'un mois plus tard *Le Figaro,* sous la signature de l'universitaire et journaliste Jean-Marie Domenach, titre sur « la grande lessive des idéologies » [(4)]. Même image, en juin 1986, dans *Le Nouvel Observateur* qui propose un dossier sur « la grande lessive des intellectuels », précédé d'un éditorial, sous le même titre, de l'historien et journaliste Jacques Julliard [(5)]. Deux mois plus tard, celui-ci, dans sa chronique hebdomadaire, se penche sur « la retraite des intellos » (il faut entendre : les intellectuels sortent de leur retraite, et non, prennent leur retraite...) à l'occasion de rencontres estivales sur « le nouveau paysage intellectuel » [(6)]. La semaine suivante, le directeur du *Nouvel Observateur* prononce un subtil « éloge des intellectuels » [(7)].

Des cycles idéologiques

Sous la diversité, ou la similitude, des titres, une même interrogation : où en sont aujourd'hui les idéologies ? Un constat d'abord : cette question est déjà une réponse à ceux qui, régulièrement, croient discerner la fin des idéologies. Les idéologies ne sont pas mortes, elles ont évolué, elles se sont modifiées.

(1) *Le Magazine littéraire* n° 239-240, mars 1987.
(2) *L'Express,* 5 au 11 octobre 1984.
(3) *Le Matin,* 28 janvier 1985.
(4) *Le Figaro,* 13 février 1985.
(5) *Le Nouvel Observateur,* 13-19 juin 1986.
(6) *Le Nouvel Observateur,* 8-14 août 1986.
(7) *Le Nouvel Observateur,* 15-21 août 1986.

Comme l'observe l'historien René Rémond : « A l'instar de l'économie (...) le mouvement des idées associe des oscillations à court terme et de faible amplitude avec des évolutions plus essentielles qui obéissent à des rythmes et ont leurs cycles »[8].
Des cycles idéologiques peuvent s'achever, mais ils laissent la place à de nouveaux cycles.

Une idéologie dominante

De nombreux auteurs estiment que le cycle qui débuta au lendemain de la Seconde Guerre mondiale, a définitivement pris fin. Il avait vu les « idées de gauche » exercer une véritable « domination sur les esprits »[9]. L'idéologie dominante n'était pas celle des classes dirigeantes, mais celle des intellectuels de gauche. Détenteurs du pouvoir culturel, ils présentèrent, durant une trentaine d'années, une configuration idéologique à diverses facettes, mais hégémonique. Il y eut d'abord le **marxisme** considéré, selon la formule de Sartre, comme « l'horizon indépassable de notre temps » et dont l'influence fut sans commune mesure avec le nombre de ceux qui s'en réclamaient explicitement. Après la guerre, note Edgar Morin, « le marxisme était la doctrine totale répondant à tous problèmes scientifiques, philosophiques, éthiques, politiques, historiques, etc. »[10]. Ébranlé par la révolte hongroise (1956) et les événements de Tchécoslovaquie (1968), contesté par les « néo-marxismes » (marxisme critique ou freudo-marxisme), durement atteint par la désaffection de ses fidèles à l'égard des grands modèles de référence (U.R.S.S., Chine, Vietnam, Cuba...), le marxisme a été frappé de plein fouet à partir de 1975, par les « révélations » des dissidents soviétiques, notamment Soljenitsyne, et l'irruption sur la scène idéologique des « nouveaux philosophes ». Depuis, il n'a cessé, semble-t-il, de s'affaiblir au point d'apparaître, aux yeux de nombre d'intellectuels, comme une idéologie épuisée, sinon morte. Le **gauchisme** aurait pu succéder, après 1968, au marxisme orthodoxe, mais il mourut de ses contradictions internes, au terme d'une longue agonie agitée parfois de soubresauts violents[11]. Ses principaux acteurs se sont, pour la plupart, parfaitement intégrés au « système » (politique, économique, culturel...). Hier, farouches adversaires du capitalisme, ils sont aujourd'hui recyclés dans le marketing ou la publicité. Quelques-uns se sont retranchés dans une marginalité sectaire et morose ; d'autres enfin se sont repliés dans l'idéologie du « petit-bonheur » individuel.
Plus récent, l'**écologisme** a paru un moment pouvoir constituer l'idéologie-recours susceptible d'attirer les jeunes. Très vite, cependant, il s'est figé dans une opposition exclusive au nucléaire, négligeant ainsi les problèmes plus quotidiens des atteintes à l'environnement.
« Cet amalgame de présupposés idéologiques, d'aspirations sentimentales, de réactions affectives, de jugements moraux et d'observations positives » a été « démenti par l'expérience, contesté, battu en brèche par des systèmes contraires », il s'est désagrégé et a perdu de « son emprise sur les esprits »[12].

(8) *Le Débat*, n° 33, janvier 1985.
(9) René Rémond, dans *Le Débat, op. cit.*
(10) *Le Nouvel Observateur*, 13-19 juin 1986.
(11) Les attentats d'origine française (« Action directe ») perpétrés fin 1986 en France, en sont probablement une des manifestations.
(12) R. Rémond, *op. cit.*

Le retour des idéologies de droite

Jean-Paul Sartre

Raymond Aron

Cette perte d'influence, cette désagrégation (A. Touraine parle d'« écroulement ») de l'idéologie (des idéologies) de gauche a été symbolisée par les disparitions successives de ses principaux « maîtres-penseurs » : Sartre, Barthes, Lacan, Foucault. Elle s'est accompagnée, selon un classique mouvement de balancier, d'un réveil, d'**une montée en puissance de l'idéologie** (des idéologies) **de droite.** Quand meurt Raymond Aron en 1983, lorsque les médias proclament qu'il eut raison contre Jean-Paul Sartre, ce sont les « trente glorieuses » de l'idéologie de gauche qui arrivent à leur terme.
Après les « nouveaux philosophes », dont la critique de l'idéologie de gauche s'enracina dans le gauchisme post-soixante-huitard avant de se muer en discours anti-totalitaire, au nom de la défense des droits de l'homme, il y eut les « nouveaux économistes ». Adeptes des théoriciens libéraux de l'Europe du XIXe siècle et des économistes néo-conservateurs américains, il connurent une gloire éphémère à partir de 1978. L'année suivante, la vedette leur fut ravie par la « nouvelle droite » qui, l'espace d'un été, fit les beaux jours de la page « Idées » du journal *Le Monde.* Les thèses provocantes de ce courant de pensée (anti-égalitarisme, anti-christianisme, anti-américanisme...) eurent vite fait de le rejeter dans l'ombre médiatique.
Mai 1981 éclata comme un coup de tonnerre dans le ciel serein de la droite politicienne. La gauche s'emparait du pouvoir politique au moment même où lui échappait le pouvoir culturel qu'elle détenait sans partage depuis la fin de la guerre. Hormis quelques personnalités entrées dans les cabinets ministériels ou nommés dans les services culturels des ambassades de France, les intellectuels de gauche se firent remarquer par leur silence. Au cours de l'été 1983, un ministre – lui-même écrivain – leur en fit reproche et les exhorta à s'exprimer [13]. L'appel ne fut qu'en partie entendu, d'éminents penseurs (Michel Foucault, Pierre Bourdieu, Simone de Beauvoir...) ayant refusé d'y répondre. Pendant ce temps, le libéralisme achevait sa mue. La timide chrysalide néo-économiste de 1978 était désormais un triomphant papillon « reaganien ». La plupart des intellectuels de droite se rallièrent à la bannière étoilée de la « Révolution conservatrice américaine » [14].
Il n'y avait pourtant rien de particulièrement neuf dans ce « nouveau libéralisme » qui ne faisait qu'actualiser les thèmes classiques d'une doctrine du XIXe siècle : primat de l'individu sur la collectivité ; défense et illustration de la propriété privée et de l'initiative individuelle ; libre-jeu du marché ; refus de l'État-Providence et rejet d'une société d'assistance.
La gauche elle-même qui se sentait « en voie de disparition » [15], trouva un nouveau souffle dans ce grand vent libéral venu d'Outre-Atlantique. Une « troisième gauche » n'hésita pas à proclamer la fin du socialisme et à vanter les vertus du libéralisme. Le journal *Le Monde* publia une importante enquête sur « les métamorphoses du socialisme » et l'économiste Alain Minc plaida pour un « capitalisme de gauche »...

---

(13) Il s'agit de Max Gallo, historien, romancier, qui, dans un article retentissant publié dans *Le Monde* (26 juillet 1983) posa cette question : « La gauche abandonnerait-elle la bataille des idées ? »
(14) Cf. Guy Sorman : *La Révolution conservatrice américaine* (Fayard, 1983).
(15) Cf. Laurent Joffrin : *La gauche en voie de disparition* (Seuil, 1984).

Chassés-croisés idéologiques

Ces dernières années, des dogmes se sont effondrés, de vieux clivages se sont atténués, de nouvelles idéologies sont apparues. Un grand « remue-méninges » a agité les cerveaux les plus « idéologisés ». On a vu un ancien compagnon de Che Guevara, devenu conseiller du président de la République, proclamer la fin de l'« internationalisme prolétarien » et prôner une « diplomatie de puissance »[16]. On a entendu un ministre de l'Éducation nationale, membre de l'aile gauche du Parti socialiste, se prononcer pour un « élitisme républicain » axé sur « le travail, le mérite, le talent »[17]. Un gaulliste a écrit qu'il n'hésiterait pas à préférer la gauche à la droite[18] et un ancien ministre du septennat de V. Giscard d'Estaing s'est déclaré partisan d'une France multi-raciale[19].

Idéologies : toujours du nouveau

En dépit de ces chassés-croisés, les affrontements idéologiques n'ont pas cessé, ils se sont simplement déplacés. De vieilles idéologies sont mortes, d'autres ont vu le jour. Elles ont conquis de nouveaux territoires, investi de nouvelles places.

Le **tiers-mondisme,** par exemple, hier encore idéologie de la justice et de la générosité, qualifié aujourd'hui de « prêt-à-porter idéologique » alimentant la mauvaise conscience des pays occidentaux, est l'objet d'une profonde remise en cause[20].

La science, notamment la biologie et la génétique, est le lieu de controverses et de querelles idéologiques souvent virulentes.

Enfin, comment ne pas évoquer, à la veille du bicentenaire de 1789, le grand débat idéologique qui s'instaure autour de la Révolution française ? Déjà, ses défenseurs et ses adversaires ont fourbi leurs armes, les munitions sont prêtes. Messieurs les idéologues, tirez les premiers ![21] Oui, décidément, les idéologies sont bien vivantes. Elles bougent, elles changent, elles se transforment. Le « grand chambardement » se poursuit.

---

(16) Cf. Régis Debray : *La Puissance et les Rêves* (Gallimard, 1984).

(17) Il s'agit de Jean-Pierre Chevènement, qui fut ministre de l'Éducation nationale de juillet 1984 à mars 1986.

(18) Cf. Frédéric Grendel : *Quand je n'ai pas de bleu, je mets du rouge* (Fayard, 1985).

(19) Cf. Bernard Stasi : *L'immigration, une chance pour la France* (R. Laffont, 1985).

(20) *Le tiers-mondisme en question,* actes du Colloque de la Fondation Liberté sans frontières, Éd. Olivier Orban, 1986.

(21) Allusion à l'apostrophe « Messieurs les Anglais, tirez les premiers ! » que des soldats français auraient adressée à leurs adversaires britanniques à la bataille de Fontenoy (1745).

En guise de conclusion... quelques réflexions sur l'identité de la France

La célébration du millénaire de l'avènement d'Hugues Capet en 987, date déterminante dans le lent cheminement au cours duquel la France s'est constituée en tant que nation, est l'occasion de s'interroger sur la question controversée de l'identité nationale.

Dans le cadre d'un numéro spécial sur le thème « Mille ans d'une nation, la France et les Français, 987-1987 »[(1)], la revue *L'Histoire* a publié un article intitulé « Le casse-tête de l'identité française ». L'auteur de ce texte, le journaliste Jean-Maurice de Montremy, rappelle dans son introduction la remarque du grand historien Fernand Braudel : « L'identité de la France ? Le mot m'a séduit, mais n'a cessé, des années durant, de me hanter »[(2)]. F. Braudel venait d'achever, peu avant sa mort, un livre ayant justement pour titre *L'identité de la France.* Qu'entendre par cette expression ? demande-t-il, « sinon une sorte de superlatif, sinon une problématique centrale, sinon une prise en main de la France par elle-même, sinon le résultat vivant de ce que l'interminable passé a déposé patiemment par couches successives ? (...) En somme, un résidu, un amalgame, des additions, des mélanges. Un processus, un combat contre soi-même, destiné à se perpétuer. S'il s'interrompait, tout s'écroulerait. »

J.-M. de Montremy donne ensuite la parole aux historiens Pierre Chaunu et Jean Tulard, au géographe Yves Lacoste et au philosophe Marcel Gauchet.

Pour chacun d'entre eux, « l'identité française se constitue d'abord face à l'extérieur, tout en incluant des tensions parfois très vives »[(3)]. Ainsi, pour P. Chaunu, auteur notamment de *La France, histoire de la sensibilité des Français à la France*[(4)], l'unité française, et partant l'identité, a besoin d'une « guerre civile permanente » qui oppose deux peuples : « le peuple de la Tradition, à la mémoire longue (...) et le peuple de la Parole, à la mémoire courte »[(5)].

Cette idée paradoxale selon laquelle la coexistence de deux, voire de plusieurs mémoires antagonistes[(6)] est indispensable à l'unité nationale ou, en d'autres termes, que les divisions et les déchirures des Français « les séparent moins qu'elles ne les unissent »[(7)], une telle idée est donc au cœur de toute réflexion sur l'identité nationale.

Qu'est-ce que la France ? Un peuple, une nation, un État, une patrie ? Un mythe ou une « passion inutile » ? Réponse de l'historienne Colette Beaune : « C'est une conscience d'être une communauté humaine particulière par son origine et son histoire, un peuple auquel est lié de tout temps, croit-on, un territoire propre »[(8)].

A un journaliste qui lui demandait « La France, pour vous, qu'est-ce que c'est ? » F. Braudel répondit : « C'est la seule question à laquelle je suis incapable de répondre »[(9)].

---

(1) *L'Histoire,* n° 96, janvier 1987.
(2) Dans *L'identité de la France I, Espace et Histoire,* Arthaud-Flammarion, 1986.
(3) J.-M. de Montremy, article cité ci-dessus.
(4) Robert Laffont, 1982.
(5) Dans *L'Histoire,* n° 96, *art. cit.*
(6) Cf. Alain Kimmel et Jacques Poujol, *Certaines idées de la France,* Dossiers de Sèvres, n° 70. C.I.E.P. 1980 ou Verlay Moritz Diesterweg, Gmbh & Co. Frankfurt am Main, 1982.
(7) P. Chaunu. *op. cit.*
(8) C. Beaune, *La naissance de la nation France,* Gallimard, 1985.

Ce dont il est sûr, par contre, c'est que « la France se nomme diversité »[10]. Cette diversité (des paysages, des climats, des hommes, des modes de vie, des idéologies...) est la réalité d'hier et d'aujourd'hui, « le triomphe éclatant du pluriel, de l'hétérogène, du jamais tout à fait vu ailleurs »[11]. Cette France « plurielle » a toujours été en opposition avec la France « une » qui s'est efforcée de la dominer, de la contraindre, d'éliminer ses particularismes. En vain, car aucun ordre, politique, social ou culturel, n'a réussi « à imposer une uniformité qui soit autre chose qu'une apparence »[12]. Il n'existe pas une France « une », mais « des » France.
Cependant, toute médaille a son revers. Il n'y a souvent qu'un pas entre la diversité et la division. La France est « essentiellement divisible », soulignait Michelet avant P. Chaunu ; de fait, les pages de notre histoire sont pleines du bruit et de la fureur des guerres franco-françaises (des luttes intestines entre tribus gauloises aux affrontements entre partisans et adversaires de l'Algérie française, en passant par les guerres civiles entre Armagnacs et Bourguignons, catholiques et protestants, révolutionnaires et royalistes, communards et versaillais, résistants et collaborateurs...).
Pourtant, la France a vécu, et vit encore, entre le pluriel et le singulier, et dans cet écartèlement entre deux pôles, toutes les forces de l'histoire sont à l'œuvre, celles de l'État, de la société civile, de l'économie, de la culture et de la langue. La France ne se réduit pas à une image ou à un mythe, elle n'est pas le résultat de quelque déterminisme que ce soit, elle est le fruit d'une volonté, la volonté de tous ceux qui constituent le peuple français. Si cette volonté vient à manquer, ce n'est pas la décadence (un concept auquel Braudel dit ne pas croire) qui guette la France, c'est son identité qui est en cause. Lorsqu'il réfléchit sur cette identité, c'est « à propos de la France de demain » que Fernand Braudel « (se) tourmente et (s')interroge ».
Cette interrogation, cette inquiétude ont été également exprimées dans des livres récents émanant de clubs de réflexion, proches des partis politiques.
A droite, le club de l'Horloge a fait paraître *L'identité de la France*[13], actes d'un colloque organisé sur ce thème au printemps 1985. Leitmotiv de ce livre : le retour à la Nation, avec pour corollaire la réaffirmation des sentiments d'appartenance et d'enracinement. Ce néo-nationalisme s'accompagne d'une dénonciation de l'universalisme, de l'« idéologie culpabilisante » des droits de l'homme et de la société pluriculturelle qui ne peuvent conduire qu'à l'éclatement de notre pays en une société multinationale, destructrice de l'identité française et à travers elle de la France ».
Pour le club de l'Horloge, « le droit à l'identité est le premier des droits de l'homme » et il est du devoir des hommes politiques de le réhabiliter.
A gauche, le club Espace 89 a publié *L'identité française*[14], également fruit d'un colloque tenu durant la même période. S'il ne nie pas l'existence d'une crise de l'identité française, ce cercle socialiste n'accepte pas les réponses de la droite qu'il estime porteuse d'une idéologie « alourdie de motifs nationalistes et xénophobes, voire racistes ». Cette idéologie serait véhiculée sous couvert de « différentialisme » (thème du « droit à la différence » qui est passé naguère de droite à gauche, puis récemment de gauche à droite) et de « préférence nationale »[15]. Pour Espace 89, « l'identité française, c'est une culture plurielle, ce sont des valeurs résumées par le tryptique Liberté, Égalité, Fraternité ».

(9) Dans *L'Événement du jeudi* (20 au 26 mars 1986).
(10) Dans *L'identité de la France I, op. cit.*
(11) *Ibid.*
(12) *Ibid.*
(13) Albin Michel, 1985.
(14) Éditions Tierce, 1985.
(15) Titre du livre de Jean-Yves Le Gallou, ancien responsable du Club de l'Horloge, actuellement membre dirigeant du Front national *(La Préférence nationale : réponse à l'immigration,* Albin Michel, 1985).

Enfin, l'identité nationale fut de nouveau à l'ordre du jour, l'été dernier, lors des Rencontres de Pétrarque qui ont réuni à Montpellier des historiens, des philosophes, des responsables de revues *(Commentaire, Le Débat, Esprit* et *Liberté de l'esprit)* sur le thème : « La France : une nouvelle conscience de soi ? ».
Selon l'historien Michel Winock, il existe une crise de la conscience française qui est écartelée entre un « mouvement de dilatation vers l'Europe » (on ne sait pas vraiment ce qu'est la France) et un « mouvement de rétraction vers la région » (l'image de l'identité française devient imprécise).
Les différents intervenants ont également pris acte de la multiplication actuelle des histoires de France, rédigées par les plus grands historiens de notre pays (Pierre Chaunu, Georges Duby, François Furet, Emmanuel Le Roy Ladurie, etc.). Toutes ces histoires nationales posent le problème de l'unité et de la pluralité de la France, tandis que leurs auteurs, à l'instar de leurs compatriotes, sc demandent ce que signifie être Français aujourd'hui. Questions d'autant plus épineuses qu'elles sont formulées dans un contexte où l'immigration, la régionalisation, voire « l'européanisation » mettent en cause l'identité française. Les réponses apportées à cet égard par les philophoses Alain Finkielkraut et André Comte-Sponville ont montré que la pluralité des idées de la France [16] n'était pas un vain mot. Au premier, qui refuse toute conception de l'identité française autre que « l'adhésion rationnelle et contractuelle » à un pays dans lequel on vit, le second oppose la reconnaissance d'une véritable conscience nationale et la recherche d'une « nouvelle culture française ».
Tout comme le débat sur les origines de la France (quand commence-t-elle ? avec Vercingétorix ? avec Clovis ? avec le partage de l'empire carolingien ? avec le sacre d'Hugues Capet ?...) ou sur la naissance du sentiment national (au Moyen Age, durant la guerre de Cent ans ou avec l'épopée de Jeanne d'Arc ? au XVIe siècle, après l'ordonnance de Villers-Cotterêts ? avec la Révolution française ? ou seulement au XIXe siècle, avec le service militaire généralisé et l'enseignement primaire obligatoire ?), le débat sur l'identité de la France est loin d'être clos. Une certitude pourtant : on constate actuellement, avec l'historien Pierre Nora, « une revitalisation de plus en plus nette du sentiment d'appartenance à la nation, non plus vécu sur le mode affirmatif du nationalisme traditionnel – même s'il en alimente des poussées – mais sur le mode d'une sensibilité renouvelée à la singularité nationale, combinée d'une adaptation nécessaire aux conditions nouvelles que font à la nation son insertion européenne, la généralisation des modes de vie modernes, l'aspiration décentralisatrice, les formes contemporaines de l'intervention étatique, la présence forte d'une population immigrée peu réductible aux normes de la francité coutumière, la réduction de la francophonie » [17].
Peut-être ce renouveau du sens de l'identité nationale permettra-t-il à la France, au-delà de son irréductible diversité, de parvenir définitivement à cette unité qu'elle n'a jusqu'alors connue qu'en de brèves ou tragiques périodes de son histoire ?

---

(16) Cf. (7).
(17) Dans *Les lieux de mémoire II, La Nation* ***, Gallimard, Bibliothèque illustrée des histoires, 1986.

Repères bibliographiques

GÉNÉRALITÉS

- *La France et les Français*, par Alphonse Dupront, Encyclopédie de la Pléiade, Gallimard, 1972.
- *Histoire des passions françaises*, par Théodore Zeldin, 5 vol. éd. Recherches-Encre, 1978-1979.
- *L'Invention de la France*, par Hervé Le Bras et Emmanuel Todd, Livre de Poche, « Pluriel », 1981.
- *Francoscopie*, par Gérard Mermet et le Centre de communication avancée (C.C.A.), 1985, réédition 1987.
- *L'État de la France et de ses habitants*, sous la direction de Jean-Yves Potel, La Découverte, 1985, réédition 1987.
- *Demain la France*, « L'Expansion », n° spécial, octobre-novembre 1985 et Livre de poche « Pluriel », 1986.
- *Les Trois France*, par H. Le Bras, éd. Odile Jacob-Le Seuil, 1986.
- *S.O.F.R.E.S.-L'État de l'opinion, clés pour 1987*, S.O.F.R.E.S./ Le Seuil, 1987.
- *Géopolitiques des régions françaises*, sous la direction d'Yves Lacoste (3 vol.), Fayard, 1987.

POPULATION

ÉTUDES DÉMOGRAPHIQUES

- « Le développement de l'union libre », dans *Premiers résultats* (I.N.S.E.E) n° 22, juillet 1984 et *Économie et statistique*, n° 185, février 1986.
- « La population française de A à Z », notamment le chapitre « Autour de la famille » dans *Les Cahiers français* (La Documentation française) n° 219, janvier-février 1985.
- « Du mariage » dans *Population et sociétés*, n° 210, février 1987.
- « La population de la France en 1985 et 1986 » dans *Population et sociétés*, n° 211, mars 1987.

ESSAIS ET ROMANS

- *Concubin, concubine*, par Sabine Chalvon-Demersay, Le Seuil, 1983.
- *Le Divorce, boum !*, par Christiane Collange, Fayard 1981.
- *Moi ta mère*, par Christiane Collange, Fayard 1985.
- *Pour le meilleur et pour le pire*, par Evelyne Sullerot, Fayard 1984.
- *La fête des pères*, par François Nourissier, Grasset 1986.
- *Voyage de noces*, par Jacques Bellefroid, La Différence, 1986.
- *La vie fantôme*, par Danièle Sallenave, POL, 1986.

RÉALITÉS QUOTIDIENNES

LES FRANÇAIS ET L'ARGENT

- *Toujours plus*, par François de Closets, Grasset, 1982.
- *L'Argent secret*, par I. Walter (*L'Expansion* / Hachette. J.-C. Lattès, 1986).
- *La Bourse, mythes et réalités*, par Pierre Balley, P.U.F. 1986.

DITES-NOUS CE QUE VOUS MANGEZ...

- *Une histoire de la gastronomie française*, par E. Neyrenck et J.-P. Poulain, Privat, 1986.
- *La France à table*, par Pascale Pynson, La Découverte, 1987.

LES VACANCES DES FRANÇAIS

- *Les vacances des Français en été 1985*, Direction de l'industrie touristique, La Documentation française, 1987.

CONTEXTE POLITIQUE

- *Portrait du Président*, par Jean-Marie Colombani, Gallimard 1985.
- *Le Complexe d'Astérix*, par Alain Duhamel, Gallimard 1985.
- *Les années Mitterrand*, par Serge July, Grasset 1986.
- *Dans les coulisses du pouvoir, la comédie de la cohabitation*, par Thierry Pfister, Albin Michel, 1986.
- *Le comportement électoral des Français*, par Colette Ysmal, La Découverte, 1986.
- *Le Ve Président*, par A. Duhamel, Gallimard, 1987.

RÉGIONALISATION

- « La Décentralisation », *Les Cahiers français* nos 204, janvier-février 1982 et 220, mars-avril 1985.
- *De nouveaux pouvoirs. Essai sur la décentralisation*, par Paul Graziani, Albin Michel, 1985.

SITUATION ÉCONOMIQUE

- *Les Trente Glorieuses*, par Jean Fourastié, Fayard, 1979.
- *La politique économique de la France*, par Michel Perebeau, Armand Colin, 1987.
- *Dossiers noirs de l'industrie française*, par P. Dacier et *alii*, Fayard, 1985.
- *Les chiffres-clés de l'industrie*, ministère de l'Industrie, Dunod, 1987.
- *Guide des privatisables*, par Jean de Belot, Albin Michel, 1987.
- *Le rural en question*, par Maryvonne Bodiguel, L'Harmattan, 1986.
- *Le Tourisme : un phénomène économique*, par Pierre Py, Notes et études documentaires n° 4811, La Documentation française, 1986.

QUESTIONS SOCIALES

- *Politiques sociales dans la France contemporaine*, par M. Laroque, S.T.H. 1986.
- *Inacceptable chômage*, par Pierre de Calan, Dunod, 1986.
- *Demain 6 millions de chômeurs ?*, par Jacques Caritey, Economica, 1986.
- *Le chômage guéri... si nous le voulons*, par Octave Gélinier, Hommes et Techniques, 1986.
- *Tous ensemble, la « Syndicratie »*, par F. de Closets, Le Seuil, 1986.
- *Nouvelles frontières pour le syndicalisme*, par Edmond Maire, Syros, 1987.
- *Un syndicalisme moderne ? Oui !*, par Henri Krasucki, Messidor/ Editions sociales, 1987.
- *Sociologie des fonctionnaires*, par Jean-François Kessler, P.U.F. « Que sais-je ? », 1980.
- *La protection sociale*, I.R.E.S., *Les Cahiers français* n° 215, mars-avril 1984, La Documentation française.
- *La Sécurité sociale*, par G. Dorion et A. Guionnet, P.U.F. « Que sais-je ? » 1983.

FAITS DE SOCIÉTÉ

JEUNES

- *Les Jeunes*, par Olivier Galland, La Découverte, 1985.
- *Les jeunes et les autres*, présenté par Michelle Perrot et Annick Percheron, Centre de recherche interdisciplinaire de Vaucresson (C.R.I.V.), 1986.
- *Un coup de cœur*, par Laurent Joffrin, Arlea, 1987.
- *S.O.S. Génération*, par Julien Dray, Ramsay, 1987.
- *La Galère : jeunes en crise*, par François Dubet, Fayard, 1987.

IMMIGRATION

- *La fin des immigrés*, par Françoise Gaspard et Claude Servan-Schreiber, Le Seuil, 1984.
- *Touche pas à mon pote*, par Harlem Désir, Grasset, 1985.
- *La Préférence nationale réponse à l'immigration, par Jean-Yves Le Gallou*, Albin Michel, 1985.
- *L'immigration en France, faits et problèmes*, par Pierre George, Armand Colin, 1986.

SPORT ET MODE

- *Sports et sociétés, approche socioculturelle des pratiques*, Vigot, 1981.
- *Le Nouvel âge du sport*, Esprit n° 4, 1987.
- *Les mouvements de mode expliqués aux parents*, par H. Olbak, A. Soral et A. Pasche, Robert Laffont, 1984.
- *Jeux, modes et masses*, par Paul Yonnet, Gallimard, 1986.

ACTUALITÉ DES MÉDIAS

JOURNAUX ET JOURNALISTES

- *Grand reportage*, par Michèle Manceaux, Le Seuil, 1980.
- *L'Information malade de ses stars*, par Françoise Tristani-Potteaux, Pauvert, 1983.
- *La Presse aujourd'hui*, Centre de formation et de perfectionnement des journalistes (C.F.P.J.), 1985.
- *Les Journalistes français*, par Bernard Voyenne, C.F.P.J.-Retz, 1985.

LE PAYSAGE AUDIOVISUEL

- *La Guerre des images*, par José Frèches, Denoël, 1986.
- *Le Miroir de Jupiter*, par Michèle Cotta, Fayard, 1986.
- *Le choc des télés*, par Gérard Le Febvre, Robert Laffont, 1987.
- *Les Voix de la France*, par Pierre Bouteiller et Alain de Sédouy, Calmann-Lévy, 1987.

SYSTÈME ÉDUCATIF

- *Vos enfants ne m'intéressent plus*, par Maurice T. Maschino, Hachette, 1984.
- *L'École en accusation*, Club de l'Horloge, Albin Michel, 1984.
- *L'Enseignement en détresse*, par Jacqueline de Romilly, Julliard, 1984.
- *De l'École*, par Jean-Claude Milner, Le Seuil, 1984.
- *Tant qu'il y aura des profs*, par Hervé Hamon et Patrick Rotman, Le Seuil 1984.
- *Les enseignants persécutés*, par Patrice Ranjard, éd. Robert Jauze, 1985.
- *Sociologie de l'éducation*, par Mohamed Cherkaoui, P.U.F. « Que-sais-je ? » 1986.
- *Les Instituteurs. Enquête sur l'école primaire*, par Nicole Gauthier, Le Seuil, 1986.
- *Les Universités à la loupe*, par R.-F. Le Bris, Atlas/Economica, 1986.
- *Les Professeurs de l'enseignement secondaire*, par Jean-Michel Chapoulie, Maison des Sciences de l'homme, 1987.

VIE CULTURELLE

- *Le Pouvoir intellectuel en France*, par Régis Debray, Ramsay, 1979.
- *Lexique de la vie culturelle*, par Y. Brunsvick, J.-P. Bady et B. Clergerie, Dalloz, 1987.
- *L'Élan culturel, la France en mouvement*, par Jacques Renard, P.U.F. 1987.
- *Le cinéma français, 1960-1985*, sous la direction de Philippe de Comes et Michel Marmin, éd. Atlas, 1985.
- *Dictionnaire du cinéma français*, sous la direction de J.-P. Passek, Larousse, 1987.
- *Les Modernes*, par J.-P. Aron, Gallimard, 1984.
- *La Défaite de la pensée*, par Alain Finkielkraut, Gallimard, 1987.
- *La Barbarie*, par Michel Henry, Grasset, 1987.

CROYANCES, VALEURS, IDÉES

- *Vers un nouveau christianisme*, par D. Hervieu-Léger, Cerf, 1986.
- *Culture catholique*, « Autrement » n° 75, décembre 1985.
- *Le Protestantisme*, par Jean Bauberot et Jean-Paul Willaine, M.A. 1986.
- *Catholicismes de France*, par J.-M. Donegani et G. Lescanne, Desclée et Cie. à paraître courant 1987.
- *Enquête sur les idées contemporaines*, par Jean-Marie Domenach, Le Seuil, 1982.
- *Les Nouvelles idéologies*, sous la direction de Paul Bacot et Claude Journès, Presses universitaires de Lyon, 1983.
- *Chronique des idées d'aujourd'hui*, par Jean-Michel Besnier et Jean-Paul Thomas P.U.F., 1987.
- *68-86 Itinéraires de l'individu*, par Luc Ferry et Alain Renaut, Gallimard, 1987.
- *Les valeurs du temps présent. Une enquête européenne*, par Jean Stvetzel, P.U.F. 1983.
- *L'ère du vide, essai sur l'individualisme contemporain*, par Gilles Lipovetsky, Gallimard, 1983.

L'IDENTITÉ FRANÇAISE

- *La France et les Français*, notamment le chapitre « Du sentiment national » par Alphonse Dupront, Encyclopédie de la Pléiade, Gallimard, 1972.
- *Certaines idées de la France*, par Alain Kimmel et Jacques Poujol, Dossiers de Sèvres n° 70, 1980, et 75, 1981 et Verlag Mortiz Diesterweg Gmb H&× Co. Frankfurt am Main, 1982.
- *La France, histoire de la sensibilité des Français à la France*, par Pierre Chaunu, R. Laffont, 1982.
- *La naissance de la nation France*, par Colette Beaune, Gallimard, 1985.
- *L'identité de la France*, Club de l'Horloge, Albin Michel, 1985.
- *L'identité française*, Espaces 89, éd. Tierce, 1986.
- *L'identité de la France*, « Espace et Histoire », « Les Hommes et les choses » (2 volumes), par Fernand Braudel, Arthaud-Flammarion, 1986.
- *Les lieux de mémoire*, I « La République », II « La Nation » (3 vol.), sous la direction de Pierre Nora, Gallimard, « Bibliothèque illustrée des histoires », 1985 et 1986.

Crédits photographiques :

Table des matières

Imprimé en France par Mame Imprimeurs à Tours
Dépôt légal n° 5714-7-1987 — Collection n° 20 — Édition n° 01
15/4710/8